HISTÓRICOS PARA TODOS

HISTÓRICOS PARA TODOS

1 e 2 CRÔNICAS

JOHN GOLDINGAY

Título original: *1 and 2 Chronicles for everyone*

As citações bíblicas são traduções da versão do próprio autor, a menos que seja especificada outra versão da Bíblia Sagrada.

Publisher	*Samuel Coto*
Editor	*André Lodos Tangerino*
Tradutor	*José Fernando Cristófalo*
Copidesque	*Josemar de Souza Pinto*
Revisão	*Carlos Augusto Pires Dias*
Diagramação	*Sonia Peticov*
Capa	*Rafael Brum*

DADOS INTERNACIONAIS DE CATALOGAÇÃO NA PUBLICAÇÃO (CIP)
(Benitez Catalogação Ass. Editorial, MS, Brasil))

G571h

Goldingay, John

Históricos para todos: 1 e 2 crônicas / John Goldingay; tradução José Fernando Cristófalo. — 1.ed. — Rio de Janeiro: Thomas Nelson Brasil, 2022.
288 p.; 12 x 18 cm.

Tradução de *1 and 2 chronicles for everyone.*
ISBN 978-65-5689-444-7

1. Bíblia — Antigo Testamento. 2. Bíblia — Ensinamentos. 3. Bíblia. A.T. Crônicas — História e interpretação. I. Cristófalo, José Fernando. II. Título.

11-2021/15 CDD: 248.4

Índice para catálogo sistemático:
1. Crônicas: Cristianismo 248.4

Aline Graziele Benitez — Bibliotecária — CRB-1/3129

Thomas Nelson Brasil é uma marca licenciada à Vida Melhor Editora LTDA.

Rua da Quitanda, 86, sala 218 — Centro
Rio de Janeiro — RJ — CEP 20091-005
Tel.: (21) 3175-1030
www.thomasnelson.com.br

SUMÁRIO

AGRADECIMENTOS

A tradução no início de cada capítulo (e em outras citações bíblicas) é de minha autoria. Tentei me manter o mais próximo do texto hebraico original do que, em geral, as traduções modernas, destinadas à leitura na igreja, para que você possa ver, com mais precisão, o que o texto diz. Embora prefira utilizar a linguagem inclusiva de gênero, deixei a tradução com o uso universal do gênero masculino caso esse uso inclusivo implicasse em dúvidas quanto ao texto estar no singular ou no plural. Em outras palavras, a tradução, com frequência, usa "ele" onde em meu próprio texto eu diria "eles" ou "ele ou ela". A restrição de espaço não me permite incluir todo o texto bíblico neste volume; assim, quando não há espaço suficiente para o texto completo, faço alguns comentários gerais sobre o material que fui obrigado a suprimir. Ao final do livro, há um glossário dos termos-chave recorrentes no texto (termos geográficos, históricos e teológicos, em sua maioria). Em cada capítulo (exceto na introdução), a ocorrência inicial desses termos é destacada em **negrito**.

As histórias que seguem a tradução, em geral, envolvem meus amigos, assim como minha família. Todas elas de fato ocorreram, mas foram fortemente dissimuladas para preservar as pessoas envolvidas, quando necessário. Por vezes, o disfarce utilizado foi tão eficiente que, ao relê-las, levo um tempo para identificar as pessoas descritas. Nas histórias, Ann, a minha esposa, aparece com frequência. Ela faleceu enquanto eu escrevia este volume, após negociar com a esclerose múltipla durante 43 anos. Compartilhar os cuidados e o desenvolvimento de sua enfermidade e crescente limitação, ao longo desses anos, influencia tudo o que escrevo, de maneiras facilmente perceptíveis ao leitor, mas também de formas menos óbvias. Agradeço a Deus por Ann e estou feliz por ela, mas não por mim, pois ela pode, agora, descansar até o dia da ressurreição.

Sou grato a Matt Sousa por ler o manuscrito e me indicar o que precisava corrigir ou esclarecer no texto. Igualmente, sou grato a Tom Bennett por conferir a prova de impressão.

INTRODUÇÃO

No tocante a Jesus e aos autores do Novo Testamento, as Escrituras hebraicas, que os cristãos denominam de Antigo Testamento, *eram* as Escrituras. Ao fazer essa observação, lanço mão de alguns atalhos, já que o Novo Testamento jamais apresenta uma lista dessas Escrituras, mas o conjunto de textos aceito pelo povo judeu é o mais próximo que podemos ir na identificação da coletânea de livros que Jesus e os escritores neotestamentários tiveram à disposição. A igreja também veio a aceitar alguns livros adicionais, os denominados **"apócrifos"** ou "textos deuterocanônicos", mas, com o intuito de atender aos propósitos desta série, que busca expor "o Antigo Testamento para todos", restringimos a sua abrangência às Escrituras aceitas pela comunidade judaica.

Elas não são "antigas" no sentido de antiquadas ou ultrapassadas; às vezes, gosto de me referir a elas como o "Primeiro Testamento" em vez de "Antigo Testamento", para não deixar dúvidas. Quanto a Jesus e os autores do Novo Testamento, as antigas Escrituras foram um recurso vívido na compreensão de Deus e dos caminhos divinos no mundo e conosco. Elas foram úteis "para o ensino, para a repreensão, para a correção e para a instrução na justiça, para que o homem de Deus seja apto e plenamente preparado para toda boa obra" (2Timóteo 3:16-17). De fato, foram para todos, de modo que é estranho que os cristãos pouco se dediquem à sua leitura. Meu objetivo, com esses volumes, é auxiliar você a fazer isso.

Meu receio é que você leia a minha obra, não as Escrituras. Não faça isso. Aprecio o fato de esta série incluir grande parte do texto bíblico, mas não ignore a leitura da Palavra de Deus. No fim, essa é a parte que realmente importa.

UM ESBOÇO DO ANTIGO TESTAMENTO

A comunidade judaica, em geral, refere-se a essas Escrituras como a Torá, os Profetas e os Escritos. Embora o Antigo Testamento contenha os mesmos livros, eles são apresentados em uma ordem diferente:

- Gênesis a Reis: Uma história que abrange desde a criação do mundo até o exílio dos judeus para a Babilônia.
- Crônicas a Ester: Uma segunda versão dessa história, prosseguindo até os anos posteriores ao exílio.
- Jó, Salmos, Provérbios, Eclesiastes, Cântico dos Cânticos: Alguns livros poéticos.
- Isaías a Malaquias: O ensino de alguns profetas.

A seguir, há um esboço da história subjacente a esses livros (não forneço datas para os eventos em Gênesis, o que envolve muito esforço de adivinhação).

1200 a.C.	Moisés, o êxodo, Josué
1100 a.C.	Os “juízes”
1000 a.C.	Saul, Davi
900 a.C.	Salomão; a divisão da nação em dois reinos: Efraim e Judá
800 a.C.	Elias, Eliseu
700 a.C.	Amós, Oseias, Isaías, Miqueias; Assíria, a superpotência; a queda de Efraim
600 a.C.	Jeremias, o rei Josias; Babilônia, a superpotência

500 a.C.	Ezequiel; a queda de Judá; Pérsia, a superpotência; judeus livres para retornar ao lar
400 a.C.	Esdras, Neemias
300 a.C.	Grécia, a superpotência
200 a.C.	Síria e Egito, os poderes regionais puxando Judá de uma forma ou de outra
100 a.C.	Judá rebela-se contra o poder da Síria e obtém a independência.
0 a.C.	Roma, a superpotência

PRIMEIRO E SEGUNDO CRÔNICAS

No conteúdo do Antigo Testamento, então, o livro de Crônicas é uma alternativa e uma versão mais curta da história que ocupa de Gênesis a Reis. O início acontece no mesmo lugar, com Adão; conta a história da humanidade como um todo e, então, toda a história de Israel até o exílio; e termina no mesmo lugar, com um evento que anuncia o fato de que Deus ainda não terminou com Israel ou abandonou o seu povo. A cobertura de toda essa história, num espaço correspondente a um sexto do espaço utilizado no relato de Gênesis a Reis, obviamente envolve ser muito mais seletivo, especialmente quando os livros de Crônicas incluem material que não aparece nos textos de Gênesis a Reis. Por outro lado, com frequência, a narrativa de Crônicas mantém uma correspondência muito próxima ao relato de Samuel-Reis, de maneira que ou Crônicas começou a partir de Samuel-Reis, retrabalhando o texto, ou ambas as versões usaram um relato anterior da história que não mais sobrevive.

Seja como for, por que deveria haver duas versões? Um paralelo dentro da Bíblia é a existência de quatro versões do Evangelho, e um fator por trás da existência delas é que a história de Jesus precisava ser contada em diferentes maneiras para públicos distintos. Era necessário que as implicações atuassem de modos diferentes. As implicações precisavam operar de formas distintas. Algo similar é verdadeiro no tocante a Crônicas em comparação com o texto de Gênesis a Reis. Essa versão anterior termina com o povo de Judá ainda no exílio babilônico, e Reis coloca considerável ênfase sobre a responsabilidade de Israel pela dupla catástrofe relatada pelo livro — primeiro, a queda de Efraim e, então, a queda de Judá. Crônicas concorda totalmente quanto à responsabilidade pelo exílio, mas finaliza com a referência à ascensão dos persas, que derrotam a Babilônia e comissionam os judaítas a voltarem para casa e reconstruírem o templo que os babilônios tinham destruído. Jeremias havia advertido que o exílio duraria algum tempo, mas também prometera que chegaria o momento de ele terminar. Com a ascensão da Pérsia, esse momento chegou.

As pessoas para as quais o livro de Crônicas foi escrito não eram, portanto, as mesmas pessoas que precisavam encarar a responsabilidade pelo colapso de sua nação. Eram pessoas que não precisavam cair em armadilhas similares às que seus ancestrais tinham caído, mas, igualmente, necessitavam ver a grandeza do que Deus fizera a eles e responder com uma vida de confiança e obediência a Deus.

Há, pelo menos, três formas pelas quais podemos ver a natureza da mensagem que os livros da Bíblia estavam transmitindo ao seu público-alvo. No presente caso, essas três abordagens se autoalimentam. Uma delas é simplesmente ler os livros e procurar pelas coisas que eles enfatizam. Uma segunda abordagem é compará-los com outros livros relacionados — nesse caso, com os livros de Gênesis a Reis. Uma terceira, é considerá-los contra o cenário de seu contexto histórico ou social. Essas três formas de estudo nos revelam, por exemplo, que o texto de Crônicas avança à velocidade da luz de Adão a Davi; o relato não faz nenhuma referência às promessas feitas aos ancestrais de Israel, ou ao êxodo, ao Sinai, ou mesmo à jornada até a terra prometida. Davi é a pessoa que importa. Além disso, Crônicas foca Davi sob um ângulo particular, ou seja, a sua importância em fazer os arranjos para a construção do templo e para a adoração naquele local.

Tudo isso é coerente com o que aprendemos dos livros de Esdras e Neemias quanto à situação da comunidade de Judá em seus dias — Crônicas deve ter sido escrito poucas décadas após a época de Neemias, mas a situação permanecia a mesma. Foi um tempo no qual os judaítas eram, de fato, livres para retornar do exílio, mas a maioria adotou a mesma visão que os judeus que vivem em Nova York ou Londres nos dias atuais; eles estavam felizes em seu lar adotivo e não desejavam sair para viver em Jerusalém. Assim, a comunidade em Judá era muito pequena e insignificante, ocupando uma área não maior que um condado na Grã-Bretanha ou nos Estados Unidos. Uma das relevâncias do foco de Crônicas sobre Davi e o templo é lembrar a comunidade do incrível privilégio de ser chamada a adorar *Yahweh* nessa casa, cuja construção foi comissionada por Davi. Esse Deus é, de fato, "o Deus dos céus" (até mesmo o imperador persa o chamou assim, no parágrafo de encerramento dos livros), mas ele é adorado aqui.

Ao lermos além da história de Davi, descobrimos que Crônicas praticamente omite a história de Efraim. O texto concorda com 1 e 2Reis que Efraim desligou-se de *Yahweh* ao separar-se da linhagem de Davi e da adoração no templo em Jerusalém; assim sendo, o texto adota a atitude radical de simplesmente ignorar Efraim, pois não pertence à história do povo de Deus. Esdras e Neemias, uma vez mais, desvendam algo dos bastidores. Em seus dias, havia um povo vivendo na região de Efraim, a província persa, coirmã, agora chamada de Samaria, que deseja se associar a Judá e diz que cultua *Yahweh*. Quem pode dizer se eles possuem um genuíno compromisso religioso com *Yahweh* ou se é apenas um estratagema para ampliarem o controle político da região? Esdras e Neemias suspeitam da última opção. Crônicas regozija-se na ideia do povo de Efraim vindo a ter um compromisso real com Deus em Jerusalém (e por gentios chegarem ao conhecimento de *Yahweh*), mas é necessário que seja um compromisso genuíno. Crônicas não encoraja os judaítas a se deixarem enganar.

Na relação da própria comunidade com Deus, a história sugere que ela é desafiada a não cometer o mesmo erro que seus predecessores antes do exílio. Crônicas enfatiza o ponto ao prometer que uma comunidade fiel a Deus descobre que, em retorno, Deus é fiel. Primeiro e Segundo Reis contam muitas histórias que deixam um ponto de interrogação quanto à sua veracidade. Crônicas busca fornecer evidências de que elas realmente são verdadeiras.

© Karla Bohmbach

0
milhas
50
mar Mediterrâneo
rio Leontes
monte Líbano
CORDILHEIRA ANTILÍBANO
HARÃ
Sidom
Damasco
monte Hermon
Tiro
lago Hula
FENÍCIA
BASÃ
mar da Galileia
GALILEIA
rio Jarmuque
monte Carmelo
rio Quisom
VALE DE JEZREEL
Megido
GILEADE
Samaria
SAMARIA
Siquém
rio Jaboque
rio Jordão
Jericó
monte Nebo
Jerusalém
JUDEIA
AMOM
FILÍSTIA
Gaza
Hebrom
mar Morto
rio Arnom
SEFELÁ
deserto da Judeia
Berseba
MOABE
rio Zerede
NEGUEBE
ARABÁ
Cades-Barneia
EDOM
PLANÍCIE COSTEIRA
PLANALTO CENTRAL
VALE DO RIFT
MONTES TRANSJORDANIANOS

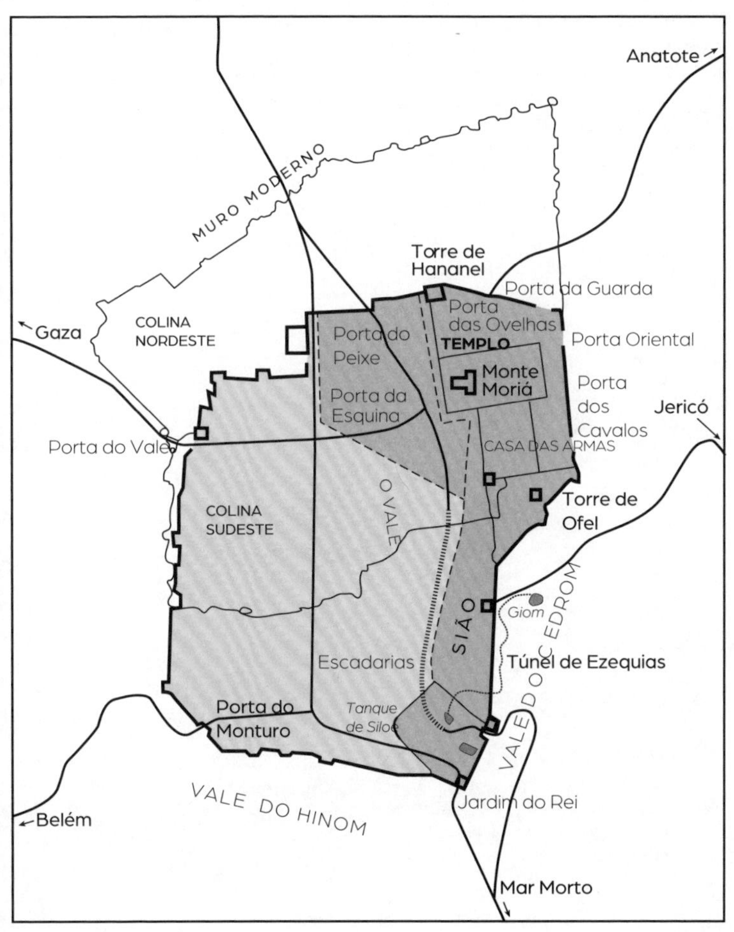
Anatote
MURO MODERNO
Torre de
Hananel
Porta da Guarda
Porta
das Ovelhas
Gaza
COLINA
NORDESTE
Porta do
Peixe
TEMPLO
Porta Oriental
Monte
Moriá
Porta da
Esquina
Porta
dos
Cavalos
Jericó
Porta do Vale
CASA DAS ARMAS
O VALE
COLINA
SUDESTE
Torre de
Ofel
VALE DO CEDROM
Giom
SIÃO
Escadarias
Túnel de Ezequias
Porta do
Monturo
Tanque
de Siloé
VALE DO HINOM
Jardim do Rei
Belém
Mar Morto

1CRÔNICAS

1CRÔNICAS 1:1—2:8
NO PRINCÍPIO

[1]Adão, Sete, Enos, [2]Cainã, Maalaleel, Jarede, [3]Enoque, Matusalém, Lameque, [4]Noé, Sem, Cam e Jafé. [5]Os filhos de Jafé: Gômer, Magogue, Madai, Javã, Tubal, Meseque e Tirás. [6]Os filhos de Gômer: Asquenaz, Rifate e Togarma. [7]Os filhos de Javã: Elisá, Tarsis, os quititas e os rodanitas.

[8]Os filhos de Cam: Cuxe, Egito, Pute e Canaã. [9]Os filhos de Cuxe: Sebá, Havilá, Sabtá, Raamá e Sabtecá. Os filhos de Raamá: Sabá e Dedã. [10]Cuxe gerou Ninrode; ele foi o primeiro a ser um guerreiro na terra. [11]Egito gerou os luditas, os anamitas, os leabitas, os naftuítas, [12]os patrusitas, os casluítas (dos quais se originaram os filisteus) e os caftoritas. [13]Canaã gerou Sidom, seu primogênito, e Hete, [14]os jebuseus, os amorreus, os girgaseus, [15]os heveus, os arqueus, os sineus, [16]os arvadeus, os zemareus e os hamateus.

[17]Os filhos de Sem: Elão, Assur, Arfaxade, Lude e Arã, Uz, Hul, Géter e Meseque. [18]Arfaxade gerou Salá, e Salá gerou Héber. [19]A Héber nasceram dois filhos: o nome de um era Divisão [Pelegue] (porque em seus dias a terra foi dividida), enquanto o nome de seu irmão era Joctã. [20]Joctã gerou Almodá, Salefe, Hazarmavé, Jerá, [21]Adorão, Uzal, Dicla, [22]Ebal, Abimael, Sabá, [23]Ofir, Havilá e Jobabe. Todos esses foram filhos de Joctã.

[24]Sem, Arfaxade, Salá, [25]Héber, Divisão, Reú, [26]Serugue, Naor, Terá [27]e Abrão — isto é, Abraão. [28]Os filhos de Abraão: Isaque e Ismael. [...] [34b]Os filhos de Isaque: Esaú e Israel [...].

CAPÍTULO 2

[1]Estes foram os filhos de Israel: Rúben, Simeão, Levi, Judá, Issacar, Zebulom, [2]Dã, José, Benjamim, Naftali, Gade e Aser. [3]Os filhos de Judá: Er, Onã e Selá; os três lhe foram gerados por Bate-Suá, a cananeia. Er, o primogênito de Judá,

foi desagradável aos olhos de *Yahweh*, e [*Yahweh*] o matou. [4]Uma vez que Tamar, sua nora, gerou a ele Perez e Zerá, os filhos de Judá foram cinco ao todo. [5]Os filhos de Perez: Hezrom e Hamul. [6]Os filhos de Zerá: Zinri, Etã, Hemã, Calcol e Darda, cinco ao todo. [7]Os filhos de Carmi: Desgraça [Acã], o perturbador de Israel, que transgrediu sobre algo devotado. [8]O filho de Etã: Azarias.

Sinto um peso na consciência pelo reduzido número de pessoas que menciono nos agradecimentos dos volumes do *Antigo Testamento para todos*, pois percebo que outros autores agradecem a toda uma série de pessoas nos prefácios de seus livros. Não posso me esquecer de incluir, no último volume, uma abrangente lista de pessoas a quem estou em grande dívida. Tenho notado algo similar quanto aos filmes. Quando assisto a um filme antigo, um dos fatos que me intrigam é a brevidade dos créditos; hoje em dia, os créditos são tão longos que eles ainda rodam muito tempo depois de o último espectador sair do cinema. De igual sorte, nas capas de CDs, os artistas, rotineiramente, agradecem a todos os que conheceram desde os tempos de colégio. Em livros e capas e encartes de CDs, pelo menos, as listas constituem um fenômeno muito comovente. Eles reconhecem que, embora o nome de uma só pessoa apareça na capa, ela vive e trabalha no contexto de uma comunidade. Não se deve compreender essa pessoa como um indivíduo isolado.

Algo análogo é parte da importância das listas de nomes com as quais o livro de Crônicas principia-se. Os livros irão contar a história de Israel, desde Davi até o **exílio**, com o objetivo de transmitir uma mensagem ao povo que vive em **Judá** após o exílio. A exemplo de Gênesis, 1Crônicas começa exibindo essa história na maior tela possível. Os vitrais de uma igreja definem a vida de uma congregação na vida das pessoas de Deus ao longo dos milênios. Eles retratam algumas pessoas que são citadas nas listas de Crônicas, além de pessoas de épocas posteriores, como Maria, Jesus, Pedro, Paulo, Lídia, Inácio, Mônica e Agostinho. A lista traz à mente da congregação o que ela deve a essas pessoas; reconhece a inspiração delas.

Quando a congregação é formada por um pequeno grupo enclausurado, em meio a um mundo indiferente ou hostil, as figuras convidam os membros a elevar a cabeça e se lembrarem do corpo importante ao qual pertencem. As listas em Crônicas cumprem essa função em relação à pequena comunidade judaíta sitiada, após o exílio. Elas, na verdade, apresentam uma visão da sua própria relevância que evoca a fé; traçam a sua ancestralidade não apenas aos tempos de colégio, mas ao próprio princípio do mundo. A primeira metade do capítulo 1 abrange uma lista de nomes que também aparecem em Gênesis 1—11, para resumir a história da criação até o momento em que Deus inicia o processo que leva à existência de Israel. Ela abrange indivíduos, povos e lugares; e a palavra "filho" engloba tanto os filhos diretos quanto os seus descendentes.

Há inúmeros pontos nos quais alguém que tenta ler toda a Bíblia pode ficar preso ou, pelo menos, questionar: "O que é isso?" Os nove capítulos de nomes que abrem 1Crônicas é um desses trechos nos quais essa pergunta é mais recorrente. Ainda assim, as listas ocupam um sexto do livro; obviamente, os autores davam grande importância a elas, de modo que é válido tentar entrar no modo de pensar deles. O que os judaítas pós-exílio poderiam inferir dessa primeira lista? Eles poderiam concluir: "Somos parte de uma história que começou há muito tempo. Não somos insignificantes, mas integrantes de um processo que remonta à própria criação da humanidade." Podem até mesmo deduzir: "O propósito de Deus para todo o mundo está por trás de ainda existirmos. Deus planeja fazer algo conosco que irá cumprir o propósito original da criação do mundo. Existimos para o bem do mundo, mesmo que, no momento, o mundo nos considere como nada." Eles, provavelmente, se sentiam oprimidos pelo poder das superpotências da época, que no período do **Segundo Templo** eram o Império Medo-**Persa** e, depois, a **Grécia**. Qual é a natureza da soberania de Deus em relação aos impérios da época? Antes de completar o versículo 5, 1Crônicas menciona a Média [Madai] e a Grécia [Javã]. Eles fazem parte do desenrolar da história que ocorre dentro do alcance de Deus.

O capítulo 1 prossegue até Abraão, Isaque e Jacó/Israel, a pré-história da própria história de Judá. A inclusão desses nomes convida a comunidade a relembrar a linhagem da promessa da qual eles fazem parte e são herdeiros. Lembra a intenção de Deus de abençoar o mundo todo por meio dessa linhagem. Uma vez mais, a maioria dos nomes vem de Gênesis. As listas seguem para mencionar outros povos que vivem ao redor dos judaítas, especialmente os edomitas, descendentes de Esaú, irmão de Israel. Nos dias dos primeiros leitores, os edomitas haviam assumido o controle sobre grande parte do próprio território de Judá. O livro de Crônicas lembra os seus leitores de não se deixarem impressionar por esses seus parentes, nem os menosprezarem. Em certo sentido, eles também fazem parte da história de Deus. Na verdade, o desenrolar dessas listas em 1Crônicas seria mais direto se partisse de Abraão, Isaque, Jacó e seus filhos. O relato torna-se mais complexo pela inclusão dos descendentes de Hagar, por meio de Ismael, e de Quetura, e, então, pelo material sobre os descendentes de Esaú e de Seir (que é intimamente associado com Edom) e os reis edomitas. No entanto, sem essa inclusão, a abordagem seria simplificada ao extremo, encorajando os leitores a focar exclusivamente a linhagem que passa por Abraão, Isaque, Jacó, Judá e Davi. Para os leitores originais de Crônicas, era importante manter em mente que a história deles estava entretecida com a história de Ismael, o filho de Abraão, do qual os povos árabes se originaram, do mesmo modo que o povo judeu remonta a Isaque. Os povos árabes são parte da história de Deus.

No capítulo 2, 1Crônicas, novamente, estreita o seu foco, a exemplo de Gênesis. Ao listar primeiramente os nomes dos filhos de Israel, o texto mantém o foco sobre os descendentes de Judá, o quarto filho. Gênesis 34 e 35 fornecem algumas dicas sobre o motivo de os três primeiros filhos perderem a posição privilegiada, embora Gênesis 38 também narre uma história que poderia fornecer um bom motivo para Judá também perder seus privilégios. O livro de Crônicas é discreto em suas alusões a essa história, mas lembra os seus leitores (na maioria, judaítas) que também há esqueletos no armário de Judá. O capítulo, portanto, mostra que, como de costume, não se pode explicar o que Deus faz simplesmente com base em mérito, e seria melhor que os judaítas não pensassem que sim. A história de Acã (Desgraça) é narrada em Josué 7, e a sentença sobre ele introduz um dos termos-chave de Crônicas para caracterizar a importância da desobediência de Israel. É como **transgredir** ou invadir a propriedade, os direitos, o espaço pessoal ou o interior da geladeira de alguém de uma forma que vai além do que lhe é permitido. Havia coisas que Israel deveria devotar a Deus, e Acã pensou que poderia sair ileso ao separar um pouco para si.

1CRÔNICAS 2:9—4:43
A ORAÇÃO DE JABEZ

[9]Os filhos de Hezrom, que lhe nasceram: Jerameel, Rão e Quelubai [...].

CAPÍTULO 3

[1]Estes foram os filhos de Davi que lhe nasceram em Hebrom: Amnon, o primogênito, por Ainoã, a jezreelita; Daniel, o segundo, por Abigail, a carmelita; [2]Absalão, o terceiro, o filho de Maaca, filha de Talmai, rei de Gesur; Adonias, o quarto, o filho de Hagite; [3]Sefatias, o quinto, por Abital; Itreão, o sexto, por sua esposa Eglá. [4]Seis lhe nasceram em Hebrom. Ele reinou ali sete anos e seis meses e, em Jerusalém, reinou trinta e três anos. [5]Estes lhe nasceram em Jerusalém: Simeia, Sobabe, Natã e Salomão, quatro por Bate-Seba, filha de Amiel; [6]Ibar, Elisua, Elpalete, [7]Nogá, Nefegue, Jafia, [8]Elisama, Eliada, Elifelete; nove. [9]Todos foram filhos de Davi, além dos filhos de esposas secundárias, e Tamar era a irmã deles.

[10]O filho de Salomão: Roboão; Abias, seu filho; Asa, seu filho; Josafá, seu filho; [11]Jeorão, seu filho. Acazias, seu filho; Joás, seu filho; [12]Amazias, seu filho; Azarias, seu filho, Jotão, seu filho; [13]Acaz, seu filho; Ezequias, seu filho; Manassés, seu filho; [14]Amom, seu filho; Josias, seu filho. [15]Os filhos de Josias: Joanã, o primogênito; Jeoaquim, o segundo; Zedequias, o terceiro; Salum, o quarto. [16]Os filhos de Jeoaquim: seu filho Joaquim [Jeconias]; seu filho Zedequias. [17]E os filhos do cativo Joaquim: Sealtiel, seu filho, [18]Malquirão, Pedaías, Senazar, Jecamias, Hosama e Nedabias. [19]Os filhos de Pedaías: Zorobabel e Simei. Os filhos de Zorobabel: Mesulão, Hananias e Selomite, a irmã deles. [...]

CAPÍTULO 4

[1]Os filhos de Judá: Perez, Hezrom, Carmi, Hur e Sobal. [2]Reaías, filho de Sobal, gerou a Jaate. Jaate gerou a Aumai e Laade. Estes foram as famílias dos zoratitas. [3]O pai de Etã, estes: Jezreel,

Isma e Idbás; Hazelelponi, o nome da irmã deles. [4]Penuel foi o pai de Gedor. Ézer foi o pai de Husá. Estes foram os filhos de Hur, o primogênito de Efrate, o pai de Belém. [5]Asur, o pai de Tecoa, teve duas esposas, Helá e Naará. [6]Naará gerou a ele Auzã, Héfer, Temeni e Haastari. Estes foram os filhos de Naará. [7]Os filhos de Helá: Zerete, Zoar e Etnã. [8]Coz gerou a Anube e a Zobeba, e as famílias de Aarel, filho de Harum. [9]Jabez foi mais honrado que os seus irmãos. Sua mãe o tinha chamado Jabez, "porque eu o gerei em sofrimento". [10]Jabez clamou ao Deus de Israel: "Oh! Abençoa-me e aumenta o meu território. Que a tua mão esteja comigo e me guarde dos problemas para que eu não sofra." Deus realizou o que ele pediu. [...]

[24]Os filhos de Simeão: Nemuel, Jamim, Jaribe, Zerá e Saul.

[Os versículos 25-43 do capítulo 4 apresentam a lista de descendentes de Simeão.]

Outro dia, eu conversava com uma mulher, que dirige uma agência de adoção, sobre os direitos dos filhos adotivos quanto a rastrear os seus pais biológicos (e, por conseguinte, os direitos dos pais biológicos em rastrear os filhos que entregaram para adoção). A maioria dos Estados norte-americanos não reconhece tais direitos, embora alguns tenham procedimentos pelos quais os pais e seus descendentes podem fazer contato, caso ambas as partes assim desejarem. Logo após essa conversa, abordei o mesmo assunto com uma amiga que havia sido adotada, e ela desabafou sobre a dificuldade de descobrir quem eram seus pais biológicos. Nem toda pessoa adotada deseja saber isso, embora muitas sintam que conhecer a identidade dos pais constitui um importante aspecto do autoconhecimento.

As pessoas e lugares listados em 1Crônicas 2 e conectadas a **Judá**, na maioria, não são mencionados em nenhuma outra passagem do Antigo Testamento; as pessoas citadas em outras passagens não são israelitas por nascimento. Com efeito, são aquelas adotadas por Judá. Pode-se, às vezes, ter a impressão de que Israel é, por sua natureza essencial, um povo fundamentado etnicamente, mas, de tempos em tempos, o Antigo Testamento deixa claro que essa é uma simplificação excessiva. Por um lado, é possível perder a membresia na família de Israel por infidelidade a *Yahweh*. O israelita pode ser "cortado", como expressa, com frequência, a **Torá**. Por outro, se você pertencer a um outro povo, mas vier a se identificar com Israel e seu Deus, pode ser aceito por adoção no seio da família de Israel. A exemplo de crianças adotadas, em qualquer contexto, você e os demais membros da família original podem ter consciência, pelo tempo que for, de que você não nasceu dentro da família, mas isso não altera o fato de você, agora, pertencer a ela, como se realmente tivesse nascido nela. Israel tinha que equilibrar a importância de não se deixar contaminar pelo povo que não reconhecia plenamente ***Yahweh*** ou quem Israel era, com a importância de permanecer aberto aos estrangeiros que genuinamente reconheciam *Yahweh* e Israel. O contexto no qual os leitores de Crônicas viviam tornava esse equilíbrio uma necessidade imperiosa. Seria fácil para Israel ser engolido pelos povos vizinhos. Por outro lado, Crônicas lembra que os israelitas não devem se fechar a grupos que reconhecerão Israel e *Yahweh*.

Primeiro Crônicas 4, apresenta uma lista de membros-chave de inúmeros clãs ao longo dos séculos. O texto, novamente, principia-se com Judá, o clã ao qual pertencia a vasta maioria da comunidade para a qual Crônicas foi escrito. O termo "judeu" origina-se da palavra para "judaíta" e não se aplica aos israelitas do período do Primeiro Templo. Quando Israel, praticamente, fica restrito a Judá é que "judeu" passa a ser um termo apropriado aos israelitas, pois, dos israelitas que haviam sido deixados, a maioria *era* judaíta. Simeão, aqui, segue em Judá porque ele sempre viveu à sombra de Judá. Sua existência separada era apenas nominal. Josué 19 (que apresenta a informação sobre Simeão) observa como, na verdade, Simeão foi absorvido por Judá.

A predominância de judaítas entre os leitores de Crônicas não é o único motivo para o protagonismo de Judá nesses capítulos. Judá importa porque Davi era um judaíta; daí a transição do capítulo 2 para o capítulo 3. Quando 1Crônicas relata a história real de Israel, a partir do capítulo 10, Davi está onde ela começará. Isso reflete a permanente importância de Davi, mesmo no período do domínio **persa**, ou do **Segundo Templo** ou pós-exílico, quando o livro de Crônicas foi escrito. Após listar os filhos de Davi, 1Crônicas prossegue enunciando os reis que governaram até a queda de Jerusalém. Depois disso, nenhum rei ocupou o trono de Judá durante quatro séculos. No entanto, a lista de descendentes davídicos não termina ali, mas continua com os nomes dos descendentes de Davi que viveram no meio da comunidade do Segundo Templo, pessoas como Zorobabel. Por descender de Davi, ele poderia ser rei caso Judá tivesse um rei. A lista lembra aos leitores que a linhagem de Davi não morreu e reafirma a sua contínua importância.

Por que isso pode ser importante? Deus havia prometido que, no devido tempo, ele colocaria no trono em Jerusalém um descendente de Davi, que cumpriria tudo o que um rei deveria ser e que reinaria em fidelidade sobre o povo. Outra possibilidade seria as pessoas em Judá simplesmente esperarem que um rei davídico "convencional" pudesse reinar novamente. Crônicas não indica se compartilha uma dessas esperanças. Para Crônicas, a importância explícita de Davi reside no que ele fez no passado. Foi ele quem fez todos os arranjos para a vida de culto em Jerusalém. As pessoas que podiam remontar a história de sua família a Davi teriam motivos para se orgulharem dessa ligação.

O nome de Jabez possui as mesmas letras de uma palavra hebraica para sofrimento, embora as letras apareçam em uma ordem diferente. Muitos comentários do Antigo Testamento sobre nomes fazem declarações não sobre a origem deles, mas sobre algo que eles podem trazer à lembrança. Aparentemente, a mãe de Jabez passou por uma experiência difícil durante o parto de seu filho, e seu nome podia fazê-la recordar esse sofrimento, além de, igualmente, lembrá-lo disso (especialmente quando ele, de tempos em tempos, se mete nos apuros próprios da juventude: "Você tem sido um sofrimento para mim desde que nasceu!"). Então, o foco de suas orações é para que Deus mantenha os problemas longe dele e ele não sofra como a sua mãe. Ele, igualmente, apresenta a sua petição de modo positivo, pedindo pela bênção de Deus (o que implica prosperar tendo uma grande família), um bom pedaço de terra (muitos clãs não foram capazes de ocupar a terra que lhes foi alocada no mapa) e pedindo que, em relação a isso, Deus estivesse com ele (e o ajudasse a derrotar os rivais pela terra). Deus atendeu à sua oração, e seu sucesso fez as pessoas o honrarem. Essa é a espécie de história que poderia inspirar as pessoas na comunidade após o **exílio**, quando enfrentassem dificuldades e sofrimento, a reconhecer que precisavam ser frutíferas para prosperar como povo e ansiassem ser capazes de ocupar a terra que deveria ser delas.

A beleza e a desvantagem de histórias como a de Jabez é que elas oferecem um retrato vívido do que Deus *pode* fazer e do que ele *tem feito*, mas não oferecem nenhum sinal de que *fará* o mesmo por outras pessoas. Isso não implica nenhuma promessa de que Deus nos responderá da mesma forma que respondeu a Jabez, caso oremos como ele. Mas o relato pode nos inspirar a assumir riscos em nossa oração. Se pedirmos, podemos obter o que pedimos ou não; a oração não é um caixa automático de banco. Todavia, se não pedirmos, não podemos reclamar por não receber.

1CRÔNICAS 5:1—6:81
OUTRA INTERRUPÇÃO BEM-VINDA

[1]Os filhos de Rúben, o primogênito de Israel (porque ele foi o primeiro a nascer, mas, quando ele desonrou o leito conjugal de seu pai, a sua primogenitura foi dada aos filhos de José, filho de Israel, e ele não foi alistado em relação ao direito de primogenitura, [2]porque Judá era o mais forte entre os seus irmãos e um governante veio dele, mas o direito de primogenitura pertencia a José) — [3]os filhos de Rúben, o primogênito de Israel: Enoque, Palu, Hezrom e Carmi. [4]Os filhos de Joel: Semaías, seu filho, Gogue, seu filho, Simei, seu filho, [5]Mica, seu filho; Reaías, seu filho, Baal, seu filho, [6]e Beera, seu filho, a quem Tiglate-Pileser, o rei da Assíria, exilou; ele era um líder dos rubenitas. [7]Seus parentes, por suas famílias, na lista segundo as histórias de suas famílias: Jeiel, o cabeça, e Zacarias; [8]Belá, filho de Azaz, filho de Sema e filho de Joel. Eles viviam em Aroer, até Nebo e Baal-Meom, [9]e viviam a leste, até chegar ao deserto, deste lado do rio Eufrates, porque o seu gado tinha se tornado grande em Gileade. [10]Nos dias de Saul, eles batalharam com os hagarenos, que caíram por suas mãos. Assim, eles viviam em suas tendas por toda a face da terra a leste de Gileade.

[11]Os filhos de Gade viviam em frente a eles, em Basã, até Salcá: [12]Joel, o cabeça, Safã, o segundo, e Janai e Safate, em Basã [...]. [18]Os filhos de Rúben, os gaditas e a metade do clã de Manassés: exército carregando escudo e espada, manejando o

arco e treinados em guerra, quarenta e quatro mil e setecentos e sessenta guerreiros. [19]Eles batalharam contra os hagarenos, Jetur, Nafis e Nodabe [20]e encontraram socorro contra eles. Os hagarenos e todo o povo que estava com eles foram entregues nas mãos deles, porque clamaram a Deus na batalha, e ele se deixou ser invocado por eles porque confiaram nele. [21]Eles capturaram o gado, cinquenta mil camelos, duzentas e cinquenta mil ovelhas, dois mil jumentos e cem mil pessoas, [22]porque muitos caíram mortos, pois a batalha era de Deus. Viveram no lugar deles até o exílio. [...]

CAPÍTULO 6

[16]Os filhos de Levi: Gérson, Coate e Merari. [...] [31]Estes a quem Davi designou sobre o canto na casa de *Yahweh*, desde o tempo em que o baú foi assentado [32]serviram na frente da habitação, a Tenda do Encontro, com cânticos, até Salomão construir a casa de *Yahweh* em Jerusalém. Atendiam ao seu serviço de acordo com a instrução dada a eles. [...] [48]Aos seus irmãos levitas foi dado todo o serviço na habitação, a casa de Deus, [49]enquanto Arão e seus descendentes ofereciam sacrifício sobre o altar de oferta queimada e o altar do incenso, em conexão com todo o trabalho no lugar santíssimo e em fazer expiação por Israel, de acordo com tudo o que Moisés, servo de Deus, ordenou.

[Os versículos 50-81, do capítulo 6, listam as famílias sacerdotais e as cidades nas quais elas deviam viver.]

Na cerimônia de formatura anual de nosso seminário, graduamos centenas de pessoas, e a procissão pelo palco pode se tornar um pouco tediosa. Por quatro ou cinco vezes, a leitura dos nomes é interrompida, e um dos graduandos vai ao microfone para nos contar o que ele ou ela irá fazer com aquele diploma — de que forma ele ou ela espera servir a Deus. Tais momentos constituem os pontos máximos da cerimônia. Por alguns minutos, meus colegas deixam de lado os seus celulares, e os alunos param a sua comemoração para ouvir a história de cada pessoa.

A oração de Jabez é uma de uma série de vinhetas em Crônicas equivalentes às listas de "graduandos", e a história sobre os clãs situados a leste do Jordão, Rúben, Gade e Manassés oriental, é outra. A localização desses clãs os leva a recorrente tensão com as várias tribos daquele lado do Jordão. A presente história relata uma ocasião na qual eles estavam em grande desvantagem numérica. Aqui, a exemplo de outras passagens em Crônicas, os **números** não são históricos; existem diversas maneiras de explicar por que isso ocorre. Aqui, a relevância das estatísticas reside na disparidade entre os números dos israelitas e de seus inimigos. Há pouco menos de quarenta e cinco mil israelitas, mas eles capturam um número duas vezes maior de adversários, e isso sem contar as muitas baixas entre seus inimigos. Trata-se, portanto, de uma vitória extraordinária.

O que pode explicar isso? Ela não pode ser simplesmente atribuída à esperteza e bravura dos israelitas, embora, em outras passagens, o Antigo Testamento faça menção a essas características do povo israelita. Eles "clamaram" a Deus, relata Crônicas. É a expressão, com frequência, usada por israelitas e outros quando estão oprimidos e não há ninguém mais a quem possam recorrer. Eles "confiaram" em Deus (a comunidade que ouve a história em Crônicas está na mesma condição de necessidade). E, como resultado, o exército "encontra socorro". Por "socorro" (especialmente quando a palavra é aplicada a Deus), o Antigo Testamento, de modo característico, refere-se não meramente a algum suporte extra que reforce o que você pode fazer por si mesmo, mas a uma intervenção decisiva que alcance algo que você mesmo não poderia esperar alcançar.

Isso, portanto, conecta-se com a ideia de ser **liberto** e de pessoas sendo "entregues" nas mãos dos israelitas, o que é reforçado com a ideia de que "a batalha era de Deus". Nessa ocasião, a história não quer dizer que a batalha foi ideia de Deus (embora, em outras passagens, a narrativa não contrarie essa noção). Na realidade, isso implica o oposto. Rúben, Gade e Manassés envolveram-se em uma batalha e descobriram que deram um passo maior que a perna, levando-os a clamar a Deus, e este "se deixou ser invocado". Talvez não deveriam ter se lançado a essa tola aventura ou deveriam ter orado antes. Seja como for, Deus não respondeu à súplica deles dando de ombros e dizendo: "Vocês mesmos se meteram nessa enrascada; agora, terão que sair sozinhos dela." Deus é mais como um pai que vem para resgatar os seus filhos, mesmo quando eles não deveriam fazer o que os levou ao problema. Deus respondeu ao clamor dos israelitas, e eles venceram, contra todas as probabilidades, porque Deus se envolveu.

As referências à atividade divina, aqui, contrastam com o capítulo como um todo, que faz raras menções a Deus. Sem dúvida, os autores de 1Crônicas 1–9 concluíram que Deus estava envolvido em toda a história subjacente a essas listas, mas eles também sabiam que eventos e inter-relações, geralmente, se desenrolam de uma forma muito natural. O propósito de Deus é, majoritariamente, desenvolvido por trás das cortinas, mediante processos comuns de causa e efeito, por meio da ação e da inação humanas, do acaso e da coincidência. É possível que tenha sido assim nessa batalha; todavia, houve algo extraordinário no tocante ao resultado. Essa vinheta, igualmente, não implica que qualquer um pode clamar, a exemplo daqueles clãs, e saber que Deus responderá, mas esse relato pode nos inspirar a clamar e ver se Deus responde, pois, às vezes, isso acontece.

Crônicas não recua na consciência de que há doze clãs israelitas e, assim, o capítulo 5 retorna à abordagem dos doze clãs. Primeiro, ele lida com Rúben, Gade e a metade do clã de Manassés, os grupos que se assentaram a leste do Jordão. Antes de chegar aos clãs "regulares", estabelecidos a oeste do Jordão, o capítulo 6 lida com Levi, o clã responsável pelo culto e que, portanto, recebe tratamento proeminente e amplo. A exemplo dos reis, os sacerdotes seniores são listados até o **exílio**, o que ajuda a estabelecer a continuidade do culto de Jerusalém ao longo dos séculos. Além de listar os sacerdotes, o capítulo enumera um outro grupo de levitas igualmente importante, os músicos, porque a música é relevante para a adoração. A designação ao ministério de louvor com base na membresia familiar da pessoa contrasta com a presunção comum moderna de que esse ministério deve ser exercido com base nos dons da pessoa. Com o nosso sistema, a música pode ser exercida para o benefício dos músicos; há menos perigo de isso ocorrer no sistema de Israel. O sistema israelita é possível porque o louvor do Antigo Testamento repousava no ritmo mais do que na melodia; os instrumentos citados pelo Antigo Testamento são, na maioria, de percussão. Havia, portanto, menos perigo de a *performance* dos músicos se tornar um fim em si mesma (embora, agora que penso nisso, tenha ouvido um baterista tocar toda uma composição solo, no sábado passado, em um clube de *jazz*). Existe mais chance de a *performance* se tornar um auxílio para a participação da congregação do que um substituto dela. Embora não haja dúvidas de que os levitas eram ritmicamente desafiados, isso seria irrelevante caso não tivessem um ouvido musical.

1CRÔNICAS 7:1—9:44
ATÉ OS NOSSOS DIAS

[1]Os filhos de Issacar: Tolá, Puá, Jasube e Sinrom, quatro. [...] [6]Os filhos de Benjamim: Belá, Bequer e Jediael, três. [...] [13]Os filhos de Naftali: Jaziel, Guni, Jezer e Salum, os descendentes de Bila. [14]Os filhos de Manassés: Asriel, a quem sua esposa secundária arameia deu à luz; ela deu à luz Maquir, pai de Gileade. [...] [20]Os filhos de Efraim: Sutela, Berede, seu filho, Taate, seu filho, Eleada, seu filho, Taate, seu filho, [21]Zabade, seu filho, Sutela, seu filho, e Ézer e Eleade. Os homens de Gate, que nasceram no país, os mataram, porque [Ézer e Eleade] desceram para tomar o gado deles. [22]Efraim, o pai deles, pranteou por muitos dias, e seus parentes vieram para confortá-lo. [23]Ele teve sexo com sua esposa, e ela ficou grávida e teve um filho. Ele o chamou Berias porque houve problemas em sua casa. [...] [30]Os filhos de Aser: Imna, Isvá, Isvi e Berias; a irmã deles era Sera. [...]

CAPÍTULO 8

[1]Benjamim gerou Belá, seu primogênito, Asbel, o segundo, Aará, o terceiro, [2]Noá, o quarto, e Rafa, o quinto. [...] [29]O pai de Gibeom viveu em Gibeom. O nome de sua esposa era Maaca. [30]Seu filho primogênito foi Abdom; então, Zur, Quis, Baal, Nadabe, [31]Gedor, Aiô e Zequer. [32]Miclote gerou Simeia. Eles também viviam defronte aos seus parentes, em Jerusalém. [33]Ner gerou Quis, Quis gerou Saul, e Saul gerou Jônatas, Malquisua, Abinadabe e Esbaal. [34]O filho de Jônatas foi Meribe-Baal. Meribe-Baal gerou Mica. [...]

CAPÍTULO 9

[1]Todo o Israel foi alistado: ali, eles foram escritos nos anais dos reis de Israel. Mas Judá foi levado ao exílio para a Babilônia por causa de sua transgressão.

[2]As primeiras pessoas que foram assentadas em suas propriedades, em suas cidades, foram israelitas, sacerdotes, levitas e

assistentes. [3]Alguns judaítas, benjamitas, efraimitas e manassitas se estabeleceram em Jerusalém.

[Nos versículos 4-44, mais listas são apresentadas, incluindo as relativas aos levitas, aos guardas das portas, aos cantores e a outros assistentes do templo, além de uma versão adicional da linhagem de Saul.]

Certo dia de abril, sentei-me no metrô de Londres, e passei a ler a carta de um ministro que havia sido um mentor para mim e, igualmente, atuado como pastor na igreja de minha namorada. Ela ou eu tínhamos escrito a ele para lhe contar que ela acabara de ser diagnosticada com esclerose múltipla. Em sua resposta, ele nos contou que, na manhã em que recebeu a notícia, ocorreu de ele estar lendo a história, em João 2, sobre a transformação de água em vinho, por Jesus, que chega a um clímax com o comentário sobre o noivo ter deixado o melhor vinho por último. Deus, certamente, faz isso por nós, escreveu o ministro em sua carta. Durante quarenta e três anos, ponderei sobre como isso poderia ser verdade e tentei viver dentro da esperança que isso representava, enquanto, com o passar do tempo, minha esposa, Ann, crescentemente perdia a sua mobilidade, memória e fala, até falecer no ano passado. (Talvez estar livre para descansar até o dia da ressurreição seja o bom vinho para ela; e, mais recentemente, conheci alguém e a pedi em casamento; agora, estou propenso a pensar que isso seja o bom vinho tardio para mim.)

Minha experiência foi meu equivalente individual à experiência do povo de Deus, que está implícita nessas listas em 1Crônicas. As pessoas às quais o livro de Crônicas foi escrito não podem ver o cumprimento das promessas de Deus em sua experiência, e demanda um pouco de bravura listar os descendentes de **Judá**, em particular de Davi, e os descendentes de Levi, nos capítulos 3–6, mas, pelo menos, a comunidade do **Segundo Templo** *é* uma comunidade judaíta com descendentes de Davi em seu meio (mesmo que não estejam no trono) e com descendentes de Levi ministrando em Jerusalém. É preciso muita coragem para listar os descendentes de Simeão, Rúben, Gade, Issacar, Benjamim, Naftali, **Efraim** e Aser. O capítulo 9 nos conta que havia alguns benjamitas, efraimitas e manassitas entre as pessoas que se estabeleceram em Jerusalém após o **exílio**, mas não eram muitos, e 1Crônicas não faz nenhuma afirmação sobre a presença de membros de outros clãs.

O início do capítulo 9 nos coloca na trilha de outra relevância dessas listas de nomes. Os **assírios** haviam colocado um ponto final na vida nacional de Efraim, em 722 a.C., e os **babilônios** tinham feito o mesmo com Judá em 587 a.C. A comunidade do Segundo Templo queria ver-se em continuidade com aquelas comunidades anteriores que, idealmente, constituíram a nação de Israel. Os israelitas pós-exílicos precisavam fazer isso pelo bem de sua própria autocompreensão. Igualmente, necessitavam estabelecer, para sua própria satisfação, que eles eram a continuação legítima e apropriada daquela nação, não qualquer outro povo. Talvez também desejassem ou precisassem afirmar esse fato por motivos políticos quanto ao relacionamento deles com o povo na província vizinha, chamada Samaria, que também se viam como herdeiros da comunidade do Primeiro Templo. A grande maioria dos nomes, presentes nessas listas, é de pessoas que viveram muito tempo antes do exílio; a comunidade do Segundo Templo pode reivindicar ser os seus descendentes e, portanto, reafirmarem-se e declararem diante de outros povos que ela é uma continuidade da comunidade anterior.

Ao se ler uma lista como a dos descendentes de Levi ou de Davi, é preciso começar do fim. A lista estabelece a importância da pessoa que vem por último. Na lista dos descendentes davídicos, que vem antes, a comunidade está familiarizada com pessoas como Zorobabel (sabemos disso porque ele é mencionado no livro de Esdras). Podemos concluir que a comunidade também estava familiarizada com os contemporâneos de Zorobabel e com os seus descendentes, tais como Mesulão e Hananias. Inúmeras pessoas na comunidade estariam, de fato, aguardando o dia (talvez em breve!) no qual um filho de Davi reinaria sobre Jerusalém novamente. Para aquela comunidade, era importante saber quem poderia ocupar o trono com legitimidade teológica e, da mesma forma, era relevante para esse povo estabelecer que eles é que tinham essa posição.

Igualmente, a comunidade conhece sacerdotes como Jesua [Josué], contemporâneo de Zorobabel; os dois são citados juntos no relato sobre o estabelecimento da comunidade, em Esdras 1–6, e Zacarias 3 sugere que havia pessoas que achavam que Jesua (por ser contaminado pelo exílio) não deveria ser indicado sumo sacerdote na comunidade do Segundo Templo. Contudo, Jesua é filho de Jozadaque ou Jeozadaque (duas versões do mesmo nome); e Jeozadaque é o sacerdote cujo nome aparece ao fim da lista de sacerdotes que vêm de Levi, passando por Arão e chegando a nomes famosos como os de Zadoque e Hilquias, até o exílio. Com base nisso, pelo menos, Jesua pode ser um sacerdote; na realidade, ele representa uma ponte entre as comunidades do Primeiro Templo e do Segundo Templo.

As listas em Crônicas, às vezes, combinam o que alguém chamaria de implicações horizontais com as verticais. Um exemplo em larga escala é a lista dos filhos de Jacó, que são os ancestrais dos doze clãs de Israel. A questão horizontal é como esses clãs se relacionam entre si. Judá surge primeiro nas listas por, pelos menos, dois motivos relacionados. Davi pertence a Judá, fato que, em certo sentido, torna Judá o clã principal. Todavia, Judá não era o mais velho dos irmãos, de modo que a lista incorpora uma nota explicando por que Rúben, efetivamente, perdeu a sua posição como primogênito. Igualmente, observamos que Simeão e Levi eram mais velhos que Judá e que Gênesis 34 apresenta uma resposta à questão sobre o motivo de eles perderem essa posição de mais velhos, embora o livro de Crônicas não faça menção a isso. Na realidade, apenas fala de passagem sobre Simeão (4:24-43), pois é tudo o que precisa fazer, já que todos sabem que, na prática, Simeão foi absorvido por Judá muito tempo atrás. E, no capítulo 9, o texto reconhece a significativa posição de Levi como o clã responsável por cuidar do templo e de seu culto (veja também o capítulo 6). O livro, então, pode lidar com os demais clãs e tratá-los como subordinados a Judá (veja 5:1-26; 7:1—8:40; Dã e Zebulom não aparecem).

Dentre os relatos de Levi, há outro elemento horizontal, pois as suas listas explicam a inter-relação das subunidades levitas e, portanto, as suas respectivas responsabilidades. Ao lado dos músicos estão os guardas das portas. Um grupo assim é tão importante quanto um corpo de músicos, pois ele é vital para que nada inapropriado adentre o santuário. A **Torá** explicita os motivos: os guardas das portas auxiliam os adoradores a confirmar se a oferta que eles estão trazendo ao santuário é apropriada (por exemplo, se pertence à categoria correta, se está em condições adequadas, se está de acordo com a oferta que a pessoa precisa apresentar). Eles também ajudarão as pessoas a confirmar se elas mesmas estão em condições de acessar o interior do santuário (por exemplo, certificando-se de que elas não estão em alguma condição tabu e de que não precisam passar antes por um ritual de purificação).

1CRÔNICAS 10:1-14
O FIM DE SAUL

[1]Ora, os filisteus batalharam contra Israel. Os homens de Israel fugiram diante dos filisteus, mas caíram no monte Gilboa, [2]e os filisteus perseguiram Saul e seus filhos. Os filisteus mataram Jônatas, Abinadabe e Malquisua, filhos de Saul. [3]A batalha foi pesada contra Saul, e os arqueiros o encontraram com uma flecha. Quando ele foi ferido pelos arqueiros, [4]Saul disse ao seu escudeiro: "Desembainhe sua espada e me atravesse com ela, para que esses homens incircuncisos não venham e me atravessem." Mas o seu escudeiro não conseguiu, porque sentiu uma grande reverência. Então, Saul tomou a espada e caiu sobre ela. [5]Quando seu escudeiro viu que Saul estava morto, ele também caiu sobre a espada e morreu. [6]Assim, Saul morreu, e seus três filhos e toda a sua casa morreram, todos juntos. [7]Quando os homens de Israel no vale [do Jordão] viram que o povo tinha fugido e Saul e seus filhos estavam mortos, eles abandonaram as suas cidades e fugiram, e os filisteus vieram e viveram nelas.

[8]No dia seguinte, os filisteus foram despojar os mortos. Eles encontraram Saul e seus filhos caídos no monte Gilboa, [9]o despojaram, pegaram a sua cabeça e a sua armadura e as enviaram por toda a terra dos filisteus para proclamar as boas-novas aos seus ídolos e ao seu povo. [10]Eles colocaram a sua armadura na casa do deus deles e fixaram o seu crânio na casa de Dagom. [11]Quando toda a Jabes-Gileade ouviu o que os filisteus tinham feito a Saul, [12]eles partiram, todo homem apto, e pegaram os corpos de Saul e de seus filhos e os levaram a Jabes. Eles enterraram os seus ossos debaixo do terebinto em Jabes e jejuaram por sete dias. [13]Saul morreu por causa da transgressão que tinha cometido contra *Yahweh* com respeito à palavra de *Yahweh*, que ele não guardou, e também ao contatar um espírito para fazer consulta [14]em vez de consultar *Yahweh*. Por isso, ele o entregou à morte e entregou o reinado a Davi, filho de Jessé.

De tempos em tempos, nos meses seguintes à morte de minha esposa, no ano passado, eu me deitava na cama sentindo um pouco de horror por havê-la cremado. Há muito havíamos concordado com isso, e o mesmo fora instruído aos nossos filhos com relação a mim, para que as minhas cinzas fossem reunidas às dela, em um lugar da Inglaterra que tinha um grande significado para nós, mas, no silêncio das minhas noites de insônia, ter feito isso me parecia algo terrível. Eu lembrava a mim mesmo que a cremação apenas acelera o processo por meio do qual o corpo se degenera e se torna um com a terra ao redor dele; mas, ainda assim, me sentia desconfortável pelo ato. Afinal, nosso corpo, na realidade, *somos* nós. Ele não é apenas a carcaça descartável da pessoa real. Quando fomos feitos à imagem de Deus, toda a pessoa foi criada para representar Deus. E, no dia da ressurreição, será toda a pessoa que receberá de Deus uma nova espécie de vida transfigurada.

Assim, a desfiguração do corpo de Saul era a derradeira punição que os filisteus poderiam impor a ele. Ao contrário, dar aos seus restos mortais um sepultamento decente era o último favor que o povo de Jabes-Gileade lhe poderia fazer em retorno ao grande favor que Saul lhes fizera, no início de seu reinado. O relato da ação deles é um começo um pouco estranho para a presente narrativa em Crônicas, uma vez que principia-se no meio dos fatos, ou melhor, no fim deles (para Saul). Grande parte do material em Crônicas é extraído de Samuel-Reis, do mesmo modo que grande parte de Mateus e Lucas é baseada em Marcos. Todavia, nos dias iniciais do movimento cristão, não sabemos até que ponto podemos imaginar as diferentes congregações de cristãos tendo uma cópia de Marcos, ou mesmo de Mateus ou Lucas. Em contraste, seria viável esperar que a comunidade em Jerusalém, para quem o livro de Crônicas foi escrito, conhecesse a história contada em Samuel-Reis. Desse modo, é possível que os autores tenham levado isso em conta e almejaram contar uma nova versão dela, para um novo dia e um contexto diferente (como os autores de Mateus e Lucas), mas, provavelmente, assumindo que as pessoas ainda se lembrassem da versão original.

Naquela versão original, o conflito entre filisteus e israelitas constituía um elemento característico do relato sobre o reinado de Saul, visto que os dois povos lutavam para tomar o controle do território de seus habitantes originais, os cananeus. Essa batalha ocorre no rico vale que divide a região entre oeste e leste, separando as montanhas de **Efraim** e de **Judá** (a moderna Cisjordânia) das montanhas da Galileia. Em geral, os israelitas tinham o controle das áreas montanhosas, enquanto os filisteus dominavam a planície, ali e na região costeira. A batalha acontece onde a planície e as montanhas se encontram. A derrota e consequente morte de Saul ameaça colocar os filisteus no controle também das montanhas, além do domínio que já exercem na planície, portanto de todo aquele território.

A versão de 1Samuel quanto a essa história concentra-se nos erros cometidos por Saul: não erros de cunho militar, mas morais e religiosos. Primeiro Crônicas resume os erros em termos de ele ter cometido **transgressão** por falhar em guardar a palavra de ***Yahweh***; ela começou com sua oferta de sacrifício, quando deveria esperar por Samuel, ainda que o profeta não tenha vindo quando disse que viria (1Samuel 13). Seus erros de julgamento chegaram a um extremo quando o rei buscou orientação de uma médium (1Samuel 28), embora, naquela ocasião (pelo menos), fosse injusto criticá-lo por não consultar a Deus; foi o silêncio de Deus que o levou àquela ação. O relato de seu sepultamento faz os seus leitores se lembrarem de dias mais felizes de seu reinado — na verdade, seu único dia irrestritamente feliz — quando fez ao povo de Jabes-Gileade um favor jamais esquecido por eles (1Samuel 11). Portanto, eles desejam que Saul descanse em paz.

Era fácil ver por que as listas em 1Crônicas 1—9 davam proeminência a Judá: a personificação de "Israel" após o exílio é, simplesmente, "Judá", e Davi é oriundo desse clã. Era menos óbvio por que Benjamim deveria ter a proeminência que tem nos capítulos 7 e 8. Um dos motivos pode ser o fato de Benjamim ser um adjunto de Judá, como Simeão. Benjamim era um pequeno clã, com uma pequena parcela da terra, imediatamente ao norte de Jerusalém, e, no período do **Segundo Templo**, a região fazia parte da província **persa** de Judá. Somando-se a isso, contudo, embora Davi tenha vindo de Judá, Saul era oriundo de Benjamim; e, agora, ao passar a contar a história de Israel, o livro de Crônicas começa com Saul.

Crônicas poderia ter iniciado a sua narrativa principal com o capítulo 11; a impressão de começar o relato no meio da história seria menor. A sentença derradeira do capítulo 10 explica o motivo de sua inclusão. Além disso, o parágrafo de encerramento como um todo adverte os leitores de não esquecerem a lição da história de Saul. Eles são o povo de Davi, mas não podem considerar essa ligação como assegurada, nem mesmo os descendentes de Davi naqueles dias. Deus não irá rejeitar definitivamente a linhagem davídica ou o seu povo, mas a transgressão ainda pode ter consequências terríveis, como o livro de Crônicas continuará a mostrar. Talvez também haja uma pista de que o povo em Benjamim ainda se lembrasse de Saul como o representante deles e questionasse se o colapso da monarquia davídica poderia significar uma nova chance para a linhagem de Saul. Crônicas implica que a resposta é não.

1CRÔNICAS 11:1-47
AQUELES ERAM OS DIAS

[1]Todo o Israel se reuniu a Davi em Hebrom, dizendo: "Ora, somos a tua carne e o teu sangue. [2]Algum tempo antes de agora, mesmo quando Saul era rei, tu estavas liderando Israel e trazendo Israel para casa. *Yahweh*, teu Deus, te disse: 'Você é aquele que pastoreará Israel, o meu povo. Você será o governante sobre Israel, o meu povo.'" [3]Assim, todos os anciãos de Israel foram ao rei em Hebrom, e Davi selou uma aliança com eles em Hebrom, diante de *Yahweh*. Eles ungiram Davi rei sobre Israel, de acordo com a palavra de *Yahweh* por meio de Samuel. [4]Então, Davi e todo o Israel foram a Jerusalém — isto é, Jebus; os jebuseus estavam lá como habitantes da terra. [5]Os habitantes de Jebus disseram a Davi: "Você não entrará aqui", mas Davi capturou a fortaleza de Sião — isto é, a cidade de Davi. [6]Davi disse: "Qualquer um que ferir os jebuseus primeiro será chefe e comandante." Joabe, filho de Zeruia, subiu primeiro e se tornou chefe. [7]Davi viveu na fortaleza; portanto, ela foi chamada de "cidade de Davi". [8]Ele construiu toda a cidade ao redor, desde o Milo, em toda a volta, enquanto Joabe trazia vida ao restante da cidade. [9]Davi continuou a crescer; *Yahweh* dos Exércitos estava com ele.

[10]Estes foram os chefes dos guerreiros de Davi, as pessoas que confirmaram a sua força com ele, em seu reino, junto com todo o Israel, ao torná-lo rei, de acordo com a palavra de *Yahweh* com relação a Israel. [11]Esta é a lista dos guerreiros de Davi. Jasobeão, filho de Hacmoni, era o chefe dos oficiais; foi ele que empunhou a sua espada contra trezentos; ele os matou de uma só vez. [12]Depois dele, Eleazar, filho de Dodô, o aoíta; ele era um dos três guerreiros [13]e estava com Davi em Pas-Damim, quando os filisteus se reuniram ali para a batalha. Era um lote de terra cheio de cevada. A companhia tinha fugido diante dos filisteus, [14]mas eles mantiveram uma posição no meio do lote e a sustentaram, matando os filisteus. *Yahweh* lhes deu uma

grande libertação. [15]Três dos trinta chefes desceram a Davi no penhasco, na caverna de Adulão. As forças filisteias estavam acampadas no vale de Refaim. [16]Davi estava, então, na fortaleza; uma guarnição filisteia estava, então, em Belém. [17]Davi teve um desejo. Ele disse: "Se apenas alguém pudesse me dar de beber da cisterna de Belém, junto ao portão!" [18]Então, os três atravessaram o acampamento dos filisteus, retiraram água da cisterna de Belém, que ficava junto ao portão, a carregaram e a levaram até Davi. Davi não a bebeu. Ele a derramou diante de *Yahweh* [19]e disse: "Deus me livre de fazer isso. Posso eu beber o sangue desses homens à custa da vida deles?" — porque eles a tinham trazido à custa da própria vida, ele não a bebeu. Isso foi o que esses três guerreiros fizeram. [...] [22]Benaia, filho de Joiada, era um soldado capaz, poderoso em feitos, de Cabzeel. Ele matou dois líderes moabitas. Ele desceu e matou um leão, no meio de uma cisterna, em um dia de neve. [23]Matou um homem egípcio, um homem enorme, com dois metros e treze centímetros de altura. Em sua mão, o egípcio tinha uma lança como a lançadeira de um tecelão. [Benaia] desceu a ele com um cajado, arrancou a lança da mão do egípcio e o matou com sua própria lança.

[Os versículos 24-47 listam outros guerreiros.]

Na semana passada, a seção de viagens do *New York Times* estampava uma grande foto do "salão de jantar gótico com quase o comprimento de um campo de futebol", da minha faculdade de graduação. Então, retransmiti a informação para alguns amigos com uma nota sobre aquele ser o lugar no qual eu costumava tomar o meu desjejum, almoçar e jantar. Ah, aqueles eram os dias. Hoje, como cereal em minha escrivaninha, enquanto escrevo a série *Antigo Testamento para todos*, e almoço um sanduíche na cozinha (mas janto decentemente).

Por ironia, aquele salão gótico é somente uma imitação do estilo gótico, pois tem por volta de um século, se tanto, e foi construído com a convicção de que "aqueles eram os dias", há quase um milênio, a era das grandes catedrais na Europa. Em um sentido mais geral, os anos durante os quais fui apenas um aluno "eram os dias", quando as faculdades não tinham que admitir turistas americanos durante o verão a fim de fechar as finanças no azul.

Para Crônicas, a expressão "aqueles eram os dias" denotaria o período de Davi. Agora, não há mais Davi, como também não há Jasobeão, Eleazar ou Benaia, e, ao recontar a narrativa de Samuel-Reis, o livro de Crônicas pode ter sido tentado a omitir essas histórias, do mesmo modo que omitiu muitas outras. Qual seria o efeito delas sobre os leitores? Quando Hebreus 11 apresenta as histórias de grandes heróis do Antigo Testamento, ele o faz na presunção de que elas podem servir de inspiração. Embora as coisas feitas por Abraão, Sara, Moisés e Miriã não sejam o que os leitores de Hebreus terão de fazer, esses leitores podem ser inspirados pela atitude de confiança e fidelidade demonstrada por esses heróis ao enfrentar os desafios impostos a eles próprios e, assim, encorajados a encarar seus diferentes desafios com a mesma confiança e fidelidade. Desse modo, é possível que Jasobeão, Eleazar e Benaia possam, similarmente, inspirar os leitores de Crônicas. Podem também encorajá-los a não concluírem que os grandes dias estão terminados, incentivando-os a manterem expectativas.

Algo similar é verdadeiro quanto ao modo pelo qual Crônicas descreve a ascensão de Davi ao trono. É fácil concluir que, desde o começo, era inevitável que Davi ascendesse ao trono sobre Israel, só que não. Normalmente, os reis são sucedidos por alguém de sua própria família, e muitos teriam presumido que alguém da família de Saul deveria sucedê-lo, não algum emergente sulista, cujo comportamento torna-se suspeito ao viver entre os filisteus e se identificar com eles por mais tempo que as pessoas possam se lembrar. Segundo Samuel descreve como foram os clãs sulistas que, primeiramente, reconheceram Davi (em Hebrom, a cidade-chave ao sul); somente mais tarde é que os clãs do norte o reconhecem como rei. Crônicas encurta esse processo para enfatizar uma implicação para os seus dias. Quando o livro de Crônicas foi escrito, havia pessoas do sul (de **Judá**) que não estavam interessadas em se associar a pessoas do norte. A exemplo das listas nos capítulos 1—9, a ênfase sobre todo o Israel lembra aos leitores que o povo de Deus abrange os doze clãs, não apenas três. Assim, devem dar as boas-vindas aos demais clãs quando estes desejarem se unir a eles. Igualmente, é notável que as listas nos versículos 26-47 incluam um amonita, um hitita e um moabita. Uma vez mais, o livro de Crônicas adverte os seus leitores de que eles não devem ser exclusivistas étnicos.

Em contrapartida, todavia, os clãs do norte precisam se dispor a seguir o exemplo de seus antepassados no reconhecimento a Davi e a Jerusalém. Em algum ponto, no período do **Segundo Templo**, o povo do norte construiu um templo no cume do monte Gerizim, acima de Siquém. Não constituía necessariamente um erro construir outros lugares de adoração; Jerusalém ficava distante da maioria do povo. No entanto, não se pode permitir que o templo de Gerizim rivalize com o templo de Jerusalém. Afirmar "somos a tua carne e o teu sangue" (lit., "somos tua carne e teus ossos") é o mesmo que expressar "queremos ser uma família com você". O fato de Jerusalém se tornar uma cidade judaíta pareceria história antiga agora (já *era* história antiga na época), mas, no início, era uma das cidades que os israelitas não conseguiram dominar e ainda estava nas mãos dos jebuseus nos dias de Davi. Os jebuseus tinham um bom motivo para considerar a cidade inexpugnável. A cidade está localizada na parte final de um pequeno cume em forma de polegar, com encostas íngremes em praticamente toda a sua volta. No entanto, Joabe descobriu uma forma de capturar a cidade em nome de Davi (2Samuel 5 fornece um relato de como isso foi possível, embora a interpretação da história seja um pouco complexa). Sua posição segura, então, tornou-se um recurso para Israel, mas, em adição, permitia ter uma capital em território neutro que, talvez, todos os clãs reconhecessem.

A referência aos guerreiros de Davi é o início de uma narrativa sobre os diferentes aspectos da história subjacente ao reinado de Davi sobre todo o Israel (o capítulo 13 irá retomar a linha da história principal). Alguns elementos relacionam-se com o tempo em que Saul estava vivo e Davi achava-se em fuga; outros, aos anos iniciais de seu reinado, antes de ele conquistar Jerusalém e quando ainda não podia enfrentar os filisteus. A água da cisterna de Belém não tinha um gosto especial, mas o desejo de Davi simboliza o ressentimento pelo fato de os filisteus controlarem a cidade natal de Davi. Por outro lado, as cisternas são vitais para o armazenamento de água durante a estação de pouca chuva; esse é o motivo de não se desejar que um leão faça morada em sua cisterna; atacar um leão num dia de neve podia exigir coragem e agilidade incomuns. Esse relato quanto a uma série de atos heroicos talvez encoraje os leitores em relação aos seus pequenos (ou grandes) atos de heroísmo. Pelo menos, tão significativo quanto é o modo pelo qual Crônicas insiste em enfatizar o envolvimento de Deus. Ele é que havia dito que Davi deveria ser o pastor e governante sobre Israel. Deus é que havia designado Davi e dito a Samuel para ungi-lo; a unção do povo é uma resposta à unção divina. ***Yahweh* dos Exércitos** estava com Davi, e este seguiu avançando. Deus é que operou aquela grande libertação das mãos dos filisteus quando tudo parecia perdido. Nada foi alcançado sem o compromisso humano. Nada foi alcançado sem o compromisso divino.

1CRÔNICAS **12:1-40**
UM TEMPO PARA CAUTELA E UM TEMPO PARA CELEBRAÇÃO

[1]Estes são os homens que foram a Davi em Ziclague, quando ele ainda estava escondido por causa de Saul, filho de Quis. Eles estavam entre os guerreiros que o apoiavam na guerra, [2]empunhavam o arco, destros e canhotos, com pedras e com flechas do arco, dentre os parentes de Saul, de Benjamim. [...] [16]Alguns benjamitas e judaítas foram a Davi, na fortaleza. [17]Davi saiu diante deles e lhes declarou: "Se vocês vieram a mim com intenção pacífica, para me apoiar, minha atitude será uma com vocês, mas, se [vieram] para me trair e entregar-me aos meus inimigos quando não há violência em minhas mãos, que o Deus de nossos ancestrais veja e puna." [18]Então, o espírito colocou sobre Amasai, chefe dos trinta: "Por ti, Davi, e contigo, filho de Jessé, [haverá] paz; paz para você e paz para a pessoa que o apoiar, porque o teu Deus o tem apoiado." Assim, Davi os aceitou e os colocou como cabeça de seu bando. [19]Alguns de Manassés submeteram-se a Davi quando ele foi com os filisteus para a batalha contra Saul, mas não deram suporte aos [filisteus] porque os governantes filisteus, em conselho, o desconsideraram, dizendo: "Ele se submeterá a Saul, o senhor dele — à custa de nossas cabeças." [20]Quando ele foi a Ziclague, os manassitas se submeteram a ele, Adna, Jozabade, Jediael, Micael, Jozabade, Eliú e Ziletai, os chefes das famílias de Manassés. [21]Essas pessoas apoiaram Davi contra o grupo [inimigo] porque todos eram guerreiros hábeis. Eram oficiais do exército. [22]Assim, dia após

dia, pessoas vinham a Davi para apoiá-lo até o exército ficar grande, como o exército de Deus. [...] [38]Todos esses homens de luta, formando uma linha de batalha com uma atitude comprometida, foram a Hebrom para tornar Davi rei sobre todo o Israel. [39]Eles ficaram ali com Davi por três dias, comendo e bebendo, porque os seus parentes lhes tinham provido. [40]Pessoas que estavam próximas a eles, até de lugares distantes como Issacar, Zebulom e Naftali, também levaram comida sobre jumentos, camelos, mulas e bois, provisões de farinha, porções de figos e de passas, vinho e óleo, e gado e ovelhas em abundância, porque havia celebração em Israel.

Quando minhas classes de verão terminarem, em três semanas, entrarei em férias, mas tenho que retornar em 16 de setembro, porque esse é o dia do retiro do corpo docente, e *temos* que estar presentes nesse evento. Não tenho certeza sobre o que pode acontecer caso eu não apareça; apenas sei que terei que escrever ao diretor se achar que tenho motivos para não comparecer (se falhar em fazer isso, não receberei salário em setembro?). Tudo o que sei é que permanecer na praia não será aceito como desculpa. O mesmo ocorre quanto à data de início. Mas, quer esteja animado quer não em relação ao que faremos quando lá estivermos, sinto-me bem em ir, porque sei que essas reuniões, envolvendo a presença de todos, são necessárias. Em nosso corpo docente, há setenta ou oitenta (nem mesmo sei o número exato), e ainda temos inúmeros *campi* regionais espalhados pela Costa Oeste e no Colorado, Arizona e Texas. Assim, precisamos de meios para consolidar a nossa unidade, celebrar, orar e conversar em conjunto.

Aqui, o texto de Crônicas, uma vez mais, enfatiza a unidade de todo o Israel em seu reconhecimento a Davi, e o faz de diversas formas. Inicialmente, a narrativa retorna ao reinado de Saul, quando Davi estava fugindo do rei, que queria matá-lo. A princípio, Davi esconde-se em Ziclague e, então, em uma "fortaleza" que pode ser uma referência à mesma caverna de Adulão, citada no capítulo anterior. Ambos são lugares nos quais Davi tenta se manter longe do caminho de Saul. Então, ele é relatado em conluio com os filisteus. Nos dois contextos, ninguém sabe em quem confiar, quem são os agentes duplos e quem pode estar prestes a traí-los. Os filisteus podem confiar em Davi e em seus aliados? Na realidade, não, e eles sabem que precisam ser cautelosos, embora a história em 1Samuel nos conte como Davi logrou ludibriá-los. Pode Davi confiar nas pessoas que pertencem ao clã de Saul? Na verdade, sim, embora ele saiba que toda cautela é pouca. Todavia, o capítulo menciona todas as doze tribos como apoiadoras de Davi. E esse apoio não significa *e-mails* ou declarações no parlamento, mas pessoas e comida. Mais de uma vez, o capítulo cita o apoio de Benjamim, o próprio clã de Saul, e, especialmente, da cidade natal do rei.

Davi é uma pessoa inescrutável, e o capítulo atrai a nossa atenção para um dos aspectos de seu caráter que é difícil de entender. Calcula-se que o Antigo Testamento atribua a ele, antes e durante o seu reinado, a contagem de cento e quarenta mil corpos; esse é o **número** de pessoas mortas pessoalmente por ele ou sob a sua responsabilidade. Não obstante, aqui, Davi nega a violência ao falar com os benjamitas e **judaítas** que foram até ele, na fortaleza. Se eles o traíssem em favor de seus inimigos quando ele não lhes fizera nenhum mal (isto é, a Saul e aos seus apoiadores), então que Deus visse e punisse. Davi é destinado a assentar-se no trono e, em mais de uma ocasião, ele tem a chance de eliminar o homem que está ocupando o trono, mas declinou dessas oportunidades e, agora, pode reivindicar isso a seu favor. Já vimos que Saul morre por suas próprias mãos. Além disso, mesmo se for traído, ele não levantará a mão contra os seus traidores, pois Deus é quem fará isso por ele. Se você fosse o potencial traidor, o lembrete de que Deus poderia, então, agir contra você seria muito mais dissuasivo do que se o próprio Davi ameaçasse vingança. Parece que a violência contra pessoas que se tornam inimigas de Deus e de Israel é uma coisa; a violência no seio do povo de Deus é outra. O Deus de Davi é o mesmo Deus de Saul, "O Deus de nossos ancestrais". Ele e Saul pertencem à mesma família. Como eles e seus apoiadores poderiam lutar e matar entre si? Sua atitude é, portanto, muito distinta da adotada pelos cristãos, pois, ao longo dos séculos, sempre estamos dispostos a lutar e matar uns aos outros.

Talvez seja significativo que Deus envie uma mensagem de encorajamento a Davi logo após essa expressão de compromisso com a não violência dentro do povo de Deus. É igualmente notável que a mensagem venha por meio de um dos líderes dos guerreiros de Davi, alguém que tinha a sua própria parcela de mortandade. O Antigo Testamento, em geral, discorre sobre "o espírito de Deus" vindo a alguém, mas, ocasionalmente, refere-se a Deus enviando "um espírito", o que soa muito parecido com Deus enviar um **ajudante**. Todavia, o espírito, então, "coloca sobre" alguém, da mesma forma que você veste roupas (esse é o significado usual da palavra hebraica). A pessoa torna-se o meio pelo qual o espírito encontra uma expressão externa. Isso transmite a errônea impressão de a pessoa ser "possuída" pelo espírito; esse processo não significa ser possuído e levado a fazer algo que você não quer fazer. Em vez disso, a imagem reconhece que, ocasionalmente, as pessoas dirão coisas que não planejavam dizer e expressarão de modo inconsciente coisas muito mais instigantes do que jamais tentaram expressar. Essa experiência faz a pessoa perguntar: "De onde veio isso?" e leva outras pessoas a concluírem que veio de Deus. A exemplo de muitas declarações proféticas, as palavras de Amasai são breves, poéticas, enérgicas e enigmáticas (a minha tradução acrescenta umas poucas palavras entre colchetes para facilitar um pouco mais a sua compreensão). Deus não tende a falar em prosa; a poesia expressa melhor a profundidade, e o vigor leva as pessoas à reflexão; as palavras, então, têm mais chance de acertar o alvo. As traduções modernas pressupõem que Amasai está dizendo a Davi: "*Nós* somos teus; *nós* estamos contigo", e talvez estejam certas; no entanto, mais diretamente, Amasai parece estar prometendo a Davi que Deus estará com ele. Há **paz** para ele e também para as pessoas que o apoiam (ao contrário das que o traem), pessoas que, assim, se identificam com o próprio suporte de Deus a Davi. Ele precisa equilibrar sabedoria ou autoproteção com o compromisso de fazer o que é certo; Deus promete que o risco e o compromisso serão honrados.

O apoio que as pessoas dão a Davi durante a sua fuga chega à sua conclusão lógica quando pessoas de todos os clãs se reúnem para declará-lo rei. Embora os guerreiros que lutaram ao lado de Davi estejam no centro da história, a narrativa da celebração deixa claro, de outras formas, como ela envolve todo o povo. Os guerreiros apoiaram Davi como membros de suas respectivas famílias e respectivos clãs, e essas famílias e esses clãs se unem para subscrever o custo da celebração. Em particular, grandes quantidades de comida são providenciadas pelos clãs do norte, que, apesar de distantes geograficamente, em outro sentido estavam "próximos a eles". Depois do início, nossos alunos costumam promover muitas festas sociais e, ao final do retiro do corpo docente, irei me reunir com meus colegas de Estudo Bíblico para uma taça ou duas de vinho, em um restaurante local. Por sermos corpo e espírito, a celebração física e a celebração espiritual caminham juntas.

1CRÔNICAS **13:1-14**
VOCÊ QUER DANÇAR?

[1]Davi consultou os oficiais de milhares e de centenas, cada líder. [2]Davi disse a toda a assembleia de Israel: "Se isso lhes parece bom e [vem] de *Yahweh*, nosso Deus, enviemos depressa mensagem aos nossos parentes que permanecem em todas as terras de Israel e, com eles, os sacerdotes e levitas em suas cidades de pastagens, para que eles se reúnam a nós [3]e tragam o baú de Deus até nós, porque não inquirimos dele nos dias de Saul." [4]Toda a assembleia de Israel disse para fazer isso, porque era a coisa certa aos olhos de todo o povo. [5]Então, Davi reuniu todo o Israel, desde Sior, no Egito, a Lebo-Hamate, para trazer o baú de *Yahweh* da Cidade de Florestas. [6]Davi e todo o Israel subiram a Mestres (para a Cidade de Florestas, em Judá), para trazer de lá o baú pertencente a Deus, *Yahweh* que Está Assentado entre os Querubins, que é chamado pelo nome. [7]Eles transportaram o baú de Deus sobre uma carroça nova da casa de Abinadabe, com Uzá e Aiô guiando a carroça, [8]e Davi e todo o Israel iam dançando com toda a força diante de Deus, com cânticos, harpas, alaúdes, tamborins, címbalos e trombetas. [9]Mas, quando eles chegaram à eira de Quidom, Uzá estendeu o braço para segurar o baú de Deus, porque os bois haviam tropeçado. [10]A ira de *Yahweh* se inflamou contra Uzá, e ele o feriu porque estendera a mão à arca. Ele morreu ali, diante de *Yahweh*. [11]Davi se inflamou porque *Yahweh* irrompera contra Uzá. Ele chamou àquele lugar "Destruição de Uzá", como é até este dia. [12]Davi teve medo de Deus naquele dia, dizendo: "Como posso levar o baú de Deus para mim?" [13]Por isso, Davi não moveu o baú até ele (para a cidade de Davi), mas o redirecionou para a casa de Obede-Edom, o geteu. [14]O baú de Deus viveu ali, com a família de Obede-Edom, em sua casa, por três meses, e *Yahweh* abençoou a casa de Obede-Edom e tudo o que ele possuía.

Eu fui criado em uma igreja na qual dançar era pecaminoso, do mesmo modo que ir a cinemas e a *pubs* (felizmente, ou não, o pastor não sabia o que acontecia entre os garotos e garotas adolescentes quando estavam fora do alcance de sua visão, embora — também felizmente — o que acontecia era bem inofensivo segundo os padrões do século XXI). Por consequência, ainda não me sinto à vontade em *pubs* (do mesmo modo que uma pessoa comum na Grã-Bretanha não se sente à vontade na igreja), e não sei dançar bem, embora tenha ido a algumas aulas de dança, ao longo do último ano, e o que me falta em elegância eu compenso em energia (o que, de fato, é uma verdade em minha vida como um todo). É uma vergonha sermos desencorajados a dançar, porque a dança é outra das formas (como comer e beber) em que o Antigo Testamento reconhece que o físico e o espiritual caminham juntos. Embora não haja base bíblica para ter uma pessoa ou um grupo de pessoas dançando na frente da igreja, com a congregação assistindo, há considerável fundamentação bíblica para ter toda a congregação dançando.

Davi sabe que é assim (e, ao fim do capítulo 15, leremos sobre o desprezo de Mica, sua esposa, por ele compensar em energia o que lhe faltava em elegância). Como não dançar quando se está empenhado em algo tão celebrável quanto trazer de volta o **baú** de ***Yahweh*** do exílio? Algumas gerações antes (1Samuel nos relata), o baú fora levado a uma batalha contra os filisteus, capturado e devolvido aos israelitas quando os filisteus viram que a mão do Senhor pesava contra eles. Por seu turno, os israelitas, ao verem que a mão de Deus também pesava sobre eles, entregaram o baú aos habitantes de Bete-Semes e, depois, o deixaram na Cidade de Florestas [Quiriate-Jearim], entre Jerusalém e Bete-Semes. Outro nome para a área é **Mestres** ou Baalá, o que sugere que a

Cidade de Florestas, a exemplo de Bete-Semes, seja uma cidade de fronteira, cuja mente pode estar dividida entre ser cananeia ou israelita. O baú havia sido despachado para lá como uma batata quente. Por outro lado, parece que havia israelitas na cidade que cuidaram dele.

Há bons motivos políticos e religiosos para Davi transportar o baú até Jerusalém. A nova capital da nação não possui tradição israelita; assim, instalar o baú da **aliança** ali associará Jerusalém à aliança entre Deus e Israel, além de transformar a cidade no santuário central da nação. O baú da aliança, afinal, pertencia ao santuário no qual o invisível *Yahweh* habitava. Ao contrário dos deuses cananeus ou filisteus, *Yahweh* não possuía nenhuma imagem para representá-lo e assegurar ao povo que a divindade por eles cultuada estava no meio deles. Israel sabia que Deus não poderia ser representado; pelo menos, o seu povo deveria reconhecer que era assim, embora, com frequência, o instinto de ter uma representação visível de Deus superasse essa consciência. Todavia, em teoria, os israelitas sabiam que, simplesmente, não é possível representá-lo. O santuário continha algumas representações visíveis dos **querubins**, em cujos ombros se assentava o trono do invisível *Yahweh*. Os querubins ficavam localizados dentro do santuário, para que as pessoas não os vissem, mas elas sabiam que eles estavam lá, e os querubins podiam lembrar o povo da real presença de Deus entronizado acima deles. Outra maneira de garantir que Deus estava realmente presente no santuário era falar em termos de o **nome** de *Yahweh* estar associado ao baú.

Uma vez mais, o livro de Crônicas enfatiza como toda a nação está envolvida no projeto de levar o baú. É, na verdade, para ser um foco religioso a todo o povo. A princípio, tudo transcorre maravilhosamente bem. Então, novamente, o baú da aliança prova-se muito perigoso de se lidar, e Uzá perde a sua vida ao tentar protegê-lo. Estamos familiarizados com situações nas quais as pessoas podem estar fazendo o melhor para servir a Deus e, então, experimentam algum desastre que coloca um fim no serviço delas, e nos perguntamos por que essas coisas acontecem. Igualmente, conhecemos situações nas quais as pessoas não estão fazendo o melhor no serviço a Deus e também experimentam algum desastre. Não gostamos nem de pensar em tais eventos como atos de Deus; nem mesmo como algo que Deus permite. O Antigo e o Novo Testamentos são menos susceptíveis, talvez porque tenham consciência de que esses eventos não são excepcionais; ambos podem conviver com alguns atos estranhos da parte de Deus, pois, ao mesmo tempo, outros atos generosos e misericordiosos são muito mais característicos de Deus.

As Escrituras também possuem outro tipo estranho de confiança em relacionar Deus a tais eventos. Duas expressões são recorrentes de formas notáveis nessa história. Uma é que Deus se "inflama" contra Uzá depois que Davi se "inflama" ao providenciar o transporte do baú a Jerusalém. A outra é que a ira de Deus é respondida pela ira de Davi. Pode parecer estranho que Davi escape ileso de irar-se contra Deus, enquanto Uzá não tenha escapado por tentar proteger o baú de Deus. Os cristãos mostram-se propensos a pensar que temos de ter cuidado com as nossas palavras a Deus e nossos sentimentos em relação a ele. Davi sabe que não há problemas em ser espontâneo em relação a Deus tanto com sua ira quanto com sua dança. Ao mesmo tempo, de algum modo, Davi está agora temeroso de Deus, o que parece uma reação racional. Pelo menos, é o que presumimos com base na menção da história ao medo de Davi. Mas pode ser que Davi esteja sentindo mais reverência por Deus, não medo dele. O hebraico usa a mesma palavra para denotar um medo positivo (temor ou reverência) e um medo negativo (estar com medo ou assustado); no entanto, em relação a Deus, normalmente a palavra possui conotação positiva. Quando Crônicas, mais tarde, retoma a história de Davi e do baú, implica que Davi, agora, está mais cauteloso quanto ao processo de transporte e, assim, aprendeu, de fato, a ser mais reverente a Deus.

Pode-se imaginar o coração de Obede-Edom, o geteu, afundando em suas botas e pegando a pena para deixar sua última vontade e testamento ao saber que o baú está chegando a ele. Como geteu, alguém de Gate, presumidamente Obede-Edom é um filisteu e deve pensar que o ato de Davi é, de algum modo, cínico ("Vamos arriscar a vida de filisteus em vez da vida de israelitas!"). Na realidade, ele experimenta uma bênção extraordinária. Talvez a implicação seja de que, no próximo ano, suas colheitas serão mais abundantes do que as de qualquer outra pessoa na região. Não se pode duvidar de Deus; nem imaginar o que ele fará a seguir.

1CRÔNICAS **14:1-17**

QUANDO VOCÊ PRECISA SABER O QUE FAZER

[1]Hirão, rei de Tiro, enviou ajudantes a Davi, com toras de cedro, pedreiros e carpinteiros, para construir-lhe uma casa, [2]e Davi reconheceu que *Yahweh* o havia estabelecido como rei sobre Israel, porque o seu reinado fora elevado para o bem de Israel, o seu povo. [3]Davi tomou mais esposas em Jerusalém e gerou mais filhos e filhas. [...]

[8]Quando os filisteus ouviram que Davi havia sido ungido rei sobre todo o Israel, todos os filisteus subiram para buscá-lo. Quando Davi ouviu, ele saiu ao encontro deles. [9]Ora, os filisteus tinham vindo e atacado o vale de Refaim. [10]Davi perguntou a Deus: "Devo subir contra os filisteus? Tu os entregarás nas minhas mãos?" *Yahweh* lhe disse: "Suba. Eu os entregarei nas suas mãos." [11]Então, [o exército de Davi]

subiu para Senhor-do-rompimento, e Davi os derrotou. Davi disse: "Deus irrompeu através dos inimigos por minha mão como águas irrompem." Eis por que chamaram aquele lugar de Senhor-do-rompimento. [12][Os filisteus] abandonaram os seus deuses ali, e Davi disse que eles deviam ser queimados no fogo. [13]Os filisteus, novamente, atacaram o vale. [14]Davi, novamente, perguntou a Deus, mas Deus lhe disse: "Você não deve segui--los. Vá ao redor deles, e cheguem até eles vindo da direção das amoreiras. [15]Quando você ouvir o som de marcha no topo das amoreiras, então você deve sair à batalha, porque Deus terá ido à sua frente para ferir a força filisteia." [16]Davi fez como *Yahweh* ordenou, e eles derrotaram a força filisteia, desde Gibeom até Gezer. [17]A reputação de Davi espalhou-se por todas as nações; *Yahweh* colocou medo por ele em todas as nações.

Na semana passada, jantei com três pessoas com idades na casa dos trinta anos. Um deles era um rapaz que não sabia ao certo o que fazer com sua vida, de modo que ele orou e sentiu Deus lhe dizendo que ele deveria fazer um doutorado. Ele foi aceito para um prestigiado programa e havia completado o seu primeiro ano com sucesso. Havia também uma jovem mulher que questionara o que fazer ao concluir o seu programa no seminário. Ela também orou sobre o assunto e creu que Deus lhe havia dito para se unir a algumas pessoas e edificar uma igreja do zero, em determinada cidade. Mas os planos não deram certo, de maneira que ela orou mais e, agora, acredita que Deus está lhe dizendo para estudar e obter um doutorado. O terceiro era um homem que havia orado de modo similar e, igualmente, crera que Deus lhe disse para ir atrás de um doutorado, mas nunca conseguiu conciliar compromissos e tempo para seguir esse plano e sente que está apenas desperdiçando tempo em sua vida.

Quando comparamos a natureza imprevisível de nossa experiência ao buscarmos a orientação de Deus, podemos invejar a experiência de Davi quanto a isso, pelo menos como relatada nesse capítulo. Na realidade, estas constituem as primeiras referências à busca de Davi pela orientação divina, em Crônicas. Até onde sabemos, até aqui, ele fez tudo por achar ser uma boa ideia. Às vezes, as ideias funcionam bem; em outras, nos deixam em apuros; mas a história não parece pensar que ele deveria pedir a orientação de Deus sobre tudo o que faz. Todavia, sugere que, pelo menos, ele pode pedir orientação e obter respostas.

Uma forma padrão, descrita pelo Antigo Testamento, por meio da qual um líder obtém orientação é o Urim e o Tumim. Eles eram algo como duas pedras com inscrições "Sim" e "Não" sobre elas. Se o líder obtivesse dois "sins" ou dois "nãos", a resposta era óbvia; se obtivesse um de cada, Deus não estava respondendo. Algumas narrativas do Antigo Testamento registram Deus se recusando a responder, como na experiência de Saul ao final de sua vida. O uso desse meio de buscar a orientação divina significaria fazer uma pergunta que pudesse ser respondida com um "sim" ou um "não". Davi poderia ter feito isso em relação às estratégias citadas pela história. Muitas pessoas modernas sentem-se desconfortáveis com a ideia de Deus orientando Davi para ir à guerra, mas, por viver em um país que vai à guerra com certa frequência, aprecio a ideia de o comandante-chefe consultar Deus antes de declarar guerra e também a ideia de Deus se dispor ao envolvimento nas guerras que são deflagradas em vez de deixá-las acontecer sem nenhuma estrutura ética ou religiosa.

Os filisteus sabem que Davi é um líder capaz e reconhecem que a derrota imposta a Saul pode não definir a questão sobre o controle de Canaã. Há uma notável ligação entre a maneira pela qual Davi fala em irromper ou agir depressa para obter o apoio dos israelitas ao projeto de levar o **baú da aliança** para Jerusalém, a forma com que Deus "irrompeu" sobre Uzá e, então, o fato de os filisteus avançarem para um lugar chamado Senhor-do-rompimento [Baal-Perazim]. Ser nomeado por **Mestre** ou Senhor sugere ser este um nome tradicional; aquele nome, agora, passa a ter um novo significado, pois se torna um lugar no qual Deus irrompeu novamente, dessa vez a favor de Israel. Há uma enorme quantidade de energia fluindo quando Davi está por perto. Isso me faz lembrar da mítica expressão chinesa "Que você não viva em tempos interessantes". Decerto, os tempos de Davi eram bem interessantes.

Claro que há algo especial no tocante às guerras nas quais Davi participa, isto é, o propósito divino de restauração do mundo está em ação por meio de seu povo. A mesma consideração subjaz à maneira pela qual Davi pode obter orientação divina, quando eu e você não podemos. Isso também é sugerido pelo sinal dado por Deus, que lembra a Davi que essas guerras são travadas não apenas na superfície, mas nos céus (não sabemos exatamente o que essas árvores eram, apesar da tradicional tradução por "amoreiras"). Davi obtém vitórias contra as expectativas porque o exército celestial faz a balança das probabilidades pender para Israel. As vitórias até mesmo angariam para ele o respeito de alguém como Hirão, rei de Tiro (o próximo grande poder a noroeste de Israel). Obtidas apenas com o auxílio sobrenatural, elas também significam que Davi deve sempre ter em mente que a sua liderança é bem-sucedida e mantida em elevada consideração pelo bem de seu povo, não para seu próprio bem. Ter a ajuda de Hirão na construção de um palácio não desencoraja aquele processo. Existe uma igreja perto de minha residência que tem experimentado um crescimento monumental nos últimos anos. Um artigo de jornal a respeito disso, recentemente, observou que o pastor ainda vive na mesma casa, desde que assumiu a igreja. Além disso, construir um palácio não é a única maneira de um rei seguir naturalmente o que outros reis fazem. Acumular esposas e filhos é outra. Isso mostra que você é um grande homem.

1CRÔNICAS **15:1—16:3**
TENHA CUIDADO!

[1]Quando havia feito casas para si mesmo na cidade de Davi, [Davi] preparou um lugar para o baú de Deus e armou uma tenda para ele. [2]Então, Davi disse que ninguém deveria carregar o baú, exceto os levitas, porque *Yahweh* os escolhera para carregar o baú e ministrar a ele para sempre. [3]Davi reuniu todo o Israel em Jerusalém para levar o baú de *Yahweh* ao seu lugar, que lhe havia preparado. [4]Davi reuniu os aronitas e os levitas. [...] [11]Davi convocou Zadoque e Abiatar, os sacerdotes, e Uriel, Asaías, Joel, Semaías, Eliel e Aminadabe, os levitas. [12]Ele lhes disse: "Vocês são os cabeças ancestrais dos levitas. Santifiquem-se, vocês e seus irmãos, e tragam o baú [ao lugar] que preparei para ele. [13]Por vocês não estarem [lá], na primeira vez, *Yahweh*, nosso Deus, irrompeu sobre nós, porque não o inquirimos de acordo com a regra." [14]Então, os sacerdotes e os levitas santificaram-se para levar o baú de *Yahweh*, o Deus de Israel. [15]Os levitas carregaram o baú de Deus como Moisés tinha ordenado, de acordo com a palavra de *Yahweh*, sobre seus ombros, com varas sobre eles. [16]Davi disse aos oficiais dos levitas para acomodar os seus irmãos, os cantores, com instrumentos musicais, harpas, alaúdes e címbalos, fazendo-se ouvir ao elevar suas vozes em celebração. [...] [25]Assim, Davi, os anciãos de Israel e os oficiais de milhares foram para levar o baú da aliança de *Yahweh* da casa de Obede-Edom com celebração, [26]enquanto Deus suportava os levitas que carregavam o baú da aliança de *Yahweh*, e eles sacrificavam sete touros e sete carneiros. [...] [29]Mas, quando o baú da aliança de *Yahweh* chegou

à cidade de Davi, Mical, filha de Saul, olhou pela janela e viu o rei Davi pulando e se divertindo, e o desprezou por dentro.

CAPÍTULO 16

[1]Eles trouxeram o baú de Deus e o colocaram no interior da tenda que Davi havia armado para ele e apresentaram ofertas queimadas e sacrifícios de comunhão diante de Deus. [2]Quando Davi terminou de apresentar as ofertas queimadas e os sacrifícios de comunhão, ele abençoou o povo em nome de *Yahweh* [3]e deu a cada pessoa em Israel, homens e mulheres, um pedaço de pão, um punhado de tâmaras e de passas.

Em uma dessas noites, ao sair sem pernas da pista de dança, após pular vigorosamente para cima e para baixo, errei a minha cadeira, ou melhor, não consegui me sentar nela; em vez disso, eu a atropelei e caí ao chão com ela. Odeio quando as pessoas, então, dizem para eu ter cuidado. Certamente, é necessário ter cuidado, mas elas precisam dizer isso, pelo menos, vinte segundos antes. Não obstante, elas podem estar, em teoria, expressando um ponto útil para o futuro, se apenas aprendermos a lição (provavelmente, eu não).

Há um duplo sentido pelo qual o transporte do **baú da aliança** por Davi suscita a questão sobre ele ter aprendido a lição ou não. Na história, isso ocorre porque Davi reconhece que é necessário garantir que a sua segunda tentativa de mover o baú da aliança para Jerusalém não saia pela culatra, como na primeira tentativa. A **Torá**, com frequência, lembra Israel de que é preciso ter cautela quanto à forma de se aproximar de Deus, para não ser eletrocutado. O Novo Testamento cita Deuteronômio, ao lembrar o povo sobre o mesmo ponto: "Nosso Deus é fogo consumidor" (Hebreus 12:29). Assim, Deus possui formas de prover a comunidade com equivalentes às vestes de segurança que usamos quando estamos próximos a uma máquina de raios X. Os levitas constituem a veste providenciada por Deus (os aronitas são um subgrupo dos levitas, o povo com a responsabilidade especial de oferecer sacrifícios). Dessa vez, Davi certifica-se de que eles cuidem do baú. Ainda, é necessário que eles se santifiquem; na realidade, pode-se dizer que eles mesmos precisam colocar vestes de proteção. A santificação envolve afastar-se, por algum tempo, de qualquer coisa que esteja em tensão com o que Deus é. A Torá, desse modo, tipicamente afirma para evitar qualquer contato com a morte (por exemplo, ao sepultar alguém) e abster-se de sexo – ou, caso necessário, passar por um ritual de purificação a fim de remover da pessoa a marca dessas coisas. Deus nada tem a ver com morte ou sexo, de forma que, se você precisa ir à presença de Deus, então, por algum tempo, deve evitar a ambos.

Na outra versão dessa história, em 2Samuel 6 (lembre-se que Crônicas é uma versão atualizada e posterior, como Mateus em relação a Marcos), não há menção aos levitas no tocante a Davi assegurar-se de ter o devido cuidado com o baú, na segunda tentativa. De fato, a narrativa do Antigo Testamento, em geral, não fala sobre os levitas com a mesma frequência que Crônicas. De alguma forma, somente mais tarde, na história de Israel, é que eles se tornaram realmente importantes. Estamos familiarizados com a maneira pela qual os teatros, às vezes, encenam Shakespeare com trajes modernos, talvez música contemporânea, instrumentos atuais e armas de nosso tempo. Isso nos ajuda a ver como a peça interage com o nosso próprio mundo; a sua importância não se restringe ao século XVI. Algumas vezes, o Antigo Testamento faz o mesmo. Esse relato concede aos levitas o papel que eles teriam na época do autor e de seus leitores. Aí é que reside o segundo sentido pelo qual a história convida as pessoas a aprenderem a lição com base no desastroso resultado da primeira tentativa de transportar o baú. Isso retrata que Davi aprendeu a lição e também convida os leitores a fazer o mesmo.

A nota triste da narrativa é a observação quanto a Mical. O lembrete de seu histórico familiar sugere que a história é mais sobre política do que sobre os sentimentos pessoais da filha de Saul; o seu casamento com Davi foi um arranjo político, não um caso de amor. Trata-se de um lembrete de que, apesar de todo o esforço de Davi em ganhar o apoio de todo o Israel, havia pessoas que continuariam a acreditar que um descendente de Saul é que deveria estar no trono.

1CRÔNICAS **16:4-43**

CANTEM A *YAHWEH*, TODA A TERRA!

[4][Davi] colocou alguns dos levitas diante do baú de *Yahweh* como ministros, para clamar, para testificar e louvar a *Yahweh*, o Deus de Israel. [...] [7]Então, naquele dia, pela primeira vez, Davi colocou o testemunho a *Yahweh* a cargo de Asafe e seus irmãos.

[8]Testifiquem a *Yahweh*, clamem em seu nome, tornem os seus feitos conhecidos entre os povos.
[9]Cantem para ele, lhe façam músicas, falem de todas as suas maravilhas.
[10]Louvem no seu santo nome; o coração dos que consultam *Yahweh* deve celebrar.
[11]Olhem para *Yahweh* e sua força; consultem sua face continuamente.
[12]Estejam atentos às maravilhas que ele fez, seus sinais e as ordenanças de seus lábios,
[13]descendência de Israel, seu servo, descendentes de Jacó, seus escolhidos.
[14]Ele é *Yahweh*, nosso Deus; suas ordenanças estão em toda a terra.

[15]Estejam atentos à sua aliança para sempre, a palavra que ele ordenou para mil gerações,
[16]a qual ele selou com Abraão, seu juramento a Isaque,
[17]estabelecida para Jacó como um decreto, para Israel como uma aliança eterna,
[18]dizendo: "A vocês darei a terra de Canaã como uma alocação e como sua possessão."
[19]Quando vocês eram poucos em número, um grupo pequeno, e temporários nela,
[20]indo de uma nação a outra, de um reino a outro povo,
[21]ele não deixou ninguém os oprimir, mas reprovou reis por causa deles:
[22] "Não toquem em meus ungidos, não façam mal aos meus profetas [...]."
[28]Famílias da terra, deem a *Yahweh*, deem a *Yahweh* esplendor e força.
[29]Deem a *Yahweh* o esplendor devido ao seu nome, tragam um presente e venham diante dele, curvem-se a *Yahweh* em [sua] santa majestade.
[30]Tremam diante dele, toda a terra; sim, o mundo permanecerá firme, não se abalará.
[31]Os céus devem celebrar, a terra regozijar e dizer entre as nações: "*Yahweh* reina."
[32]O mar deve rugir e tudo o que o enche; o campo aberto exulte e tudo o que nele há.
[33]Então, todas as árvores na floresta devem ressoar diante de *Yahweh*, porque ele está vindo tomar decisões para a terra.
[34]Testifiquem a *Yahweh*, porque ele é bom, porque o seu compromisso dura para sempre.
[35]Digam: "Liberte-nos, Deus da nossa libertação, nos reúna e nos resgate das nações, para testificarmos de seu santo nome, para gloriarmos em seu louvor [...]."

[43]Todo o povo partiu, cada um para a sua casa, e Davi retornou para abençoar a sua família.

Em nosso culto, no domingo, observamos um tempo mais longo do que o normal, com pessoas dando graças por coisas que lhes aconteceram durante a semana e falando sobre coisas pelas quais elas gostariam que todos orassem. Uma delas recebeu boas notícias sobre um tratamento médico, e outra celebrava o seu aniversário de 92 anos. O presidente também aniversariara, de modo que oramos por ele, e, igualmente, oramos por uma mulher que está para dar à luz em algumas semanas, além de mulheres no corredor da morte. Tudo isso resultou em um culto mais equilibrado do que, em geral, temos, unindo o nosso louvor por quem Deus é e pelo que a morte de Jesus por nós significa, com a nossa leitura de três ou quatro passagens bíblicas e a exposição do reitor sobre uma delas.

Incidentalmente, reproduzimos uma das presunções de Crônicas sobre a natureza da adoração, embora, talvez, nem todas elas, e, provavelmente, tivemos um ou dois pontos fortes de nossa própria parte (não há menção, nessa narrativa, quanto à leitura bíblica mesmo porque a Escritura ainda não existia). Crônicas principia-se usando três palavras para descrever a adoração liderada pelos levitas que, mais ou menos, correspondem aos demais aspectos do culto cristão que acabei de mencionar. “Clamar a Deus” pelo menos inclui a oração no sentido de pedir a Deus pelas nossas próprias necessidades e pelas de outras pessoas. “Testificar” envolve falar sobre o que Deus tem feito por você, para encorajar outras pessoas a glorificar a Deus – assim, pode-se facilmente traduzir essa palavra por “dar graças”. A implicação de “louvor” é nos expressarmos de forma desinibida, talvez um entusiasmo sem palavras por quem Deus é e o que ele tem feito pelo mundo.

Algo desses aspectos da adoração é representado na canção de louvor a seguir, que, na realidade, mescla partes de três salmos presentes no livro de Salmos. Primeiro, esse assim chamado ato de louvor não é endereçado a Deus, mas é, em sua totalidade, uma exortação à congregação para dar louvor e fazer isso contando ao mundo sobre as grandiosas coisas que Deus tem feito. Embora Israel soubesse que Deus realizou atos extraordinários que beneficiaram exclusivamente esse povo, isso não significa que Deus preocupa-se apenas com Israel. Sua vocação era a de proclamar ao mundo o que Deus fez, para que o mundo viesse a reconhecê-lo. Como isso seria feito, o salmo não indica. O que fica evidente é que o salmo apresenta diante dos leitores de Crônicas uma ampla visão em relação aos vizinhos da comunidade (com os quais ela, em geral, convivia em constante hostilidade), e em relação à superpotência da qual era apenas uma colônia. O que também está claro é que esse reconhecimento de Deus pelas nações ocorrerá, pelo menos, tanto pelo amor de Deus quanto por eles. Eles "darão a ***Yahweh*** o esplendor devido ao seu **nome**" e trarão presentes para ele. É tentador para as nações querer desfrutar de seu próprio esplendor e de seus recursos, mas esse é o caminho para a perda e a desgraça.

Segundo, Israel precisa manter a lembrança desses atos; nesse sentido, o povo necessita de algo equivalente à leitura das Escrituras. Tamanha atenção ao que Deus fez objetiva encorajar a permanente busca por orientação e socorro em Deus. Nos dias de Crônicas, Israel é um povo para o qual a ideia de ser um grande povo, ocupando uma vasta nação, constitui um monumental contraste com a sua situação atual. É necessário manter vivas na lembrança as promessas de Deus feitas aos seus ancestrais, que foram expressas não somente a uma geração, mas a mil gerações. A relevância do salmo para os leitores apresenta-se na maneira pela qual ele fala de "vocês" sendo poucos em número e apenas de passagem no país. Mais literalmente, aquela era a situação dos ancestrais dos leitores, mas os leitores são convidados a se identificarem com eles, de maneira a serem encorajados a manter a expectativa de ver as promessas de Deus cumpridas também para eles – como ocorreu à medida que o período do **Segundo Templo** avançou. Seus ancestrais foram liderados por pessoas que, metaforicamente, foram ungidas como reis ou sacerdotes e, em alguns casos, profetas literais, aos quais Deus protegeu. Os leitores são liderados por sacerdotes e profetas ungidos, e Deus os protegerá.

Terceiro, o louvor a Deus não está restrito à criação humana. Os céus e a terra, o mar, os campos e as florestas também são incentivados a dar o seu louvor público a Deus. O louvor não é meramente algo presente no coração das pessoas, mas algo expresso física e exteriormente. Assim, a criação é totalmente equipada para dar glórias a Deus. Quando o mar ruge ou os ramos das árvores balançam, eles estão ressoando e batendo palmas, expressando o seu reconhecimento de Deus e convidando o mundo todo a se unir a esse louvor.

O salmo termina com uma oração realista, correspondente às circunstâncias dos leitores. Nos dias de Davi, o povo não precisava orar por libertação; eles eram o macho alfa. No período do Segundo Templo, eles podem fazer isso confiadamente à luz do que a história deles, desde os dias de Abraão até os dias de Davi, lhes revela. O círculo de testemunho, louvor, oração e testemunho, então, estará completo, uma vez mais. Eles terão o seu próprio testemunho a dar.

1CRÔNICAS 17:1–27
QUEM CONSTRÓI UMA CASA – DE QUE TIPO?

[1]Então, quando Davi estava vivendo em sua casa, Davi disse a Natã, o profeta: "Aqui estou eu, vivendo em uma casa de cedro, enquanto o baú da aliança de *Yahweh* está sob os panos de

uma tenda." [2]Natã disse a Davi: "Faze o que tiveres em mente, porque Deus está contigo." [3]Naquela noite, a palavra de Deus veio a Natã: [4]"Vá e diga a Davi, meu servo: 'Não é você que irá construir uma casa para eu viver nela, [5]porque eu não tenho vivido em uma casa desde o dia em que tirei Israel até este dia. Tenho estado de tenda em tenda e de habitação [em habitação]. [6]Por onde andei em todo o Israel, falei alguma palavra para um dos líderes de Israel, a quem ordenei pastorear o meu povo, dizendo: "Por que você não me construiu uma casa de cedro?"' [7]Agora, pois, você deve falar a Davi, o meu servo: '*Yahweh* dos Exércitos disse isto: "Eu sou aquele que o tirou das pastagens, de seguir o rebanho, para ser o governante sobre Israel, o meu povo. [8]Tenho estado com você por onde quer que vá. Eliminei todos os seus inimigos diante de você. Tornarei o seu nome grande como o nome de pessoas importantes na terra. [9]Providenciarei um lugar para o meu povo e os plantarei. Eles habitarão lá e não mais tremerão. Povos inúteis não os importunarão mais, como fizeram no princípio [10]e desde os dias nos quais ordenei líderes sobre Israel, o meu povo. Subjugarei todos os seus inimigos. E lhe digo que *Yahweh* irá edificar uma casa para você. [11]Quando os seus dias estiverem cumpridos para você ir com os seus ancestrais, levantarei a sua descendência depois de você, que será um de seus filhos, e estabelecerei o seu reinado. [12]Ele é o que irá construir uma casa para mim. Estabelecerei o seu trono em perpetuidade. [13]Tornar-me-ei um pai para ele, e ele se tornará um filho para mim. Não retirarei o meu compromisso com ele como retirei daquele que estava antes de você. [14]Eu o instalarei em minha casa e em meu reinado, em perpetuidade. O seu trono se tornará estabelecido em perpetuidade."'"

[15]De acordo com todas essas palavras e de acordo com toda essa visão, assim Natã falou a Davi. [16]O rei Davi foi e sentou-se diante de *Yahweh* e disse: "Quem sou eu, *Yahweh* Deus, e quem é a minha casa, para que me trouxesses aqui? [17]Mas isso foi pequeno aos teus olhos, Deus. Tu falaste sobre a casa de teu

servo no futuro [...]. [23]Agora, *Yahweh*, a palavra que falaste sobre o teu servo e sobre a sua casa — que isso seja confiável em perpetuidade. Age conforme falaste. [24]Que isso permaneça firme para que teu nome seja grande em perpetuidade e [as pessoas] digam: '*Yahweh* dos Exércitos, Deus de Israel, é Deus para Israel', e que a casa de Davi, teu servo, permaneça firme diante de ti. [25]Pois tu, meu Deus, abriste o ouvido de teu servo sobre lhe construir uma casa; portanto, teu servo encontrou [coragem] para suplicar diante de ti. [26]Ora, *Yahweh*, tu és Deus. Tu falaste essa boa [palavra] sobre o teu servo. [27]Agora, quiseste abençoar a casa de teu servo para que esteja diante de ti em perpetuidade, porque tu, *Yahweh*, abençoaste, ela é abençoada em perpetuidade."

Estou ansioso para almoçar com dois casais conhecidos meus. Os homens são euro-americanos (um deles, de descendência britânica, e o outro, germânica). Ambas as esposas nasceram na Coreia. Após a graduação, um casal viveu por dois anos em Istambul e, mais recentemente, dois anos em Beirute. O outro casal mora em Hong Kong, mas está envolvido no ministério de um ou dois outros países asiáticos. Talvez a capacidade de mudar constantemente seja um instinto distintamente americano e coreano, pois o mero pensamento de todas essas mudanças já me deixa exausto. Na Inglaterra, vivi na mesma cidade durante vinte e sete anos (em três casas, distantes menos de um quilômetro entre si) e, agora, vivo na mesma casa, perto de Los Angeles, por treze anos (costumava dizer que quero morrer aqui, mas parei de falar isso porque mencionar a morte assusta as pessoas).

Não seria surpreendente caso Davi almejasse se estabelecer. Ele havia passado alguns anos em fuga, vivendo uma espécie de vida digna do Oeste selvagem, sob perseguição constante de um destacamento, sentindo-se impedido de atirar no xerife quando teve a chance. Na realidade, ele viverá a maior parte do restante de seus dias na casa que ele acabara de construir. Talvez esteja perdendo o ritmo; ele lutará em mais algumas poucas batalhas, todavia se tornará propenso a ficar no palácio e enviar Joabe para liderar as suas batalhas (isso o levou a se envolver em confusão com Bate-Seba, mas essa é uma história que o livro de Crônicas não relata). Ele igualmente deseja que Deus se estabeleça; pelo menos, essa é a visão de Deus sobre sua ideia de lhe construir uma habitação. Outra consideração na mente de Davi é o sentimento de culpa por ter a sua própria e esplêndida casa, enquanto o **baú da aliança**, que representa a presença de Deus, ainda está debaixo de uma tenda.

Pobre Natã, preso entre Davi e Deus. Quando o rei faz uma sugestão, a sua tendência é dizer: "Sim, Vossa Majestade! Boa ideia, Vossa Realeza!" Afinal, ele é o seu empregador e, portanto, a pessoa que possibilita que você e a sua família se alimentem e que, não imerecidamente, possui a reputação de matar pessoas. Desse modo, você acaba usando o **nome** de Deus em vão. Então, no meio da noite, Deus o acorda para lhe dizer que a pessoa que supostamente irá viver na casa a ser construída deveria ser consultada sobre se a casa deve, de fato, ser edificada. Mas Natã aprende a ouvir a voz de Deus tão bem quanto a de Davi (como a história sobre Davi, Bate-Seba e Urias também mostra).

Existem inúmeras coisas sobre Deus que me intrigam, e uma delas é gostar de viver sob uma tenda, embora isso se deva, em parte, ao fato de chover intensamente na Inglaterra. Nesse mês, meu filho e sua família irão acampar e, se a barraca deles inundar, não será a primeira vez. Além do mais, em Jerusalém, as temperaturas, durante o inverno, são extremamente baixas. Deus aprecia viver sob uma tenda precisamente por não querer se assentar. Deus gosta de estar em movimento, de fazer coisas novas, ir a lugares inéditos, ser conhecido por novas pessoas e fazer reivindicações sobre áreas novas. Ele não quer ficar num lugar só.

Deus tem outro problema com relação à proposta de Davi para lhe construir uma casa. Isso reverte o relacionamento entre Deus e Davi. Deus tem sido aquele que assume a responsabilidade pelas grandes iniciativas na história de Israel. Expressando em termos teológicos, por trás dos acontecimentos está a graça divina. Davi coloca-se em risco ao tentar assumir a iniciativa no relacionamento e, portanto, de torná-lo dependente do que ele e Israel fazem em vez do que Deus faz — de obras em lugar da graça, usando as palavras de Paulo. Deus deseja que a relação ainda seja fundamentada na sua promessa e, portanto, na confiança de Davi e de Israel no compromisso de Deus, em Deus ir ao encontro deles, não o contrário.

Todavia, Deus irá viver em uma casa, caso Davi esteja muito interessado nisso. Um aspecto paradoxal, encorajador e, ao mesmo tempo, assustador da graciosidade de Deus é não insistir em implementar as suas próprias ideias, mas se amoldar às nossas. Se convém a Israel que haja um local fixo no qual o povo possa sempre encontrar Deus em casa, então Deus concordará com essa ideia. No entanto, Deus está mais interessado na família de Davi do que em sua casa — o hebraico, lindamente, usa a mesma palavra para ambas as realidades. Para os ouvintes da história, tanto a casa quanto a família de Davi são importantes. A casa que Salomão construirá é a casa que eles veem reconstruída, o lugar no qual eles ainda podem encontrar Deus, mesmo que o baú da aliança não mais esteja lá (decerto, o baú foi destruído quando o próprio templo foi colocado abaixo, e não há referências a ele após o **exílio**). Além disso, para os israelitas é importante que a promessa sobre a casa seja mantida "em perpetuidade". O cumprimento da promessa não ocorre nos dias deles; há descendentes de Davi no meio deles, mas não no trono. A lembrança da promessa divina e da oração de Davi para Deus manter a promessa os convida a se unirem à oração davídica. O lembrete de que ambos, a casa e o reinado, são de Deus, uma vez mais, coloca o rei humano em seu devido lugar, mas também declara que Deus tem o máximo interesse em cumprir a sua promessa.

1CRÔNICAS **18:1—20:8**
GUERRAS E RUMORES DE GUERRAS

[1]Mais tarde, Davi derrotou os filisteus e os subjugou; Davi tomou Gate e suas cidades-filhas das mãos dos filisteus. [2]Ele derrotou Moabe; os moabitas tornaram-se servos, trazendo impostos. [3]Davi derrotou Hadadezer, rei de Zobá-Hamate. [...] [13]Ele colocou guarnições em Edom; todo o Edom se tornou seu servo. *Yahweh* libertou Davi por onde quer que ele ia. [14]Davi reinou sobre todo o Israel e exercia autoridade de uma forma fiel para todo o povo. [15]Joabe, filho de Zeruia, era sobre o exército; Josafá, filho de Ailude, era registrador; [16]Zadoque, filho de Aitube, e Abimeleque, filho de Abiatar, eram sacerdotes; Sausa era escriba; [17]Benaia, filho de Joiada, era sobre os queretitas e os peletitas; e os filhos de Davi eram os principais em conexão com a operação do rei.

CAPÍTULO 19

[1]Mais tarde, Naás, o rei dos amonitas, morreu. Seu filho tornou-se rei em seu lugar. [2]Davi disse: "Guardarei o compromisso com Hanum, filho de Naás, pois o seu pai manteve o compromisso comigo." Assim, Davi enviou ajudantes para consolá-lo sobre o seu pai. Mas, quando a comitiva de Davi

chegou à terra dos amonitas, a Hanum, para consolá-lo, [3]os oficiais dos amonitas disseram a Hanum: "Aos teus olhos, Davi está honrando o teu pai porque enviou pessoas para consolar-te? Certamente, para explorar, para derrotar, para espionar o país é que a sua comitiva veio a ti."

[Este capítulo, então, relata como Hanum humilha os ajudantes, o que provoca um conflito entre os amonitas e Davi; Hanum contrata a ajuda dos arameus, mas Davi derrota as forças reunidas.]

CAPÍTULO 20

[1]Na virada do ano, a época em que os reis saem [à batalha], Joabe liderou a força armada, devastou o país dos amonitas, foi e sitiou Rabá, enquanto Davi permanecia em Jerusalém. Joabe derrotou Rabá e a arruinou. [...] [4]No devido tempo, a guerra eclodiu em Gezer, contra os filisteus. Então, Sibecai, o husatita, matou Sipai, um dos descendentes de Refaim. Assim, eles foram subjugados. [5]Mas houve novamente guerra contra os filisteus. Elanã, filho de Jair, matou Lami, irmão de Golias, o geteu; a haste de sua lança era como uma lançadeira de tecelão. [6]Houve, uma vez mais, guerra em Gate. Havia um homem enorme com vinte e quatro dedos ao todo, seis em cada [em suas mãos e pés] [...]. [8]Estes eram descendentes de Rafa, em Gate. Eles caíram pela mão de Davi e de seus servos.

No transcurso de um animado debate, durante uma aula de Antigo Testamento, duas semanas atrás, um de meus alunos acusou os demais colegas de transformarem a não violência em um ídolo. Compreendi o que ele quis expressar. Nos dias atuais, muitos cristãos, judeus, muçulmanos, ateus e agnósticos não suportam mais as guerras, anseiam por um mundo livre delas e desejam comprometer-se para que isso ocorra.

No entanto, os conflitos armados tornam-se cada vez mais prevalentes no mundo – na realidade, esse fato subjaz em nosso anseio pelo fim das guerras. Vivemos em meio à realidade que Jesus denominou como "guerras e rumores de guerras", que ele profetizou recrudescer até o fim.

A posição do Antigo Testamento sobre essa realidade é contrária à posição adotada por muitos alunos; daí o motivo do intenso debate. O Antigo Testamento não enxerga a guerra como um problema. Diante da intrigante questão quanto ao motivo de o filho de Davi, não ele próprio, ter construído o templo, o livro de Crônicas irá se prender, implicitamente, a algo simbolizado pelo **nome** de Salomão, cujo significado lembrava o povo sobre **paz**. A conexão particular que isso fará é que Davi tem sangue em suas mãos – grandes quantidades, aliás, como essas histórias mostram. Contudo, a questão não diz respeito tanto à violência envolvida no derramamento de sangue. Todo sangue mancha. A **Torá** indica que uma pessoa que tenha estado em contato com a morte (por exemplo, no sepultamento de um membro da família) não pode entrar na presença de Deus porque isso coloca, frente a frente, duas realidades incompatíveis (morte e Deus). Não obstante, Deus envolve Davi no derramamento de sangue e lhe dá suas vitórias. Se, em algum sentido, Davi quer se acomodar, é igualmente verdadeiro que ele está pronto a se levantar e ir, novamente, quando necessário, contra os filisteus como rivais dos israelitas ao território que Israel considera como intrinsecamente seu, ou para ampliar a sua área de influência sobre os seus vizinhos (em parte para impedir de ser engolido por eles). Os lucros também serão úteis quando chegar o momento de construir o templo, e o livro de Crônicas considera não haver nada de errado com isso. Trata-se do mundo de Deus, e é perfeitamente lícito que esses outros povos contribuam para a edificação da casa de Deus.

Com frequência, retrato o envolvimento de Deus no mundo em termos de ele lidar com a realidade tanto ao pé da montanha quanto no cume dela. Seja no cume do monte Sinai ou no monte em que Jesus prega o seu famoso sermão, Deus pode formular e expressar uma visão de como o mundo e a vida humana devem ser. Todavia, Deus também conhece a realidade ao pé do monte, no qual os israelitas estão moldando um bezerro de ouro, do mesmo modo que (citando um monte diferente, aquele no qual Jesus transfigurou-se) os discípulos mostram-se incompetentes. Aqui, do local onde estou assentado, penso nisso em termos da realidade do cume do monte Wilson, que está a mais de mil e quinhentos metros de altura acima de mim, com seu observatório, sua antena de televisão e a realidade da vida distante de Deus da bacia de Los Angeles, para a qual imagino Deus olhando daquele ponto estratégico. Deus está comprometido em lidar com a realidade tanto ao pé do monte quanto em seu cume.

O Antigo Testamento retrata Deus realizando isso com entusiasmo, não com desânimo. Lutero encorajou Melâncton a "pecar ousadamente" (embora ele acrescente: "mas confia e se alegre mais ousadamente ainda em Cristo" e a "orar ousadamente"). Dificilmente, é possível aplicar essa expressão a Deus, mas os relatos, como os que lemos em Crônicas, implicam um equivalente divino. Esquadrinhando com dor e ira como as coisas são, do alto do monte, Deus não fica apenas sentado, torcendo as mãos, mas envolve-se com energia no mundo bélico, ao pé do monte, e opera ali com vistas ao cumprimento do propósito idealizado no cume. Eis como as coisas são no Antigo Testamento. Isso se aplica aos nossos dias? Posso apenas supor, pois sou um mero teólogo, não um profeta. Todavia, não ficaria surpreso se (por exemplo) a confusão na qual o mundo ocidental se meteu nos anos iniciais do terceiro milênio (guerras e rumores de guerras, colapso e rumores de colapso financeiro) refletisse a avaliação de Deus no tocante ao nosso militarismo e à nossa cobiça.

A complexidade do caráter e da vida de Davi, uma vez mais, corresponde à de Deus. Ele não é, simplesmente, um guerreiro que aprecia ir para cima de qualquer nação ao seu alcance e que deseja apenas ser o macho alfa. Considerando suas campanhas contra Moabe e Edom, o esperado seria ele também querer subjugar Amom, e, no devido tempo, ele o faz. Moabe, Amom, Edom e Israel, todos pertencem à mesma família (muito) estendida; em Gênesis 19, as origens de Moabe e Amom são reveladas em um desagradável relato. No entanto, a narrativa sobre a derrota de Amom começa com a descrição da tentativa de Davi de viver em um relacionamento de mútuo **compromisso** com os amonitas. Certamente há cálculos políticos envolvidos, mas isso não significa que o desejo de expressar simpatia a Hanum pelo falecimento de seu pai seja uma farsa e que, na verdade, Davi visava ao seu reino. Por outro lado, não se pode culpar Hanum por nutrir algumas suspeitas. As nações ficam em posição vulnerável quando há troca de governantes, e Davi angariou uma reputação de desejar construir um império. Sua complexidade vem à tona de outra forma, também vista na vida de presidentes, pastores e professores de Antigo Testamento. Ele não está acima de outras pessoas no direito de construir uma boa casa para si. Mas também ganha a reputação de exercer **autoridade** de forma fiel ao seu povo. Trata-se da expressão que, em geral, é traduzida por "justiça e retidão", e é considerada como o equivalente no Antigo Testamento ao termo "justiça social", mas sugere um aspecto distinto da ideia de justiça social. Talvez o povo possa perdoar Davi por seu luxuoso palácio se ele exercer autoridade de uma forma fiel. Não sei se isso é aplicável a professores de Antigo Testamento.

1CRÔNICAS 21:1-14
TENTAÇÃO E QUEDA

[1]Um adversário levantou-se contra Israel e tentou Davi a numerar Israel. [2]Davi disse a Joabe e aos comandantes do exército: “Vão e contem Israel, de Berseba até Dã, e tragam a contagem deles para mim, de modo que eu a conheça.” [3]Joabe disse: “Que *Yahweh* acrescente ao seu povo cem vezes mais do que eles são. Certamente, meu senhor e rei, todos eles serão súditos do meu senhor. Por que, meu senhor, procuras isso? Por que isso deveria ser uma ofensa para Israel?” [4]Mas, quando a palavra do rei prevaleceu sobre Joabe, Joabe partiu e foi a todo o Israel e retornou a Jerusalém. [5]Joabe deu a Davi a contagem sobre a reunião do povo. Todo o Israel era um milhão e cem mil homens empunhando a espada; Judá era quatrocentos e setenta mil homens empunhando a espada. [6]Levi e Benjamim, ele não contou entre eles porque a coisa que ele teve de fazer para o rei foi abominável a Joabe; [7]e isso foi errado aos olhos de *Yahweh*, e ele feriu Israel.

[8]Davi disse a Deus: “Ofendi grandemente por ter feito isso. Mas, agora, por favor, faze desaparecer a transgressão de teus servos, porque fui muito tolo.” [9]Deus falou a Gade, o vidente de Davi: [10]“Vá e fale a Davi: ‘*Yahweh* disse isto: “Estou estendendo três coisas a você. Escolha uma delas para você, e eu farei isso.”’” [11]Gade foi a Davi e lhe disse: “*Yahweh* disse isto: ‘Escolha para você [12]três anos de fome, ou três meses sendo varrido diante de seus adversários e ao alcance da espada de seus inimigos, ou três dias de espada de *Yahweh* e epidemia no país e o ajudante de *Yahweh* causando destruição em todo o território de Israel.’ Então, agora, veja qual resposta devo levar de volta àquele que me enviou.” [13]Davi disse a Gade: “É muito duro para mim. Que eu caia nas mãos de *Yahweh*, porque a sua compaixão é muito grande. Nas mãos humanas não cairei.” [14]Assim, *Yahweh* enviou uma epidemia sobre Israel. Setenta mil pessoas de Israel caíram.

Após me meter em uma confusão moral com uma mulher, alguns anos atrás (não foi bem um adultério, mas chegou mais perto disso do que deveria), consultei-me com um terapeuta para falar sobre o ocorrido. Após ter discutido sobre a maneira pela qual eu me relacionei com mulheres no passado, ele sugeriu que eu tinha um leve caso de vício em sexo, o que foi muito assustador e humilhante. O profissional acrescentou que, apesar do arrependimento que eu sentia então, ele achava que, se eu fosse tentado, poderia cair novamente, o que me assustou ainda mais, porém me ajudou a considerar a questão com mais seriedade. Pelo que sei, não houve tentativas para me fazer cair (se houve, não foram bem-sucedidas). Todavia, se houvesse, teria sido um teste ou tentação? Pode-se considerar ambas as perspectivas. Teria sido um teste para me dar a oportunidade de provar a mim mesmo, mas também teria sido uma tentação para me puxar para baixo. (A "ameaça" foi claramente designada a edificar a minha determinação, não para me derrubar.)

Não há dúvidas de que o adversário quer derrubar Davi. Na maioria das traduções, ele é citado como Satanás, mas isso é enganoso. A palavra *satanás* é um termo hebraico comum para um adversário; não é um nome. Pode se referir desde a um adversário na guerra até a um adversário jurídico; o último significado funciona melhor quando o Antigo Testamento usa o termo em relação a uma figura sobrenatural. Constitui parte da consciência do Antigo Testamento de que, à semelhança de um rei, haja um gabinete sobrenatural, presidido por Deus, cujos integrantes participam nas decisões tomadas no céu e, então, na implementação delas. São as figuras, em geral, citadas como **ajudantes**. Entre eles, o trabalho do adversário é garantir que as pessoas não escapem impunes de coisas das quais não deveriam escapar ou que tenham sucesso em fingir ser mais honradas do que realmente são. Nesse sentido, ele não está agindo contra, mas a favor de Deus. Talvez Deus tenha ciência de uma propensão para ser mais misericordioso com as pessoas do que, às vezes, possa ser apropriado; o adversário lembra Deus quando é necessário ser mais severo. Igualmente, o adversário assegura que questões difíceis e incômodas sejam feitas quanto ao pensamento interior e à motivação da pessoa. Embora o adversário possa se empolgar com o seu trabalho e apreciar fazer a pessoa tropeçar, basicamente esse é um trabalho que precisa ser feito.

Portanto, o adversário testa ou tenta Davi, apresenta uma ideia diante dele para ver se ele a adota e, assim, revelar um aspecto de quem ele realmente é. Pode-se enxergar isso como um teste designado a lhe dar uma chance de se justificar e crescer ou como uma tentação para o derrubar. Sua experiência é correspondente àquela de Jesus, quando o Filho de Deus foi levado pelo Espírito Santo ao deserto para ser testado, tentado pelo Diabo (Mateus 4). O Espírito Santo está envolvido naquele episódio; trata-se de um teste divino. O Diabo também está envolvido, de maneira que é uma tentação demoníaca. Quando 2Samuel 24 relata essa história sobre Davi, o texto fala sobre "Deus incitar" Davi a realizar o censo. Por que ele deveria fazê-lo? As sociedades tradicionais na África moderna sabem que essa contagem pode ser algo perigoso a se fazer, não apenas por sugerir que você acha que pode controlar o seu futuro e/ou que está confiando em seus próprios recursos. A reação de Joabe aponta exatamente nessa direção. Deus é aquele que cuidará do futuro do povo. Avaliar os recursos que tornarão isso possível é parar de confiar em Deus. É particularmente irônico que o homem ao reconhecer isso seja o comandante-chefe do exército de Davi. Os comandantes militares são comissionados a realizar a contagem, e a forma pela qual o resultado é relatado mostra que o recenseamento é designado a conhecer os recursos militares da nação: os comandantes incluem na contagem apenas aqueles que empunham uma espada. No entanto, a história no Antigo Testamento tem demonstrado que o tamanho do exército israelita não é o fator determinante para decidir quem vence a batalha.

Joabe, igualmente, sabe que as decisões de um líder não afetam somente esse líder, mas todo o povo sob sua liderança. Em qualquer contexto (nação, cidade ou congregação), os membros pagam um preço terrível quando o líder age erroneamente, do mesmo modo que são grandemente abençoados quando o líder age com sabedoria. A ação de Davi significará que Israel, como povo, agiu mal. É óbvio como isso ocorre em uma sociedade democrática; compartilhamos a responsabilidade com os líderes eleitos por nós, mesmo que desaprovemos as suas ações. Igualmente, é verdadeiro em sociedades não democráticas (na realidade, os israelitas, como um todo, se uniram para indicar Davi como rei sobre eles).

Davi desviou-se radicalmente em seu pensamento, e as consequências para o seu povo são devastadoras. A forma por meio da qual Crônicas conta a história pode ser confusa; o relato não segue uma ordem cronológica direta. Em particular, a menção a Deus ferir Israel, no fim do versículo 7, constitui um resumo do que segue; os versículos 8-14, então, detalham o resumo apresentado no versículo 7. Em mais de uma forma, a história constitui uma reflexão sobre como Deus lida com a nossa transgressão humana. Davi se arrepende e pede para Deus fazer a sua transgressão desaparecer. Ele não pede a Deus para "perdoar" ou "absolver" — ele não está preocupado com as implicações disso para o seu relacionamento pessoal com Deus; Davi está preocupado com as consequências que virão.

Deus responde por meio de Gade, que, obviamente, é alguém em uma posição similar à de Natã. Este é chamado de profeta, enquanto Gade é chamado de vidente, mas Deus trabalha com eles de maneira similar. "Profeta" chama mais a atenção para as palavras de alguém; "vidente" enfatiza mais a capacidade de "ver" o que a pessoas normais não conseguem. Gade é "o vidente de Davi", o que implica que, a exemplo de Natã, ele está na lista de pagamento do rei, mas isso não o impede de transmitir uma mensagem dura ao seu empregador. Ele não simplesmente reassegura Davi quanto à misericórdia de Deus. Ações têm consequências, e mostrar arrependimento e buscar perdão podem não alterar esse fato. Talvez a ação de Davi pudesse ter resultado na rejeição de Deus por ele e por seu povo; então, na realidade, a escolha oferecida a Davi representa um gesto de misericórdia da parte de Deus, ou uma espécie de compromisso sobre levar realmente a sério tanto a transgressão de Davi quanto a sua misericórdia. Pode ser que o mesmo seja implicado pelo fato de que, embora Davi suplique a Deus para fazer a sua transgressão desaparecer, Deus não lhe responda diretamente, mas por meio de Gade. Essa é uma misericórdia em mais de uma via: se alguém traz a palavra de Deus a mim, serei menos propenso a pensar que seja apenas fruto de minha imaginação. Todavia, talvez falar por meio de Gade denote que Deus não deseja falar com Davi naquele momento. Isso também faz parte do aspecto disciplinar do lidar de Deus com Davi.

1CRÔNICAS **21:15—22:1**
OFERTAS SEM NENHUM CUSTO

[15]Então, Deus enviou um ajudante a Jerusalém para destruí-la, mas, quando ele a estava destruindo, Deus viu e cedeu quanto ao desastre, e disse ao ajudante destruidor: "Isso já basta. Agora,

retenha a sua mão." O ajudante de *Yahweh* estava junto à eira de Ornã, o jebuseu. [16]Davi elevou os olhos e viu o ajudante de *Yahweh* entre o céu e a terra com a espada empunhada em sua mão, estendida sobre Jerusalém. Davi e os anciãos cobriram-se de pano de saco e caíram com o rosto voltado para o chão. [17]Davi disse a Deus: "Não sou aquele que disse para numerar o povo? Sou aquele que cometeu ofensa e, definitivamente, errou. Essas pessoas são o rebanho. O que elas fizeram? *Yahweh*, meu Deus, a tua mão deve cair sobre mim e sobre a minha casa ancestral, não como um flagelo sobre este povo."

[18]Ora, o ajudante de *Yahweh* havia dito a Gade para falar a Davi que ele deveria subir para erigir um altar a *Yahweh* na eira de Ornã, o jebuseu. [19]Davi subiu de acordo com a palavra de Gade, que ele falara em nome de *Yahweh*. [20]Ornã virou-se e viu o ajudante (os seus quatro filhos com ele estavam escondidos; Ornã estava debulhando trigo). [21]Davi foi a Ornã e, quando Ornã olhou e viu Davi, ele saiu da eira e curvou-se diante de Davi, com o rosto voltado ao chão. [22]Davi disse a Ornã: "Dê-me o local da eira para que eu possa construir ali um altar a *Yahweh*. Dê-me a preço cheio para que o flagelo possa cessar do meio do meu povo." [23]Ornã disse a Davi: "Toma-o para ti. Meu senhor, o rei, faze o que for bom aos teus olhos. Veja, eis que dou os bois como as ofertas queimadas, as tábuas do debulhador como a madeira e o trigo para a oferta de cereal. Tudo isso eu, aqui, dou." [24]Mas o rei Davi disse a Ornã: "Não, porque, definitivamente, adquirirei isso pelo preço cheio, porque não elevarei a *Yahweh* o que pertence a você. Não sacrificarei uma oferta queimada sem custo." [25]Assim, Davi deu a Ornã seiscentos siclos de ouro pelo lugar. [26]Davi construiu ali um altar para *Yahweh* e sacrificou ofertas queimadas e ofertas de comunhão. Ele invocou *Yahweh*, e ele respondeu com fogo dos céus sobre o altar de ofertas queimadas. [27]*Yahweh* falou ao ajudante, e ele retornou a sua espada à bainha.

[28]Então, nesse tempo, quando Davi viu que *Yahweh* lhe havia respondido na eira de Ornã, o jebuseu, ele sacrificou ali.

[29]Naquela época, a habitação de *Yahweh*, que Moisés fizera no deserto, e o altar para a oferta queimada estavam no lugar alto, em Gibeom. [30]Davi havia sido incapaz de ir diante dele para inquirir *Yahweh*, pois estava aterrorizado por causa da espada do ajudante de *Yahweh*.

CAPÍTULO 22

[1]Davi disse: "Esta [deve ser] a casa de *Yahweh* Deus. Este [deve ser] o altar para a oferta queimada para Israel."

Próximo ao término de um concerto, na última sexta-feira, aconteceu algo que sempre me parece estranho: a cantora nos agradeceu por irmos ouvir a música. E sempre tenho desejo de gritar, em resposta: "Desculpe-me; você é que está nos fazendo um favor. Nós é que devemos agradecer-lhe. Não estamos aqui para lhe fazer um favor." (Reconheço que o favor pode ser mútuo. Em Los Angeles, os músicos podem passar a semana enfiados no interior de um estúdio tocando para os outros ou gravando trilhas sonoras e jamais desfrutam do estímulo e da satisfação de tocar diante de uma plateia, de modo que damos tanto quanto recebemos. E, claro, normalmente pagamos pelo ingresso.) Na sexta-feira, as minhas expectativas foram mais do que atendidas pelo estímulo e o entretenimento que ela e sua banda nos proporcionaram. O problema é que pode haver certa similaridade entre a nossa motivação para ir a uma igreja e o nosso critério de avaliá-la. Vamos para ouvir, para sermos entretidos e para aquecer o nosso coração, com a esperança de que retornaremos para casa cantando. Vamos para o nosso próprio bem.

Eu, portanto, amo e sou desafiado pela insistência de Davi em não oferecer adoração que não lhe custe nada. Com frequência, é complicado ver como Davi poderia ser considerado um homem segundo o coração de Deus, mas, ao lado das coisas estúpidas e perversas que ele faz, há declarações notáveis de compromisso, além de expressões de fé e de confiança em Deus. Uma delas está em sua resposta à terrível escolha de punição entre as três opções apresentadas por Deus a ele (quão californiano é da parte de Deus lhe dar uma escolha!). Ele deve escolher entre fome, derrota ou punição divina direta? "Prefiro cair nas mãos de Deus, porque a sua compaixão é muito grande", diz Davi. O castigo para o qual ele se voluntaria envolve a ação de um anjo de destruição, a exemplo da ação de tal figura contra o Egito. Naquela ocasião, Israel escapou ileso, mas o princípio que perpassa o Antigo Testamento é que, quando Israel se comporta como o Egito (ou Canaã ou **Babilônia**), ele deve ser tratado de modo semelhante. A declaração sobre a compaixão divina parece ser desmentida pelo fato de Deus insistir em puni-lo e ao povo, mesmo Davi admitindo o seu erro. No entanto, Davi ainda crê nisso e aposta o seu próprio destino, e o do povo, nisso.

Em sua oração a Deus para cessar a destruição, há outra expressão de fé similar. (Creio que a narrativa continua a se desenrolar aos solavancos e que a oração seja o pano de fundo para a indulgência de ***Yahweh***.) Davi, aparentemente, havia aceitado o direito de Deus de exigir um castigo e de punir o povo como um todo pela associação com ele. A presença da comunidade vestindo pano de saco sugere que eles também aceitaram isso (pano de saco não denota algo desconfortável; antes, se refere ao pano humilde do qual as roupas de pessoas comuns são feitas, contrastando com as vestes luxuosas e finas com as quais pessoas importantes aparecem em público). Mas, agora, Davi questiona essa presunção. A transgressão era dele, não do povo. Os israelitas são apenas o rebanho (Quem é o pastor? Deus ou Davi?). A exemplo de Moisés e outras figuras do Antigo Testamento, Davi, portanto, faz Deus "ceder", ter uma mudança de mente quanto à duração da punição. Pessoas modernas, com frequência, se incomodam com a ideia de Deus mudar o seu pensamento por esta ideia comprometer a perfeição de Deus. O Antigo Testamento considera que o fato de Deus mudar o pensamento quanto a tratar as pessoas com severidade seja um aspecto da perfeição divina. Sempre é válido suplicar a Deus para que ele mude a sua mente, em especial no tocante a um castigo, pois pode funcionar. A história traz uma contribuição adicional à análise do livro quanto aos princípios que norteiam a relação de Deus com Israel. Embora líder e povo estejam entretecidos, eles podem ser distinguidos. Deus precisa lidar com ambos os fatos e, talvez, prosseguir tomando decisões sobre qual fato priorizar. A própria necessidade de Deus lidar com princípios em tensão, uns com os outros, é uma das considerações que torna possível suplicar a Deus para priorizar um princípio distinto.

Não surpreende que essa cena aconteça em uma eira, embora possa constituir uma surpresa o fato de esse local pertencer a um jebuseu. A eira deve estar localizada em um lugar aberto e elevado, para possibilitar que o produtor lance os seus grãos ao alto e o vento carregue para longe a palha, separando-a do grão bom. Assim, a eira de Ornã ocupa algum terreno elevado, acima da cidade de Jerusalém (localizada na extremidade de uma cordilheira, com o formato de um polegar, fácil de defender em quase toda a sua volta), na qual Davi vive. Assim, trata-se de um local lógico e estratégico para o **ajudante** tomar posição e, de lá, observar a cidade. Embora Davi tenha conquistado a cidade, que costumava ser conhecida como Jebus, evidentemente ele não aniquilou ou expulsou os jebuseus, e a história não sugere que ele falhou ao não fazer isso, ou não cumpriu o que a **Torá** dizia. Talvez sugira que Ornã e outros jebuseus vieram a se comprometer com *Yahweh*, a exemplo de Raabe (Josué 2). Na realidade, pode-se dizer que Ornã fez uma declaração e tanto quando Davi se aproximou dele e falou sobre uma mudança de uso para a eira, embora seja necessário abrir espaço para a possibilidade de que (1) ele estivesse muito assustado ao ver a ação do ajudante, (2) estivesse muito assustado pelo contexto da visita do rei, (3) ao dizer: "Sirva-se do local, dos animais, dos equipamentos e de algum trigo", talvez estivesse apenas sendo educado; na verdade, ele está dizendo: "Faça-me uma oferta" (a história é contada de maneira similar ao relato sobre a compra de um terreno para fazer um sepulcro familiar por parte de Abraão, em Gênesis 23). Certamente, Davi insiste, e esse ato o leva a expressar o seu reconhecimento de que a adoração que não tem custo algum nada vale. Na realidade, ele paga muito mais do que no relato de 2Samuel, o que serve para enfatizar a importância dessa compra e o seu significado.

Caso você fosse uma criança israelita que ouvisse essa história pela primeira vez, nesse momento uma luz se acenderia em sua mente. "Ah! Davi constrói um **altar** naquela parte da colina que fica acima do palácio! Mas é lá que o templo está! Essa história é sobre como o templo veio a ser construído ali!" A última parte da história reflete como se esperava que o templo fosse construído em Gibeom, cidade na qual a habitação do deserto estava, embora Davi tivesse preparado o caminho para transferir o **baú da aliança** para Jerusalém. A resposta de Deus à oferta de Davi, ao enviar fogo do céu, confirma a aceitação, por Deus, desse local como um lugar no qual as ofertas, doravante, podiam ser feitas. Caso você fosse um israelita adulto, então, cada vez que ouvisse a história, poderia se sentir impactado por outro motivo. A iniciativa do adversário sai pela culatra tão espetacularmente que, embora a tentativa de atingir Davi lograsse êxito, o resultado final não é um ato de punição contra Davi ou o povo, mas a designação de Deus quanto ao lugar no qual ele virá habitar, de modo permanente, e, assim, estará sempre acessível a Israel. A traição de José por parte de seus irmãos visava causar-lhe danos, mas Deus tinha planos de alcançar algo bom com aquele ato (Gênesis 50). Pode-se aplicar o mesmo princípio a essa história.

1CRÔNICAS **22:2—23:1**
O HOMEM DE PAZ PARA UM TEMPO DE PAZ E UM LUGAR DE PAZ

[2]Davi disse para reunir os estrangeiros residentes em Israel, e ele os indicou como pedreiros para extrair e preparar pedras lavradas para edificar a casa de Deus. [3]Davi providenciou ferro em grandes quantidades para fazer os pregos e dobradiças para as portas, bronze em grandes quantidades, além do que se podia pesar, [4]e toras de cedro além do que se podia contar (porque os sidônios e os tírios trouxeram toras de cedro em grandes quantidades a Davi). [5]Davi disse [a si mesmo]: “Salomão, meu filho, é jovem e verde, e a casa a ser construída para *Yahweh* deve ser feita extremamente grande, para que seja objeto de renome e glória em todos os países. Devo lhe providenciar [...].” [7]Davi disse a Salomão, seu filho: “Eu mesmo tinha em mente construir uma casa para o nome de *Yahweh*, o meu Deus, [8]mas, a palavra de *Yahweh* veio a mim: ‘Você derramou sangue em grandes quantidades e travou grandes batalhas. Você não construirá uma casa para o meu nome, porque derramou muito sangue na terra diante de mim. [9]Agora, um filho lhe nasceu. Ele será um homem de descanso. Eu lhe darei descanso de todos os seus inimigos de todos os lados, porque o seu nome será Salomão [Pacífico], e eu darei paz e tranquilidade sobre Israel em seus dias. [10]Ele será aquele que construirá uma casa

para o meu nome. Ele se tornará um filho para mim, e eu me tornarei um pai para ele. Estabelecerei o trono de seu reino sobre Israel em perpetuidade.' [11]Agora, meu filho, que *Yahweh* esteja com você, e você terá sucesso e construirá a casa de *Yahweh*, o seu Deus, como ele falou a seu respeito. [12]Que Deus apenas lhe dê prudência e discernimento, e que ele o coloque no comando sobre Israel, para que você obedeça ao ensino de *Yahweh*, o seu Deus. [13]Então, será bem-sucedido, se você atentar para cumprir as leis e decretos que *Yahweh* ordenou a Moisés para Israel. Seja forte e corajoso. Não tenha medo ou receio. [14]Assim, com muita contenção, providenciei para a casa de Deus cem mil talentos de ouro e um milhão de talentos de prata, e bronze e ferro além do que se pode pesar (porque era em grandes quantidades). Providenciei toras e pedras, mas você pode acrescentar a elas. [15]Com você, estão trabalhadores em grande número (pedreiros, artífices em pedra e madeira e toda classe de especialistas em todo o trabalho), [16]ouro, prata, bronze e ferro, além do que se pode contar. Comece e faça o trabalho. Que *Yahweh* esteja com você."

[17]Davi ordenou a todos os oficiais em Israel que apoiassem Salomão, seu filho. [18]"Certamente, *Yahweh*, o seu Deus, está com vocês [todos]. Não tem ele lhes dado descanso de todos os lados, porque ele tem entregue todos os habitantes dessa terra em minhas mãos, e a terra está em sujeição diante de *Yahweh* e diante de seu povo? [19]Agora, entreguem a sua mente e o seu coração para inquirirem de *Yahweh*, o seu Deus, e comecem a construir o santuário de *Yahweh*, o seu Deus, para trazer o baú da aliança de *Yahweh* e os utensílios santos à casa que será construída para o nome de *Yahweh*.

CAPÍTULO 23

[1]Quando Davi ficou velho e cheio de anos, ele fez de Salomão, seu filho, rei sobre Israel.

Na semana passada, alguém me perguntou o que eu esperava alcançar em minhas aulas. O que contaria como sucesso? Refleti por alguns instantes e respondi que, considerando que meus alunos cheguem ao curso de Antigo Testamento presumindo que o seu texto não tenha nada a dizer (que frequentar as aulas seja apenas uma obrigação requerida pelo programa deles), sucesso seria eles terminarem as aulas, exclamando: "Nossa! O Antigo Testamento é muito mais interessante, esclarecedor e significativo do que pensei!" Como professor, creio que isso indica o que quero deixar como meu legado (para um britânico, a ideia de legado não vem naturalmente, embora, como toda ideia norte-americana, ela tenha o poder de permear o resto do mundo). Meu legado seria que, ao longo dos anos, a pessoas deixassem as minhas aulas estimuladas quanto ao Antigo Testamento. (Como ser humano, o sucesso poderia significar meus filhos serem homens de bem.)

Considerando o modo pelo qual o livro de Crônicas conta a história de Davi, o legado que interessa é a construção do templo. Esse é o viés ao qual Crônicas chega à história de Davi, porque nos dias de seus leitores o templo é deveras importante (muitos outros aspectos da vida são extremamente difíceis). O templo é, portanto, a coisa mais relevante sobre Davi. (A versão dessa história, presente em 2Samuel, sugere que, em vez disso, ele deveria ser um pouco mais interessado na formação de seus filhos como homens de bem.) A ironia é que ele mesmo não logra completar a tarefa da construção. Nesse aspecto, ele lembra outros líderes da Bíblia. Abraão e Sara não entraram na posse da terra de Canaã. Moisés, Miriã e Arão morreram antes de alcançar a terra prometida. Josué morre antes de a ocupação da terra ser completada. Jesus deixa aos seus discípulos a missão de discipular o mundo. As pessoas não concluem o que esperavam deixar como legado, mas deixam a conclusão para outras pessoas. A história bíblica, portanto, subverte o nosso foco em deixar um legado, em realizar coisas que farão o mundo se lembrar de nós.

O motivo dado por Davi para justificar a sua incapacidade de completar o seu projeto de legado pode parecer intrigante. O fator incapacitante é que ele tem sangue em suas mãos. Se Davi estivesse se referindo ao sangue de Urias (veja 2Samuel 11), poderíamos pensar que isso faria sentido, mas essa história não está presente em Crônicas. O sangue é aquele derramado pelo vasto **número** de pessoas mortas por ele em batalha. O que intriga é o fato de a maior parte desse sangue ter sido derramado em batalhas em nome de Deus, conflitos para os quais Davi buscou a orientação de Deus. Observamos em relação a 1Crônicas 18—20 que Davi, portanto, teve de pecar fortemente. Caso você precise fazer algo que, idealmente, não deveria fazer, não há sentido em não se esforçar para isso. É como se Deus, por princípio, não fosse muito entusiasmado pela guerra, mas, na prática, teve de se tornar um entusiasta dela. Davi era um entusiasta da guerra em princípio e na prática, mas isso não significava que ele tinha sangue em suas mãos. Ele não era culpado por esse fato. Isso não prejudicou o seu relacionamento com Deus, ao contrário do caso envolvendo Bate-Seba e Urias. Não significava que havia algo simbolicamente inapropriado que o impedisse de ser o construtor do templo. O templo devia ser o lugar no qual Deus viria morar e precisava representar o que ele realmente era e parte da própria essência divina que é vida. Existe uma antítese mais fundamental ainda entre Deus e o sangue do que a antítese entre Deus e a morte violenta (seja por homicídio ou guerra). ***Yahweh*** é o Deus vivo. A quantidade de mortes com as quais Davi está envolvido o torna inadequado como construtor da casa destinada a um Deus assim.

Salomão, entretanto, é um homem de **paz**. Seu nome já diz isso. Paz é *shalom*; seu nome é *Shlomoh*. Não existe apenas uma diferença entre os papéis e vocações dos dois líderes, mas uma distinção entre os períodos da vida do povo que eles representam. O fato de Davi e os israelitas viverem em meio a guerras e conflitos não era por culpa de Davi ou do próprio povo, mas significava que eles não viviam em uma época de cumprimento do propósito de Deus — um tempo de descanso, paz e tranquilidade. A intenção divina era levar Israel a Canaã por meio da guerra, mas, então, deixá-lo viver ali no descanso de Deus. Davi encerra o primeiro estágio; Salomão leva o seu povo ao segundo. Há um tempo de guerra e um tempo de paz, diz Eclesiastes 3; este é o momento em que o primeiro dá lugar ao segundo.

Davi não pode edificar o templo, mas se aproxima disso o máximo que pode. Ele organiza a força de trabalho, concede um lugar a estrangeiros residentes, não apenas a israelitas. Nos dias dos leitores de Crônicas, os israelitas, às vezes, eram tentados a ser hostis aos estrangeiros; o livro, então, lembra os seus leitores de que Davi permitiu a participação de estrangeiros na construção. Como estrangeiros residentes, eles seriam pessoas que passaram a crer em *Yahweh* como seu Deus, como os prosélitos do Novo Testamento. Davi também providenciou os materiais básicos para a construção. Aqui, ele aceita as contribuições de povos estrangeiros, uma expressão da forma pela qual as nações devem reconhecer *Yahweh*, à semelhança do que foi previsto no salmo do capítulo 16. As quantidades de ouro e prata são exageradas, como muitas das estatísticas em Crônicas. O livro aprecia uma hipérbole.

No Oriente Médio, era prática comum um rei compartilhar o trono com seu irmão, durante o seu próprio reinado; isso poderia contribuir para uma sucessão suave quando o rei morresse. Os capítulos 1 e 2 de 1Reis revelam quanto Davi foi procrastinador quanto a esse procedimento, provando a conveniência de agir para tornar a sucessão a mais suave possível.

1CRÔNICAS **23:2–26:32**
QUEM É QUEM

[2]Davi reuniu todos os oficiais de Israel, e os sacerdotes e levitas. [3]Os levitas, de trinta anos para cima, foram contados; a contagem deles foi de trinta e oito mil. [4]Destes, vinte e quatro mil ficaram a cargo do trabalho da casa de *Yahweh*; seis mil administradores e autoridades; [5]quatro mil guardas das portas; e quatro mil louvando *Yahweh* [Davi disse]: “com instrumentos que eu fiz para louvar.” [6]Davi os dividiu em grupos. Os filhos de Levi: Gérson, Coate e Merari. [7]Os gersonitas: Ladã e Simei. [...] [12]Os filhos de Coate: Anrão, Isar, Hebrom e Uziel – quatro. [13]Os filhos de Anrão: Arão e Moisés. Arão foi colocado à parte para ser consagrado como algo muito santo, ele e seus descendentes, em perpetuidade, para queimar incenso diante de *Yahweh*, para servi-lo e para abençoar em seu nome, em perpetuidade. [...] [24]Estes são os descendentes de Levi por sua casa ancestral – os chefes ancestrais conforme foram arrolados pela lista de nomes, pela contagem de cabeças, as pessoas que executavam o serviço da casa de *Yahweh*, de vinte anos para cima. [...] [28]Porque a designação deles era [estar] ao lado dos descendentes de Arão para o serviço da casa de *Yahweh*, sobre os pátios e a câmara e sobre a pureza de tudo o que era santo, e o trabalho de servir a casa de Deus. [29]Eram encarregados do pão consagrado, da farinha para a oferta de cereal, do pão asmo, de assar os pães e misturar a massa, e de todos os pesos e medidas, [30]em relação a se apresentarem a cada manhã para darem graças e louvarem a *Yahweh* (e, similarmente, às tardes), [31]e em relação a apresentar as ofertas queimadas a *Yahweh* aos sábados, luas novas e estabelecer festivais pelo número [apropriado], de acordo com

os decretos para eles, regularmente, diante de *Yahweh*, [32]para que eles vigiassem a Tenda do Encontro, sobre o que era santo, e sobre os descendentes de Arão, seus parentes, para o serviço da casa de *Yahweh*.

[O capítulo 24 apresenta uma lista dos vários grupos familiares dentre os descendentes de Arão e o modo pelo qual eles devem ser listados e, então, os grupos de outros levitas.]

CAPÍTULO 25

[1]Davi e os oficiais do exército separaram para o serviço os filhos de Asafe, de Hemã e de Jedutum, que profetizavam com harpas, alaúdes e tamborins. [...] [2]Os filhos de Asafe: Zacur, José, Netanias e Asarela, filhos de Asafe sob a responsabilidade de Asafe; ele profetizava sob a supervisão do rei. [3]Jedutum — os filhos de Jedutum: Gedalias, Zeri, Jesaías, Hasabias, Matitias, seis, sob a responsabilidade de Jedutum, o pai deles. Ele profetizava com o alaúde para dar graças e louvar a *Yahweh*. [...] [5]Deus deu a Hemã catorze filhos e três filhas; [6]todos esses estavam sob a responsabilidade de seu pai nos cânticos na casa de *Yahweh*.

[O restante do capítulo 25 e o capítulo 26 fornecem listas adicionais dos músicos e suas posições, dos guardas das portas e daqueles que cuidavam do tesouro e de outros aspectos da administração real.]

Por *e-mail*, um de meus filhos me perguntou se eu estava bem (é deveras precioso sentir o cuidado de nossos filhos), e respondi com o resumo de um dia normal: no momento, isso inclui sentar-me junto à piscina e escrever o volume atual do *Antigo Testamento para todos*. Eu esperava que essa resposta o tranquilizasse. Ontem, ele replicou esboçando o seu dia rotineiro, que não incluía sentar-se junto a uma piscina, embora de seu apartamento, na Inglaterra, seja possível contemplar a foz de um rio, e ele e a sua esposa podem sair para uma caminhada pela praia, caso assim desejem. Isso me deu uma noção mais clara de como ele passa o seu tempo como engenheiro civil e o que esse trabalho envolve. Em geral, é difícil imaginar como as pessoas usam o tempo realizando um trabalho que é diferente do nosso. (Claro que é difícil contabilizar como o seu tempo está sendo aplicado quando se trabalha por conta própria.)

Esses capítulos em Crônicas suplementam o livro de Levítico no tocante a nos ajudar a ver como os ministros do templo usavam o tempo deles e quais eram os seus diferentes papéis. Todos eles pertencem ao clã de Levi, e todos os homens levitas são ministros no templo (embora eu me pergunte se eles podiam fugir caso quisessem). A liderança na adoração que Deus demandava deles não requeria treinamento teológico ou talentos especiais. Ao amanhecer e ao anoitecer, havia sacrifícios a serem oferecidos e cânticos de louvor a serem entoados, para que o dia começasse e terminasse com adoração e oração expressados de forma externa e musical. Embora, certamente, houvesse israelitas residentes em Jerusalém que, às vezes, apareciam para acompanhar esses serviços, não havia a exigência de comparecimento de público para que eles fossem realizados. O foco deles não estava sobre a congregação. Embora houvesse alguns sacrifícios extras aos sábados, mesmo essas ocasiões não constituíam adoração congregacional, mas um dia de descanso. Os sacerdotes e levitas ofereciam o louvor e a adoração como representantes de todo o povo. Se pessoas comuns fossem antes ou depois dos serviços, isso poderia estar relacionado a necessidades pessoais que elas queriam levar a Deus; então, elas podiam permanecer para oferecer o seu próprio louvor e oração, bem como seus próprios sacrifícios.

A oferta de sacrifícios era um assunto complexo, daí o motivo de um grande número de pessoas solicitar o “serviço da casa de ***Yahweh***". Havia a morte e o desmembramento de animais, a queima de algumas partes e o cozimento de outras, procedimentos em relação ao sangue dos animais, de maneira que havia papéis designados a cada tarefa. Havia um subgrupo de Levi, os descendentes de Arão, que eram os sacerdotes, aqueles com a responsabilidade especial de assegurar o lado técnico das ofertas, tais como as ações quanto ao sangue, e para a queima de incenso e bênçãos. Além disso, inúmeras outras tarefas práticas eram executadas pelos demais grupos de levitas. E, ainda, havia os cânticos, que o livro de Crônicas enfatiza de modo especial.

Os turnos para esses trabalhos dividem os ministros em vinte e quatro grupos, o que provavelmente implica que cada grupo estava em serviço por duas semanas a cada ano lunar. No restante do tempo, os ministros viviam em suas casas, o que, na maioria dos casos, significava viver a alguma distância de Jerusalém nas "cidades levíticas" que são descritas na **Torá**. Apesar de não possuírem propriedades e dependerem do suporte da comunidade como um todo, eles tinham uma participação nas pastagens ao redor das cidades, o que, obviamente, denota que os levitas possuíam algumas ovelhas ou cabras, que forneciam leite e carne para ocasiões especiais. Por serem dependentes de pessoas para sua subsistência, por meio de dízimos e ofertas, os levitas podiam sofrer em tempos de escassez (Neemias 13 fala disso), e um motivo para essas listas seria lembrar ao povo a importância do trabalho dos levitas. Esse trabalho incluía o ensino, e podemos inferir que eles tinham o papel de ensino em sua cidade natal e também que, quando os **lugares altos** estavam em funcionamento, eles podiam estar envolvidos no ministério ali. É possível, igualmente, supor que eles executavam funções como "administradores e autoridades", em suas respectivas cidades de origem (2Crônicas 19 nos revela um pouco mais sobre esse aspecto do trabalho dos levitas).

O papel dos músicos envolve as ofertas de ações de graças e de louvor, como era de esperar; os nomes de Asafe, Hemã e Jedutum são recorrentes nos cabeçalhos de Salmos, aparentemente indicando quais dos grupos de adoração possuíam diferentes salmos em seus repertórios. A função também envolvia a profecia. O Antigo Testamento, com frequência, considera que a elaboração do louvor requer que o espírito de Deus venha sobre as pessoas para que elas possam expressar, de formas apropriadamente reflexivas, o significado do que Deus tem feito. O louvor de Moisés e Miriã (ambos profetas) em Êxodo 15 é um exemplo; assim também é o louvor de Ana em 1Samuel 2. Ainda, o livro de Crônicas, mais tarde, descreve um levita, chamado Jaaziel transmitindo uma mensagem à semelhança de um profeta (2Crônicas 20). O modo pelo qual a Escritura relata pessoas profetizando sob a responsabilidade de alguém que está acima delas sugere a presunção de que é possível confiar no trabalho de Deus por meio de pessoas designadas por nascença como músicos e profetas. Igualmente, denota ser necessário alguém manter um olho em suas profecias para assegurar que permaneçam nos trilhos, sem desvios.

A variação de idade quanto ao início do serviço levítico (trinta, no versículo 3, e vinte, no versículo 24) pode significar que esses limites de idade distintos se apliquem a tarefas levíticas diferentes, ou pode indicar uma diferença quanto ao que ocorreu em períodos distintos — trata-se, então, do exemplo de uma série de divergências nessas listas que refletem a maneira pela qual o livro foi compilado de diversas fontes de diferentes contextos. Outro exemplo dessas desarmonias é o relato de que Jedutum teve seis filhos, mas o texto, então, apresenta apenas cinco nomes. Os autores de Crônicas, evidentemente, não estavam muito preocupados com essas minúcias — a exemplo dos autores da Torá, em cujo texto o mesmo ocorre. Eles sabiam que quaisquer que fossem as disposições em seus dias, elas eram resultantes das implicações das ações de Davi, de forma que podiam atribuí-las a ele — do mesmo modo que a Torá atribui leis de séculos diferentes a Moisés, porque todas elas eram resultantes da fé mosaica em contextos distintos.

Ao (quase) concluir com uma coleção de listas das pessoas envolvidas nas diversas formas de serviço e ministério, 1Crônicas termina mais ou menos como começou (já consideramos algo do significado de incluir todos aqueles nomes ao abordarmos aqueles capítulos anteriores).

1CRÔNICAS 27:1—28:21
O ESCOLHIDO

[1]Os israelitas, por suas listas, os cabeças ancestrais, os oficiais de milhares e de centenas e seus administradores, que ministravam ao rei em toda a matéria com respeito às divisões que entravam e saíam, mês a mês, todos os meses do ano: cada divisão era de vinte e quatro mil. [...] [25]Sobre os depósitos do rei: Azmavete, filho de Adiel. Sobre os depósitos no interior (em cidades, vilarejos e torres): Jônatas, filho de Uzias. [26]Sobre os trabalhadores no interior (no serviço da terra): Ezri, filho de Quelube. [27]Sobre as vinhas: Simei, o ramatita. Sobre o que estava nas vinhas para os depósitos de vinho: Zabdi, o sifmita. [28]Sobre as oliveiras e as figueiras bravas nas encostas: Baal-Hanã, o gederita. Sobre os depósitos de azeite: Joás. [29]Sobre o gado pastando em Sarom: Sitrai, o saronita. Sobre o gado nos vales: Safate, filho de Adlai. [30]Sobre os camelos: Obil, o ismaelita. Sobre as jumentas: Jedias, o meronotita. [31]Sobre os rebanhos: Jaziz, o hagareno. Todos esses eram oficiais sobre a propriedade pertencente ao rei Davi. [32]Jônatas, tio de Davi, era um conselheiro; ele era um homem de discernimento e um

escriba. Jeiel, filho de Hacmoni, estava com os filhos do rei. [33]Aitofel era um conselheiro do rei. Husai, o arquita, era amigo do rei. [34]Depois de Aitofel, vieram Joiada, filho de Benaia, e Abiatar. Joabe era o comandante do exército do rei.

CAPÍTULO 28

[1]Davi reuniu todos os oficiais de Israel [...] em Jerusalém. [2]O rei Davi colocou-se em pé e disse: [...] [4]"*Yahweh*, o Deus de Israel, me escolheu dentre toda a casa de meu pai para ser rei sobre Israel em perpetuidade, porque ele escolheu Judá como governante, e da casa de Judá, da casa de meu pai e dos filhos de meu pai, ele teve prazer em me fazer rei sobre todo o Israel. [5]E de todos os meus filhos (porque *Yahweh* me deu muitos filhos), ele escolheu Salomão, meu filho, para sentar-se no trono do reino de *Yahweh* sobre Israel. [6]Ele me disse: 'Salomão, o seu filho — ele construirá a minha casa e os meus pátios, porque eu o escolhi para ser um filho para mim, e serei um pai para ele. [7]Estabelecerei o seu reino em perpetuidade, se ele for firme em executar os meus mandamentos e os meus decretos, neste mesmo dia.' [8]Por isso, agora, diante dos olhos de todo o Israel, da congregação de *Yahweh* e dos ouvidos do nosso Deus: Guardem e inquiram de todos os mandamentos de *Yahweh*, nosso Deus, para que vocês possam possuir essa boa terra e legá-la aos seus filhos depois de vocês, em perpetuidade. [9]E você, Salomão, meu filho: Reconheça o Deus de seu pai e o sirva com uma mente íntegra e um espírito entusiasmado, porque *Yahweh* sonda todas as mentes e tem percepção sobre cada inclinação nos pensamentos [das pessoas]. Se você o inquirir, ele estará disponível a você, mas, se o abandonar, ele o abandonará para sempre. [10]Veja, agora, que *Yahweh* o escolheu para construir uma casa para o santuário. Seja forte, aja!" [11]Davi deu a Salomão, seu filho, o plano [...]. [19]"Tudo isso, escrito pela mão de *Yahweh* sobre mim, ele me capacitou a compreender — todos os trabalhos envolvidos no plano."

[Os versículos 20-21 constituem um resumo de encerramento.]

Certa amiga, recentemente, não conseguiu um emprego no ministério para o qual ela pensava ser a candidata ideal. Deus falhou em tornar claro esse fato ao comitê selecionador? Eles não oraram pela orientação divina? Eu mesmo integro um comitê de pesquisa relacionado à escolha de um novo membro do corpo docente, e um dos candidatos me disse que essa designação faz sentido em termos da vontade de Deus para esse momento de sua vida e de sua família. Nas reuniões do comitê, oramos para sermos conduzidos à pessoa escolhida por Deus, mas, então, simplesmente, focamos em ler as inscrições e referências e analisarmos as nossas considerações sobre as pessoas que entrevistamos. O processo será similar ao utilizado por um grupo de descrentes. Em que sentido se aplica a ideia da escolha de Deus? Um famoso jogador de basquete norte-americano possui uma tatuagem nas costas com os dizeres: "Chosen 1" [Escolhido]. Um livro sobre outro grande atleta dos Estado Unidos, um golfista, é intitulado, *The Chosen One* [O escolhido]; o seu pai o designou assim. Os dois homens experimentaram ou trouxeram sobre si mesmos uma queda moral da graça que levou a alguns comentários compreensivelmente sarcásticos; ser o escolhido é uma bênção mista.

Davi discorre longamente sobre o tema da escolha, em 1Crônicas 28. De Israel, Deus escolheu **Judá**; dentre Judá, Deus escolheu a família de Jessé; dessa família, Deus escolheu Davi; entre os filhos de Davi, Deus escolheu Salomão. Por trás da escolha de Judá, claro, estava a escolha de Deus por Israel; por trás dessa escolha, estava a escolha de Abraão; por trás da escolha de Abraão (pode-se dizer), estava a escolha de Deus pelo mundo. A escolha de Abraão por Deus não foi um meio de excluir as demais pessoas, mas de incluí-las. Uma pista de que essa ideia permaneceu viva em Israel é a inclusão de um ismaelita e um hagareno entre o secretariado-chave de Davi. Ismael era o filho de Abraão por meio do qual a promessa da **aliança** de Deus não se cumpriu, e Crônicas também cita os hagarenos como estrangeiros com os quais os clãs israelitas travaram batalhas. Suas respectivas funções em relação aos camelos e rebanhos se enquadram em seus históricos mais parecidos com beduínos do que com fazendeiros ou moradores de cidades.

Israel foi desafiado a viver em meio à tensão de a escolha tanto ser um privilégio quanto uma vocação. Não era, na realidade, uma tensão, porque os demais povos deveriam ver o que significava ser o privilegiado povo de ***Yahweh*** e, assim, serem atraídos a buscar a mesma bênção para si mesmos. Deus não esperava que os israelitas saíssem a pregar ao mundo; seria visível o suficiente para as pessoas verem. Isso significava que Israel recebera os privilégios para cumprir um papel. O mesmo era verdadeiro com respeito às escolhas de Deus por Judá, Jessé, Davi e Salomão. Todos eles foram escolhidos para cumprir um papel, não para desfrutarem da condição de escolhidos; a eleição deles não está relacionada com a salvação eterna. O problema é que ser o escolhido coloca uma pressão avassaladora sobre a pessoa. Ela passa a acreditar que havia algum mérito nela para ser escolhida; Deus deixa claro a Israel que não é assim. Ou o indivíduo passa a aproveitar os benefícios de ser o escolhido, ou pensa que pode se livrar de qualquer coisa justamente por ser o escolhido.

Assim, por que Deus escolhe algumas pessoas, não outras? Talvez seja simplesmente uma expressão da maneira com que Deus fez a humanidade. Aprendemos e recebemos de outras pessoas; ensinamos e damos a outras pessoas. Não somos autossuficientes como indivíduos ou como comunidades. Além disso, quando há um trabalho a ser feito, como, por exemplo, a construção de um templo, é mais eficiente ter alguém escolhido para ser o encarregado. Para os ouvintes dessa história, a atividade de Deus na escolha lhes oferece algumas reafirmações importantes. Judá constitui um triste retrato do que foi outrora, e um precário peão no tabuleiro das províncias do Império **Persa**, de nenhum modo comparável à província de Samaria, ao norte, que reivindicava ser tão fiel a *Yahweh* quanto Judá. Davi recorda a Judá que ele é o clã escolhido por Deus; os judaítas podem ter confiança no compromisso de Deus com eles. Igualmente, Davi os lembra de que Deus o escolheu "em perpetuidade"; quando não há um rei davídico, as pessoas deveriam se lembrar dessa escolha de Deus por ele. Davi enfatiza que Deus escolheu Salomão como o construtor do templo; em seus dias, os ouvintes adoravam em uma versão reconstruída daquele mesmo templo. A consciência da escolha de Deus pode ser perigosa para os objetos dessa escolha, especialmente quando são pessoas no poder, mas isso pode ser edificante para aqueles que são beneficiários indiretos da escolha divina, principalmente quando há pouco a encorajá-los.

Algo similar emerge do relato sobre a passagem, de Davi a Salomão, dos planos para a construção do templo que lhe foram dados por Deus. Ele fala sobre essa entrega dos planos por Deus em termos sobrenaturais: Davi os recebeu por meio da mão de Deus sobre ele. Trata-se de uma típica expressão a ser usada em relação a um profeta, tal como Ezequiel, a quem Deus toma e transporta (em espírito) da **Babilônia** a Jerusalém, para que ele possa ver o que está ocorrendo lá e, então, reportar aos judaítas no **exílio** babilônico. Davi quer dizer que os planos para o templo foram uma revelação sobrenatural daquela forma? A julgar por outros aspectos de sua história, Davi teria usado o seu discernimento, bem como o de sua equipe administrativa, na formulação dos planos, mas, então, está preparado para confiar em Deus de que os planos foram feitos conforme os desejos divinos. Uma vez mais, suas palavras oferecem aos leitores de Crônicas a confirmação de que esse templo, no qual eles cultuam, de fato é um lugar com o qual Deus se identifica.

A lista de administradores de Davi abre uma janela sobre a organização necessariamente complexa de seu reinado; isso garantiria a capacidade de coletar os impostos para o bom funcionamento do governo. Por outro lado, se você vivesse ao tempo de Davi em vez de nos dias dos leitores de Crônicas, isso poderia fazer você pensar em outra desvantagem da ideia de escolha. Por Davi ser o escolhido, ele ganhou a posse de todas aquelas ovelhas e de todo aquele gado, das vinhas e oliveiras, e assim por diante, o que garantia o sustento dele e das pessoas que viviam em seu palácio e trabalhavam na administração em Jerusalém. Por seu turno, isso significa que tudo isso não era para o sustento das pessoas comuns. Talvez as pessoas do povo conseguissem ver que ganhavam mais do que perdiam nessa situação, mas a regra usual é que a administração possui uma vida melhor do que as pessoas comuns a quem ela, supostamente, serve.

1CRÔNICAS **29:1-30**
QUEM SOU EU E QUEM É O MEU POVO?

[1]O rei Davi disse a toda a assembleia: "Salomão, meu filho, apenas — Deus o escolheu, um homem jovem e verde, embora o trabalho seja grande, porque o castelo não é para um ser humano, mas para *Yahweh* Deus. [2]Com toda a minha energia, providenciei para a casa de meu Deus: ouro para as coisas de ouro, prata para as de prata, bronze para as de bronze, ferro para as de ferro, madeira para as de madeira, pedra ônix e

pedra de engaste, pedra de antimônio e pedra colorida, toda sorte de pedras preciosas e pedra de alabastro, em grandes quantidades. [...] [5b]Quem irá doar voluntariamente, dedicar-se hoje a *Yahweh*?" [6]Os líderes ancestrais, os líderes dos clãs de Israel, os oficiais de milhares e de centenas, e os líderes a cargo do trabalho do rei doaram voluntariamente. [...] [9]O povo celebrou a sua oferta voluntária porque foi com uma mente simples que eles entregaram voluntariamente a *Yahweh*. O rei Davi também celebrou com alegria.

[10]Davi adorou *Yahweh* na presença de toda a assembleia. Davi disse: "Tu deves ser adorado, *Yahweh*, Deus de Israel, nosso pai, de eternidade a eternidade. [11]Teus, *Yahweh*, são a grandeza, a força, a glória, a honra e a majestade, porque tudo o que há nos céus e na terra é teu, *Yahweh* – a soberania e a preeminência em relação a tudo, como cabeça. [12]Riqueza e esplendor vêm de ti. Tu governas sobre tudo. Em tuas mãos estão a força e o poder. Em tuas mãos está fazer alguém grande e forte. [13]Então, agora, Deus, damos-te graças e louvamos o teu esplêndido nome. [14]Mas quem sou eu e quem é o meu povo para termos a capacidade de doar voluntariamente dessa maneira, porque tudo vem de ti e é das tuas mãos que damos a ti. [15]Pois somos estrangeiros residentes diante de ti, transientes como todos os nossos ancestrais. Nossos dias na terra são como uma sombra e sem esperança. [16]*Yahweh*, nosso Deus, toda essa grande quantidade que providenciamos para construir uma casa para ti, para o teu santo nome, vem das tuas mãos. Tudo é teu. [17]Deus meu, reconheço que testas a mente e que a integridade é o que tu aprovas. Eu mesmo, com integridade de mente, voluntariamente, dei todas essas coisas, e, agora, o teu povo apresentou-se aqui – eu os vejo, alegre e voluntariamente, doando a ti. [18]*Yahweh*, Deus de Abraão, Isaque e Israel, nossos ancestrais, guarda isso para sempre como a inclinação dos pensamentos na mente de teu povo e firma a mente deles em relação a ti. [19]A Salomão, meu filho, dê uma mente simples para guardar os

teus mandamentos, as tuas declarações e as tuas leis, cumprir todos eles e construir o castelo para o qual providenciei."

[20]Davi disse a toda a assembleia: "Adorem a *Yahweh*, o seu Deus." Toda a assembleia adorou *Yahweh*, o Deus de seus ancestrais. Eles se curvaram e se ajoelharam diante de *Yahweh*, [21]e o rei ofereceu sacrifícios e fez ofertas queimadas a *Yahweh*, no dia seguinte.

[Os versículos 21b-30 encerram o relato sobre a celebração, o reconhecimento de Salomão e a morte de Davi.]

Quase todos os domingos, permaneço à frente da igreja, enquanto nos preparamos para a Comunhão; os encarregados trazem os pratos de ofertório; e, de frente para a congregação, eu declaro a Deus: "Todas as coisas vêm de ti, Senhor", e a congregação responde: "E de ti mesmo é que te damos." As palavras expressam a nossa consciência de que, ao darmos a Deus, simplesmente devolvemos parte do que dele recebemos. O Antigo Testamento vê isso como uma forma de reconhecer a fonte de tudo o que temos. De um modo estranho, dar uma proporção adequada a Deus libera o resto para o nosso deleite. Duvido que a nossa congregação conheça a origem dessas palavras; muitas das orações em nosso culto refletem as palavras da Escritura, mas, em geral, elas fazem parte de um todo que algum liturgista construiu no século XVI ou no século XX. Todavia, no exemplo em questão, elas são extraídas diretamente de uma oração de Davi.

Em nossa igreja, a maioria não pensaria nas ofertas que fazemos aos domingos como "ofertas de livre-arbítrio" (a antiga tradução para "dádivas voluntárias") porque elas envolvem o cumprimento de uma promessa que fizemos no começo do ano. As ofertas de livre-arbítrio são doações adicionais que fazemos de tempos em tempos por algum motivo especial. Israel tinha obrigações anuais em termos de dízimos e assim por diante; as ofertas para a construção do templo são ofertas de livre-arbítrio, no sentido de não serem abrangidas pelas expectativas estabelecidas na **Torá**. Eis o motivo pelo qual Davi precisa do apoio voluntário do povo e deve estar aberto a revelar as suas contas pessoais para demonstrar que não está pedindo algo que ele mesmo não está preparado para fazer. Davi está ofertando de suas próprias posses como rei, das quais ninguém pode obrigá-lo a abrir mão. Não obstante, ele sabe que mesmo as suas posses reais provêm de Deus, de modo que não pode alegar o direito de mantê-las. Além disso, Davi reconhece que as ofertas que não expressam uma atitude interior de entrega pessoal a Deus erra o alvo. A pessoa, na totalidade de seu ser, precisa estar envolvida na oferta. (O templo é, normalmente, citado como uma casa ou um palácio. Aqui, ele é mencionado como um castelo, que — a exemplo de um palácio — é uma casa especialmente impressionante, mas também é uma fortaleza; a sua excelência é apropriada àquele que irá viver ali.)

As palavras de adoração, expressas por Davi, são dignas de ouvir novamente, como se fôssemos os leitores originais de Crônicas. Descrever ***Yahweh*** como detentor de todo o poder, esplendor e majestade, então, convida a réplica: "Bem, por que, então, não vemos isso? Por que *Yahweh* não mostra algo dessa soberania? Por que os poderes estrangeiros continuam a governar sobre nós?" A história convida a comunidade **judaíta**, dos dias de Esdras e Neemias, ou posterior, a seguir crendo na grandeza do Deus deles e, de fato, apresentar essa réplica diante de Deus, à maneira de Salmos. Se reconhecermos a grandeza e a soberania de Deus, podemos desafiar Deus a exercê-la.

Ao mesmo tempo, há uma espécie de humildade na oração de Davi que, novamente, repercute nos leitores de Crônicas. Entre eles, havia estrangeiros residentes de outras nações ou de outros clãs de Israel que sempre tiveram a consciência de estarem lá pela graça da comunidade judaíta e sabiam que jamais seriam membros plenos dela. Mesmo se pedissem para assumir empregos que esperavam torná-los indispensáveis, a exemplo de Obil, o ismaelita, e Jaziz, o hagareno, no capítulo 27, ou John Goldingay, o britânico, ainda assim eles seriam sempre estrangeiros. Eles não tinham os mesmos direitos que os judaítas, como possuir o seu próprio pedaço de terra, e eram dependentes da boa vontade de seus anfitriões. Davi usa isso como um retrato da própria posição dos judaítas em relação a Deus e/ou um retrato da posição de toda a humanidade em relação ao Criador. Tudo o que possuímos pertence a Deus, o que temos é pela permissão dele. Os judaítas estavam em uma posse segura de sua terra, ao contrário de Abraão, Isaque e Jacó, que eram simples moradores temporários em uma terra que pertencia a outros. No entanto, há um sentido no qual eles não podem mais considerar a sua posição na terra como garantida, à semelhança de seus ancestrais. A terra pertencia a Deus. Isso não lhes dava base alguma para considerar a sua posição assegurada, embora, por outro lado, isso também lhes desse uma segurança maior. Eles apenas tinham que se lembrar disso e adotar um tipo correto de humildade em relação a Deus que é capaz de protestar, mas que o faz como um sinal de dependência.

Davi expressa a questão de maneira ainda mais enfática, ao descrever nossos dias neste mundo como uma espécie de sombra e desprovidos de esperança. Uma sombra é algo efêmero e insubstancial. A palavra hebraica para “mundo” é a mesma para “terra”; e isso, pelo menos, nos leva a pensar nessas palavras como uma extensão do comentário sobre ser estrangeiro residente e transitório em relação à terra de Canaã. Nos dias de Crônicas, os judaítas já tinham sido expulsos de lá uma vez e poderiam perder a terra novamente. Eles estavam sem esperança no sentido de não poderem fazer nada para assegurar a terra; de não poderem presumir que o futuro será melhor do que o presente. Trata-se de uma extraordinária declaração de fé declarar isso para si mesmo e para Deus.

Alternativamente, as palavras de Davi, talvez refiram-se ao sentido no qual qualquer vida humana é como uma sombra, sem esperança. Mesmo uma vida longa encontra o seu fim e, depois disso, o ser humano se reúne aos seus ancestrais no túmulo ou no Sheol (que não é um lugar de punição ou sofrimento, mas apenas um lugar de descanso para todos, uma espécie de análogo não físico ao túmulo, como o lugar de repouso para os nossos corpos). É algo que o Antigo Testamento aceita como o fim lógico de uma vida plena. Mais à frente, o capítulo relata que Davi "morreu em boa velhice, pleno de satisfação com dias, riqueza e honra". No entanto, o fato de a morte ser certa, de tempos em tempos, lança uma sombra sobre a vida. É excelente que Davi e outros israelitas tenham uma grande surpresa a caminho quando Jesus despertar, temporariamente, as pessoas no Sheol para lhes dizer que haverá uma surpresa ainda maior no dia da ressurreição.

2CRÔNICAS

2CRÔNICAS **1:1–17**

O QUE VOCÊ GOSTARIA QUE EU LHE DESSE?

[1]Salomão, filho de Davi, afirmou a sua força sobre o seu reino; *Yahweh*, seu Deus, estava com ele e o tornou extremamente grande.

[2]Salomão falou a todo o Israel (os oficiais sobre milhares e sobre centenas, as autoridades e todos os líderes de todo o Israel, os chefes ancestrais), [3]e Salomão e toda a assembleia com ele foram ao lugar alto, em Gibeom, porque a Tenda do Encontro de Deus, que Moisés, servo de *Yahweh*, fez no deserto, estava lá [4](embora Davi tenha levado o baú de Deus de Quiriate-Jearim quando providenciou isso, porque ele armara uma tenda para o baú em Jerusalém). [5]Como o altar de bronze, que Bezalel, filho de Uri, tinha feito, estava lá, em frente da habitação de *Yahweh*, Salomão e a assembleia o consultaram. [6]Ali, Salomão subiu ao altar de bronze diante de *Yahweh*, que estava na Tenda do Encontro, e fez mil ofertas queimadas sobre ele. [7]Naquela noite, Deus apareceu a Salomão e lhe disse: “Peça o que devo lhe dar.” [8]Salomão disse a Deus: “Tu mostras grande compromisso com Davi, meu pai, e me fizeste rei em seu lugar. [9]Agora, *Yahweh* Deus, que a tua palavra com Davi, meu pai, seja confirmada, porque fizeste-me rei sobre um povo tão numeroso quanto o pó da terra. [10]Agora, dá-me discernimento e conhecimento, para que eu possa sair e entrar diante deste povo. Pois quem pode exercer autoridade sobre este teu grande povo?” [11]Deus disse a Salomão: “Porque isso estava em sua mente, e você não pediu riqueza, possessões e honra, nem a vida de seus oponentes, ou mesmo vida longa você pediu, mas pediu discernimento e conhecimento para poder exercer autoridade para o meu povo, sobre quem lhe fiz rei, [12]discernimento e conhecimento lhe são dados, e riqueza, possessões e honra eu lhe darei, tais que não pertenceram

aos reis que foram antes de você nem pertencerão àqueles depois de você."

[13]Salomão foi do lugar alto em Gibeom, de diante da Tenda do Encontro, para Jerusalém e reinou sobre Israel. [14]Salomão acumulou carruagens e corcéis, e teve mil e quatrocentas carruagens e doze mil corcéis. Ele os colocou em cidades para carruagens e com o rei em Jerusalém. [15]O rei fez prata e ouro como pedras em Jerusalém, em grandes quantidades, e fez cedros como amoreiras nos sopés das montanhas. [16]Os cavalos de Salomão eram trazidos do Egito e da Cilícia. Os comerciantes do rei os adquiriam na Cilícia ao preço [regular]; [17]uma carruagem era trazida e transportada do Egito por seiscentos [siclos] de prata, e um cavalo por cento e cinquenta, e, portanto, eles eram transportados por meio [dos mercadores] a todos os reis dos hititas e os reis de Aram.

Nos últimos dez anos de sua vida, Ann, minha esposa, ficou incapacitada de falar ou de expressar, por outro meio, o que ela queria; era o aspecto mais triste de sua enfermidade. Desse modo, eu precisava adivinhar o que ela desejava com base no que conhecia dela e, então, tinha de acreditar em minhas suposições; eu brinco que ela passará os primeiros dez anos no céu me contando o que eu fiz de errado em seus últimos dez anos de vida aqui, e que isso será um elemento importante de nossa conversa. Não me surpreenderia caso ela também sentisse uma privação por não ser capaz de me perguntar o que eu desejava e, então, ser capaz de ver se poderia atender ao meu pedido. Isso contrastava sobremodo com uma característica dos primeiros anos de nosso casamento e de nossa vida familiar, quando o nosso caçula, ainda garotinho, ficava tão ansioso para nos dizer (digamos) em agosto o que ele queria ganhar no Natal que introduzimos uma regra de que esse assunto não seria tratado antes de 17 de novembro, uma data, claro, escolhida aleatoriamente.

"O que você gostaria que eu lhe desse?", Deus pergunta a Salomão. Essa é a mais difícil de todas as questões, como as palavras subsequentes de Deus irão indicar. A exemplo de Davi, Salomão é uma figura enigmática. Provavelmente, o momento mais sublime da história de seu pai é quando ele se entrega ao exercício da **autoridade** a fim de expressar **fidelidade** ao seu povo (1Crônicas 18). Aquele comprometimento cumpre a visão do Antigo Testamento no tocante a como um rei deve ser. Salomão sabe que a sua obrigação é exercer autoridade de um modo fiel e, portanto, sua resposta à indagação de Deus é pedir o que ele necessita para fazer isso. Reconhecidamente, ele não faz menção à fidelidade; seu foco reside em discernimento e conhecimento. No pensamento ocidental, essa sagacidade política estaria totalmente divorciada da fidelidade ao povo daquela pessoa. No pensamento do Antigo Testamento, não era possível mostrar genuíno discernimento e conhecimento sem também manifestar fidelidade. Assim, não surpreende o fato de que, no capítulo 9, a rainha de Sabá venha a elogiar Salomão por exercer autoridade de uma forma genuinamente fiel ao seu povo e por possuir um discernimento extraordinário. São dois lados de uma mesma moeda.

A questão, então, é se há alguma tensão entre a preocupação quanto ao discernimento no exercício de autoridade e, implicitamente, quanto à fidelidade, e o acúmulo de carruagens e cavalos, a ponto de construir cidades para abrigá-los, a promoção do esplendor e do luxo urbanos, além do desenvolvimento de um excelente processo no comércio de cavalos. Quando Deuteronômio 17 estabelece normas para a indicação de um rei, caso o povo desejasse um, o texto explicitamente exclui a importação de cavalos do Egito. Trata-se de um sinal de confiança nos recursos humanos e está fadado a fracassar, Isaías 31 declara. Os profetas, igualmente, criticam a maneira pela qual esses desenvolvimentos, por fim, são estabelecidos à custa de pessoas comuns do povo, conforme a advertência de Samuel aos israelitas, quando eles pedem um rei, pela primeira vez. Não obstante, Crônicas não expressa nenhum desconforto com isso, e as pessoas comuns, com frequência, se divertem com o esplendor de uma inauguração ou coroação que custa mais do que o PIB de alguns países do Terceiro Mundo. Talvez a audiência de Crônicas, séculos mais tarde, pensasse em quão grandiosos aqueles dias eram.

O pano de fundo da história é que Jerusalém ainda não é o principal centro de adoração de Israel; apenas após a construção do templo é que passará a ser. Jerusalém é o centro administrativo de Davi sem tradição israelita. Davi deu um passo à frente no processo de tornar a cidade de Jerusalém no centro de Israel ao transferir o **baú da aliança** para lá, instalando uma tenda para ele e preparando o local para receber as ofertas a serem feitas ali. Todavia, a habitação "real" de Deus é a Tenda do Encontro que remonta aos dias no deserto. Por sua natureza itinerante, ela tem estado em diversos lugares, mas, agora, está em Gibeom, ao norte de Jerusalém (a localização provável é uma vila chamada Nebi Sanwil, "Profeta Samuel", que pode ser vista da moderna cidade de Jerusalém). Tecnicamente, Gibeom é um **lugar alto**, o que sugere ser um santuário cananeu conquistado por Israel e dedicado a ***Yahweh***. Trata-se do local tradicional e legítimo para a adoração nacional "oficial" a ser oferecida. Salomão e a liderança israelita, aparentemente, lá comparecem para um culto que marca a ascensão de Salomão; daí ser o momento em que Deus faz a Salomão a difícil e crucial pergunta: "Então, o que você gostaria de me pedir?"

2CRÔNICAS 2:1—3:17
A CASA DE DEUS

[1]Salomão disse para construir uma casa para o nome de *Yahweh* e uma casa para si mesmo como rei. [...] [3]Salomão enviou mensagem a Hirão, o rei de Tiro, dizendo: "Como fizeste para Davi, meu pai, quando lhe enviaste cedros para ele construir uma casa na qual viver, [4]agora eu irei construir uma casa para o nome de *Yahweh*, meu Deus, para consagrar a ele, para queimar incenso aromático diante dele, e o regular pão da proposição e as ofertas queimadas da manhã e da tarde para sábados, luas novas e ocasiões indicadas para *Yahweh*, nosso Deus. Isso é [estabelecido] sobre Israel em perpetuidade. [5]A casa que irei construir será grande, porque o nosso Deus é maior que todos os deuses. [6]Mas quem possui a capacidade de lhe construir uma casa, porque os céus, mesmo os mais altos céus, não podem contê-lo? Então, quem sou eu para lhe construir uma casa, a não ser para queimar incenso diante dele [...]?" [11]Hirão, o rei de Tiro, disse, em uma mensagem escrita que enviou a Salomão: "Na dedicação de *Yahweh* ao seu povo, ele o fez rei sobre eles." [12]Hirão disse: "*Yahweh* deve ser adorado, o Deus de Israel que fez os céus e a terra, que deu a Davi um filho sábio, que tem compreensão e discernimento, que irá construir uma casa para *Yahweh* e uma casa para si mesmo como rei. [13]Então, agora, estou enviando um homem perspicaz que tem discernimento, Hurão-Abi [...]. [16]Nós mesmos cortaremos árvores do Líbano de acordo com a tua necessidade, e as levaremos a ti como balsas até Jope, para que possas levá-las a Jerusalém." [...] [3:1]Então, Salomão começou a construir a casa de *Yahweh* em Jerusalém, no monte Moriá, no qual [*Yahweh*] apareceu a Davi, seu pai, no local que Davi tinha estabelecido, na eira de Ornã, o jebuseu. [2]Ele começou a construir no segundo dia do segundo mês, no quarto ano de seu reinado.

[O capítulo 3 prossegue descrevendo as dimensões do templo, seu revestimento e decoração, os querubins, o santuário interno e as cortinas.]

O local em Jerusalém, que os muçulmanos chamam de Haram-al-sharif (Santuário Nobre) e os judeus chamam de Monte do Templo, é uma enorme plataforma superficial, com as dimensões de um campo de futebol (ali, os jovens palestinos jogam futebol). Na extremidade sul, há uma mesquita e, além dela, a escadaria monumental que, nos dias de Jesus, interligava a plataforma às áreas comercial e residencial da cidade. No centro, está localizado o "Domo da Rocha", construído ali porque uma das tradições ou histórias sobre Maomé relata como ele ascendeu ao céu daquele lugar. No interior, se desce para o que parece ser o topo rochoso de um monte. De fato, é o que parece, porque reflete a topografia original da área, agora obscurecida por causa da vasta plataforma construída ao redor dela por Herodes, o Grande. O templo estava situado muito próximo desse pico rochoso. A elevação em si é o monte Moriá. Assim, pode-se estar, simultaneamente, no lugar no qual Abraão quase sacrificou Isaque e no local de construção do templo.

O segundo capítulo de 2Crônicas é que estabelece essa conexão. Com base no texto de 1Crônicas 21, sabemos que o **ajudante** de ***Yahweh*** instruiu Davi a construir um **altar** na eira de Ornã, acima da área residencial de Jerusalém, e que Davi, então, designou aquele ponto como o local para um santuário central para toda a nação. De súbito, passa a ser um lugar com outro conjunto de ressonâncias. O local no qual Deus provou Abraão é, igualmente, o lugar no qual Deus castigou Davi. O ponto no qual Abraão fez uma oferta é o lugar no qual Israel, doravante, faz as suas ofertas. Posicionar-se ali é ser impactado pelas camadas de significado que estão vinculadas àquela área.

Quando Davi transferiu o **baú da aliança** para Jerusalém, 1Crônicas 13 observou que o baú foi chamado pelo **nome** de

Yahweh porque o nome sugere a pessoa. O Antigo Testamento estabelece esse ponto, de modo mais sistemático, em relação ao templo, que é a casa para o nome de *Yahweh*. No templo, as pessoas irão proclamar o nome de *Yahweh* e expressarão isso em orações, e esse processo testemunhará a realidade e a presença de Deus que, todavia, é grandiosa demais para ser abrangida por um edifício. Salomão também enfatiza esse ponto ao assegurar que não está construindo, na verdade, uma morada para Deus, apenas um local para a oferta de sacrifícios. O templo é construído mais pela necessidade de haver um local para adoração em Israel do que por Deus necessitar de uma habitação.

Embora o santuário apresente uma decoração impressionante, com madeira de cipreste, ouro e pedras preciosas, suas dimensões são modestas, vinte e sete metros de comprimento e nove de largura, bem menores do que uma igreja de tamanho médio, mas seu propósito não era o de abrigar toda a população, que se reunia no pátio. O clima da região significa que (como os californianos) os jerusalemitas podem presumir que o clima permanecerá agradável e que o lugar natural para reuniões é em áreas exteriores, e eles estarão certos em noventa por cento do tempo (Esdras 10 descreve uma ocasião em dezembro na qual eles são apanhados pela chuva do lado de fora). A sua divisão tripla (santuário interno, santuário externo e pátio) tem sido imitada por muitas igrejas. Em geral, as igrejas possuem degraus para demarcar as divisões. No ponto mais oriental e elevado, localiza-se a pequena área na qual a mesa da ceia está. Equivalente ao santuário externo, há a área maior ocupada pelo coro e pelos ministros. A área principal do templo, a nave, na qual a congregação permanece, corresponde ao pátio. No templo, dois terços de seu comprimento correspondem ao santuário externo, no qual os sacerdotes queimam incenso. Fora dele, há duas colunas com as inscrições "Ele estabelece" e "Nele está a força", que seriam um claro lembrete cada vez que se olhasse para o santuário. O pátio é o lugar no qual uma pessoa naturalmente dá as boas-vindas aos amigos; o santuário externo é como a sala de estar da família; enquanto o santuário interior é equivalente aos aposentos privados da pessoa. A existência do Lugar Santíssimo assegura aos israelitas que Deus está realmente presente no meio deles e também confirma que eles estão protegidos do poder de milhares de volts ou da visão cegante que o contato direto com a presença de Deus acarretaria.

O reconhecimento de Salomão e de Deus, por parte de Hirão, tanto pode ser uma hipérbole educada do rei de Tiro quanto uma hipérbole da parte de Crônicas. Isso não significa que Hirão, de fato, tenha se tornado um adorador de *Yahweh*. Seja como for, o relato do que ele diz objetiva encorajar as pessoas que ouvem a história a reconhecer o que Hirão expressa e considerar o seu reconhecimento como antecipação da confissão que, um dia, todas as nações expressarão, por mais implausível que isso parecesse no contexto político dos ouvintes, na época. Aparentemente, trata-se de uma coincidência que o nome de Hurão-Abi lembre o nome do rei. O transporte da madeira destinada ao templo, do Líbano para Jerusalém, é um projeto de tirar o fôlego. Isso envolveria transformar as toras de madeira em balsas, fazendo-as flutuar pelo Mediterrâneo, por centenas de quilômetros, até o rio Jarcom, ao norte de Telavive, e, então, arrastá-las rio acima o mais distante possível. Essa seria a parte mais fácil. Após essa primeira fase, elas teriam de ser puxadas por animais até Jerusalém, cerca de novecentos metros acima.

Considerando que Davi já construíra um palácio em Jerusalém, você pode estar se perguntando se Salomão realmente precisa de outro. Mas, então, lembramos que reis, presidentes e astros do cinema e da música (incluindo os cristãos), normalmente, sentem a necessidade de possuírem várias residências. A exemplo de ter várias esposas, trata-se de uma expressão de importância. Dentre os muitos fãs, poucos parecem se importar com isso.

2CRÔNICAS **4:1—5:14**
QUANDO VOCÊ PODE DIZER QUE DEUS ESTÁ PRESENTE

[O capítulo 4 descreve as características do pátio (o altar do sacrifício, o tanque monumental, as pias e o equipamento necessário ao sacrifício ali) e o santuário externo (o altar do incenso, as mesas dos pães da Presença, o candelabro e o equipamento necessário ali).]

CAPÍTULO 5

[1]Quando todo o trabalho que Salomão fez para a casa de *Yahweh* estava completo, Salomão trouxe para dentro as coisas que Davi, seu pai, havia consagrado: a prata, o ouro e todos os acessórios ele colocou nos tesouros da casa de Deus. [2]Então, Salomão reuniu os anciãos de Israel (todos os cabeças dos clãs e os chefes ancestrais dos israelitas) em Jerusalém, para trazer o baú da aliança de *Yahweh* da cidade de Davi (isto é, Sião). [3]Todos em Israel reuniram-se diante do rei para a festa (isto é, o sétimo mês). [4]Quando todos os anciãos de Israel haviam chegado, os levitas pegaram o baú. [5]Eles trouxeram o baú e a Tenda do Encontro e todos os acessórios que estavam na tenda. Os sacerdotes, os levitas, os trouxeram, [6]enquanto o rei Salomão e toda a comunidade de Israel que havia se reunido com ele defronte do baú sacrificavam tantas ovelhas e bois que não puderam ser registrados ou contados por causa das grandes quantidades. [7]Os sacerdotes trouxeram o baú da aliança de *Yahweh* ao seu lugar, na sala interna da casa, o Lugar

Santíssimo, sob as asas dos querubins. [8]Os querubins estendiam suas asas sobre o lugar do baú; os querubins cobriam o baú e suas varas de cima. [9]As varas estendidas e as extremidades das varas [saindo] do baú eram visíveis da parte da frente da sala interna, mas não eram visíveis de fora dela. Vieram para ficar lá até este dia. [10]Não havia nada no baú, exceto as duas tábuas que Moisés colocara [ali], em Horebe, quando *Yahweh* selou [a aliança] com os israelitas, ao saírem do Egito. [11]Quando o sacerdote saiu do santuário (porque todos os sacerdotes que estavam presentes haviam se santificado, sem guardar as divisões), [12]os levitas cantores, todos eles, Asafe, Hemã e Jedutum, e seus filhos e parentes, vestidos de linho, com tamborins, harpas e alaúdes, ficaram em pé a leste do altar, e com eles estavam cento e vinte sacerdotes soando trombetas. [13]Como um, os trompetistas e os cantores fizeram um som para ser ouvido em louvor e ação de graças a *Yahweh*. Quando eles elevaram um som com trombetas, tamborins e instrumentos musicais, e louvaram *Yahweh* "porque ele é bom, porque o seu compromisso é para sempre", a casa de *Yahweh* encheu-se com uma nuvem. [14]Os sacerdotes não puderam continuar ministrando diante da nuvem porque o esplendor de *Yahweh* encheu a casa de Deus.

Houve um punhado de vezes nas quais quase senti uma percepção tangível da presença de Deus na adoração. Uma delas foi na noite final de um acampamento, quando ainda era um jovem assistente do reitor (em termos britânicos, na última noite de um evento de jovens, quando ainda era um pároco auxiliar), após o culto de encerramento no qual parecia que um grande número de adolescentes firmara um compromisso com Cristo pela primeira vez ou renovara o compromisso que podia significar abrir mão de padrões de comportamento e atitudes que os restringiam como pessoas e como cristãos.

Houve ocasiões, em nossa capela do seminário, nas quais pessoas se derramaram em dor ou louvor, ou quando Deus tinha falado, ou quando pessoas haviam orado por cura e Deus respondera. Falando metaforicamente, pode-se dizer que o lugar de adoração foi tomado por uma nuvem que sugeria a presença de Deus, e que os adoradores foram levados a cair de joelhos e reduzidos ao silêncio ou capazes apenas de dizer: "Afasta-te de mim, Senhor, porque sou um homem pecador."

Talvez os israelitas nos dias de Salomão tenham, de fato, visto uma nuvem literal enchendo o santuário como um sinal da realidade da presença de Deus; ou pode ser que eles já tivessem passado por experiências similares às que acabei de descrever e tenham falado metaforicamente em termos da aparição de uma nuvem. Ainda, talvez isso não faça muita diferença, especialmente para pessoas que vivem em épocas posteriores, a exemplo dos leitores de Crônicas, porque (como nós) eles não tinham vivenciado experiências assim; pelo menos, eles não descrevem nenhuma ocorrência similar por ocasião da reconstrução do templo (veja Esdras 6). Se tais experiências ocorreram, elas pertenciam ao passado. Todavia, é suficiente que Deus tenha vindo habitar no templo e que também habitasse no tempo dos leitores, ainda que não seja de maneira perceptível.

Na ocasião, o **baú da aliança** estava sendo levado para o templo recém-construído, ao santuário interno. Antes de recontar esse movimento, Crônicas completa a descrição das características do santuário externo e do pátio. No santuário externo, há o **altar** do incenso; existem as mesas nas quais doze pães são colocados todos os dias; em outra religião, esses poderiam ser os pães deixados para a divindade (e, certamente, os israelitas, com frequência, pensaram neles dessa maneira), mas, no contexto da fé do Antigo Testamento, eles sugerem a maneira pela qual Deus provê pão para o povo. O candelabro estaria lá por motivos práticos, mas também poderia sugerir a forma pela qual a luz de Deus brilha sobre o povo. O elemento mais importante do pátio seria o altar sacrificial, totalmente acessível, permitindo a todos levarem suas ofertas a Deus. Igualmente impressionante é o "mar" de metal fundido, cuja importância o Antigo Testamento jamais explica, e os doze lavatórios ou pias que teriam um papel em relação à purificação das pessoas e dos animais sacrificiais.

O baú da aliança havia permanecido na "cidade de Davi", a área que pertencera aos jebuseus, mais abaixo do pequeno cume e abaixo do templo, localizado na parte mais elevada do cume (embora seja um ponto mais baixo que os picos em derredor, como o monte das Oliveiras). "Sião" é outro nome para essa cidade (não para parte dela, como é o caso agora). O sétimo mês significa setembro/outubro (contando da Páscoa, na primavera), a ocasião da Festa do Sucote (dos Tabernáculos, das Tendas ou Cabanas), quando Israel celebra tanto a memória do êxodo quanto (como esperado) o sucesso da colheita recém-terminada. Embora haja dois outros grandes festivais no ano (Páscoa/ Pães Asmos e Pentecoste), Sucote é o maior deles e, portanto, a época natural para uma grande celebração. Além do baú da aliança, eles trazem a Tenda do Encontro, que, aparentemente, já havia sido transferida de Gibeom (onde estava no capítulo 1). Crônicas enfatiza o ponto sobre o papel cumprido pelos levitas, o que previne haver a repetição da calamidade reportada em 1Crônicas 13.

Protegida por uma cortina, aquela extremidade correspondente a um terço do templo é o santuário interno, no qual o baú da aliança é colocado, com os **querubins** sobre o baú, e sugerindo a presença do invisível Deus acima deles. O baú da aliança é, ao mesmo tempo, inexpressivo e muito importante. Faltava-lhe a imponência de uma grande imagem divina, a exemplo das divindades de outros povos. Paradoxalmente, à sua própria maneira, isso sublinha a grandiosidade de ***Yahweh***, que não é a espécie de divindade que pode ser representada por uma imagem estática, obra de mãos humanas. Literalmente falando, o santuário interno era mais ou menos vazio, mas os querubins, posicionados sobre o baú, sugeriam os seres celestiais que carregavam o trono de *Yahweh*, que se elevava muito acima deles e do próprio santuário. Quão impressionante, então, era esse Deus!

O propósito prático cumprido pelo baú chamava a atenção para a sua importância. Não havia nada mais no santuário interior além do baú, e nada no interior do baú, exceto as duas tábuas de pedra. Contudo, quão relevantes eram aquelas tábuas de pedra! Nelas estava inscrita a base do relacionamento de Israel com Deus, o lembrete do que Deus havia feito por eles ("Eu sou *Yahweh*, o seu Deus, que os tirou do Egito") e os fundamentos do que Deus esperava deles (nenhum outro deus, nenhuma imagem de Deus, nenhum uso errado do **nome** de Deus, a observância do sábado, e assim por diante). Essas expectativas fundamentais não eram tão exigentes, mas elas eram inegociáveis. Se o povo de Israel não as tivesse tratado como negociáveis, os leitores de Crônicas não estariam naquela situação precária. Caso desejassem evitar o caminho trilhado por Salomão e a nação, nos séculos seguintes, eles precisavam se lembrar do significado delas.

É intrigante que o livro de Crônicas fale do baú como presente no santuário "até o dia de hoje", porque não há referências ao baú após o **exílio**, e, certamente, fora destruído por ocasião da destruição do templo em 587 a.C., muito tempo antes da composição de Crônicas. Talvez Crônicas tenha copiado essa expressão de um registro dessa celebração, escrito quando o templo de Salomão ainda estava em pé. É possível que implique um reconhecimento de que, mesmo que o baú e as tábuas não mais existam fisicamente, o que eles representam ainda perdura.

Pode-se dizer que o refrão, repetido pelos músicos, "Ele é bom, o seu **compromisso** é para sempre", constituía uma reafirmação dos aspectos fundamentais da parte de Deus no relacionamento. "Ele é bom" pode soar ameno demais, mas implica que Deus é generoso, gentil, benevolente e amoroso. "Seu compromisso" implica que a sua **fidelidade** não cessa, mesmo quando a nossa própria termina.

2CRÔNICAS **6:1–21**

UMA NUVEM ESPESSA E UMA CASA MAJESTOSA

[1]Então, Salomão disse: "*Yahweh* disse que habitaria em uma nuvem de tempestade, [2]mas construí para ti um templo imponente, um lugar para habitares para todo o sempre." [3]O rei virou o rosto em derredor e abençoou toda a congregação de Israel, quando toda a congregação de Israel estava em pé. [4]Ele disse: "*Yahweh* seja adorado, o Deus de Israel, que falou com Davi, meu pai, por sua própria boca, e por suas próprias mãos o cumpriu, dizendo: [5]'Desde o dia em que tirei o meu povo do Egito, eu não escolhi uma cidade dentre todos os clãs de Israel para construir uma casa para o meu nome estar ali, e não escolhi ninguém para ser governante sobre Israel, o meu povo. [6]Mas escolhi Jerusalém para o meu nome estar ali, e escolhi Davi para estar sobre Israel, o meu povo.' [7]Estava na mente de Davi, meu pai, construir uma casa para o nome de *Yahweh*, o Deus de Israel, [8]mas *Yahweh* disse a Davi, meu pai: 'Quanto ao que estava em sua mente construir uma casa para o meu nome, você fez bem no que estava em sua mente. [9]No entanto, você mesmo não construirá a casa, mas o seu filho, que sairá de você, ele é aquele que construirá a casa para o meu nome.' [10]*Yahweh* confirmou a palavra que ele falou. Eu ascendi ao lugar de Davi, meu pai, e me sentei no trono de

Israel, como *Yahweh* declarou. Construí a casa para o nome de *Yahweh*, o Deus de Israel. [11]Coloquei ali o baú no qual a aliança de *Yahweh* está, a qual ele selou com os israelitas."

[12]Ele colocou-se em frente do altar de *Yahweh*, diante de toda a congregação de Israel, e estendeu as suas mãos [13](porque Salomão havia feito uma plataforma de bronze e a colocado no meio do pátio, sendo o seu comprimento e a sua largura de dois metros e vinte e cinco centímetros, e sua altura de um metro e trinta e cinco centímetros; assim, ele ficou em pé sobre ela, e ajoelhou-se diante de toda a congregação de Israel, e estendeu as mãos aos céus). [14]Ele disse: "*Yahweh*, Deus de Israel, não há Deus como tu nos céus ou sobre a terra, guardando aliança e compromisso com seus servos, que andam diante dele com todo o seu ser interior, [15]que cumpriste com teu servo Davi, meu pai, o que lhe falaste. Com tua própria boca falaste, e por tua própria mão o cumpriste, neste mesmo dia. [16]Agora, *Yahweh*, Deus de Israel, cumpra com o teu servo, com Davi, meu pai, o que falaste a ele: 'Nem lhe faltará uma pessoa diante de mim, assentado no trono de Israel, se apenas os seus descendentes guardarem o caminho deles, ao andarem segundo o meu ensinamento, como você tem andado diante de mim.' [17]Então, agora, *Yahweh*, Deus de Israel, que a tua palavra seja confiável, a que falaste a Davi, o teu servo. [18]No entanto, Deus realmente habitará com a humanidade na terra? Ora, os céus, mesmo os mais altos céus, não podem contê-lo, muito menos esta casa que construí. [19]Mas atende ao apelo do teu servo e à sua oração por graça, *Yahweh*, meu Deus. Ouve o clamor e a súplica que o teu servo expressa diante de ti. [20]Estejam os teus olhos abertos para esta casa, dia e noite, para o lugar do qual disseste que nele porias o teu nome, ouvindo o pedido que o teu servo expressa em direção a este lugar. [21]Que ouças as orações por graça de teu servo e de Israel, o teu povo, que eles expressam em direção a este lugar. Que tu mesmo ouças do lugar no qual habitas, dos céus, e, quando ouvires, que perdoes."

Ontem, permanecemos em pé na igreja por um tempo muito longo. Regularmente, nos colocamos em pé enquanto oramos pelas necessidades do mundo e da igreja, e, então, ficamos em pé enquanto membros da congregação compartilham ações de graças ou orações de cunho pessoal. Ainda, ficamos em pé ao orarmos pelos aniversariantes e, ontem, continuamos em pé por longo tempo por causa do falecimento, nesta semana, do irmão de um membro de nossa congregação, que partiu em boa velhice. Ele havia sido padrinho no casamento de outro membro e também era amigo do grande herói de Pasadena, Jackie Robinson, o primeiro afro-americano a jogar na liga principal de beisebol, no século XX. Permanecemos em pé, enquanto tudo isso era recontado, e fiquei ali pensando: "Será que já não podemos sentar?"

O instinto de permanecer em pé é correto. Na vida comum, ficamos em pé em sinal de respeito e, assim, essa é a atitude natural para orar. Reunidos diante de ***Yahweh***, ao término da construção do templo, a congregação se levanta. Salomão permanece em pé, enquanto lidera os israelitas em adoração. Ele está em pé, novamente, quando os lidera em oração. Brevemente, ele se prostra diante de Deus, como um suplicante diante de um rei do Oriente Médio, à maneira em que os muçulmanos oram. A única atitude aparentemente inapropriada à oração é aquela, em geral, adotada pelos cristãos: sentado. E o estilo episcopal de ajoelhar-se com o apoio para a mão de um banco à frente do orador não conta como ajoelhar-se no sentido bíblico (algumas traduções apresentam as medidas da plataforma na qual Salomão fala ao povo em côvados, cuja unidade corresponde a pouco menos de meio metro).

Há um aspecto adicional quanto à linguagem corporal da oração que Salomão ilustra: ele estende as mãos aos céus em outro gesto de apelo; seus braços e suas mãos abrem-se para receber de Deus. Em conexão com a linguagem corporal, temos as descrições de oração que o capítulo oferece. A oração envolve "súplica". Estamos na posição de pessoas que se lançam à misericórdia de um rei que possui poder para agir em benefício delas. Nossas súplicas são "orações por graça" — isto é, a palavra para tais súplicas é vinculada à palavra para graça e sugere que não estamos reivindicando qualquer direito em relação a Deus, mas apelando para o amor dele. A oração prossegue para falar em termos de perdão. Uma vez mais, essa palavra implica o reconhecimento de que estamos nos lançando à misericórdia do rei, que detém o direito de emitir um perdão, e denota um reconhecimento adicional de que a graça nos é estendida de forma espetacular, quando recebemos misericórdia e obtemos o perdão por nossas rebeliões. Nossas súplicas são "clamores" ou brados: a palavra sugere um barulho elevado (seu uso é mais frequente com relação ao louvor) e, portanto, expressa a urgência com a qual oramos.

O envolvimento do corpo humano na oração é complementado pela ênfase no corpo de Deus. Claro que o Antigo Testamento sabe que Deus não possui, realmente, um corpo, mas isso não impede as pessoas de falar como se Deus tivesse elementos corporais, porque essa linguagem enfatiza a realidade de Deus como um ser pessoal — não uma pessoa humana, mas uma pessoa. Deus nos fala com a sua própria boca, isto é, as palavras realmente vêm de Deus em pessoa. Ele age a nosso favor com suas próprias mãos: em outras palavras, seus atos são, de fato, atos divinos; Deus não fica num lugar remoto sem nenhum envolvimento conosco; ele não é uma teoria, um princípio ou uma ideia, mas uma pessoa que age e que fala.

Salomão sabe que essa linguagem antropomórfica não oferece uma descrição literal de Deus. Nenhuma descrição literal é possível. Ele construiu uma casa para Deus, mas sabe que fazê-lo é, na verdade, uma ideia insensata. O único lugar onde é possível retratar Deus vivendo é em uma nuvem de tempestade, algo espesso e denso que protege a humanidade de ver Deus e de ser cego pelo brilho deslumbrante de Deus. Não importa quão grande ele imaginava o cosmos; ainda seria insuficiente para conter Deus. Trata-se de uma declaração extraordinária dos lábios de Salomão; especialmente hoje que sabemos mais detalhes sobre quão incompreensivelmente grande é o cosmos. E Deus é o seu Criador. Claro que Deus não pode ser contido nele. No entanto, Salomão ousou construir uma casa para Deus habitar nela — ou melhor, para o **nome** de Deus habitá-la. E ele ainda ousa pedir a Deus que preste atenção às orações feitas pelas pessoas ali e às orações que são feitas em direção àquela morada.

Por que elas orariam *em direção* a ela? Se você estivesse no pátio, defronte do edifício, oraria em direção a ele, sabendo que essa construção à sua frente é, realmente, o lugar no qual Deus habita. Mas, então, a maioria dos israelitas não vive em Jerusalém; no máximo, uma vez ao ano, se tivessem sorte, eles iam a Jerusalém e se posicionavam naquele pátio (o salmo 84 se regozija nessa experiência). Todavia, em outras épocas do ano, em qualquer mês, semana, dia e em qualquer hora, eles podiam virar-se em direção a Jerusalém e orar voltados para aquela habitação. (Novamente, podemos imaginar os muçulmanos se prostrando e orando em direção a Meca; Maomé, originariamente, orava em direção a Jerusalém.) Imagine-se, cronologicamente, à frente dos dias de Salomão, quando os israelitas estão no **exílio**, na **Babilônia**, no Egito ou em algum outro lugar, e essa oração suscita a empolgante possibilidade de você poder orar pela misericórdia de Deus, mesmo quando ele o lançou para fora do pátio, da cidade e do país. Avance mais um pouco no tempo e imagine-se vivendo em uma comunidade que jamais viveu em Jerusalém e jamais viverá ou mesmo visitará essa cidade, uma comunidade para a qual o exílio se tornou em dispersão. Apesar de poder ir a Jerusalém, você está estabelecido em (digamos) Susã e jamais fará essa viagem, mesmo sabendo, em algum sentido, que essa Jerusalém que você jamais visitou é o lar. Como Daniel, você também pode ir à janela de seu quarto e orar na direção dessa casa na qual Deus vive e ouve a oração (veja Daniel 6).

2CRÔNICAS **6:22-42**

EU SEMPRE POSSO FALAR DIRETAMENTE COM DEUS

[22] "Se alguém cometer uma ofensa contra o seu próximo e [o próximo] exigir que ele faça um juramento, e o juramento for feito diante do teu altar nesta casa, [23]que tu mesmo ouças dos céus e aja e julgue para teus servos, retribuindo à pessoa errada ao fazer cair sobre a sua cabeça o resultado de sua conduta e justificando a pessoa certa dando-lhe de acordo com a sua conduta correta. [...] [26]Quando os céus se fecharem, e não houver chuva porque [os israelitas] cometeram uma ofensa contra ti e suplicarem em direção a este lugar, e confessarem o teu nome, e se afastarem de sua ofensa por tê-los humilhado, [27]que tu ouças nos céus e perdoes as ofensas de teus servos, de Israel, o teu povo, quando os direcionares ao bom caminho no qual eles devem andar, e deres chuva sobre a tua terra, que deste ao teu povo como uma possessão. [28]Quando houver fome na terra, quando houver epidemia, ferrugem, mofo, gafanhotos ou lagartas, quando os seus inimigos os sitiarem na região de seus assentamentos (qualquer doença ou qualquer enfermidade): [29]qualquer súplica, qualquer oração por graça que qualquer pessoa faça ou que todo o teu povo, Israel, faça, que reconheça, cada pessoa, a sua doença ou a sua enfermidade e que estenda as suas mãos para esta casa, [30]que tu mesmo ouças dos céus, do lugar onde habitas, perdoes e dês à pessoa de acordo com os seus caminhos (porque conheces o seu ser interior, pois somente tu

conheces o ser interior da pessoa), [31]para que eles reverenciem a ti, andando em teus caminhos todos os dias em que viverem sobre a face da terra que deste aos nossos ancestrais.

[32]Ainda, quanto ao estrangeiro que não é de Israel, o teu povo, que vem de uma terra distante por causa de teu grandioso nome, da tua mão forte e de teu braço estendido, e venha e suplique em direção a esta casa, [33]que ouças dos céus, do lugar onde habitas, e ajas de acordo com tudo o que o estrangeiro pedir a ti, para que todos os povos da terra reconheçam o teu nome e reverenciem a ti, como Israel, o teu povo, e reconheçam que o teu nome está ligado a esta casa que construí. [...] [36]Quando cometerem uma ofensa contra ti (pois não há ser humano que não ofenda) e ficares irado com eles e os entregares diante de um inimigo, e seus captores os carregarem cativos para uma terra distante ou próxima, [37]e levarem [isso] ao seu ser interior, na terra na qual são cativos, e retornarem e orarem a ti por graça na terra de seu cativeiro, dizendo: "Pecamos e fomos rebeldes e sem fé", [38]e se voltarem para ti com todo o seu ser interior, com toda a sua alma, na terra do seu cativeiro, para o qual as pessoas os levaram cativos, e suplicarem na direção da sua terra, que deste aos seus ancestrais, da cidade que escolheste e da casa que construí para o teu nome — [39]dos céus, do lugar onde habitas, que ouças a súplica deles, as suas orações por graça, e ajas decisivamente para eles, e perdoes o teu povo que pecou contra ti.

[40]"Agora, meu Deus, que os teus olhos estejam abertos e teus ouvidos atentos ao apelo oferecido em conexão a este lugar. [41]Assim, agora, *Yahweh* Deus, sobe para a tua residência, tu e o teu poderoso baú. Que os teus sacerdotes, *Yahweh* Deus, se vistam de libertação. Que o teu comprometido povo celebre coisas boas. [42]*Yahweh* Deus, não vires o rosto aos teus ungidos. Atenta para o grande compromisso que Davi, o teu servo, teve."

Ontem foi domingo, e as passagens bíblicas lidas no culto iluminaram muitos pontos sobre a oração — sobre o fato de que as lágrimas, com frequência, acompanham a oração (Jeremias 9), que não há um censor às orações (salmo 79) e sobre a liberdade que temos de orar por outras pessoas e, especialmente, por aquelas em posição de autoridade, com base na existência de um único mediador entre nós e Deus, o próprio Jesus Cristo (1Timóteo 2). Após o primeiro de nossos dois serviços dominicais, um membro da congregação me contou uma história que lhe pedi para compartilhar quando preguei, novamente, no segundo culto. Ele havia sido recrutado para servir na Marinha dos Estados Unidos, durante a Segunda Guerra Mundial, e estava para ser enviado ao Havaí, a Pearl Harbor. Desde muito jovem, ele soube que podia ter acesso imediato e direto a Deus; que ele sempre poderia levar as suas necessidades a Deus e que sempre teve consciência de que Deus ouvia as suas orações. Contudo, pouco tempo antes de ser enviado ao Havaí, um pastor tentou convencê-lo de que ele não podia ir direto a Deus daquela maneira. Ele devia ir por intermédio dos santos. Com o tempo, ele passou pelo processo de convencimento do pastor, mas não acreditou nas palavras dele. E, durante todo o tempo em que esteve nas perigosas viagens de submarino, ele continuou falando diretamente com Deus, consciente de ter esse acesso por causa do único mediador.

Salomão não conhecia nada sobre Jesus, mas sabia que ele e outros israelitas tinham o mesmo acesso direto (pode se dizer que eles tinham esse acesso com base no fato da vinda de Jesus para ser o mediador e que essa mediação de Cristo operava tanto de forma retroativa quanto futura). Os motivos de oração não eram apenas as grandes questões nacionais; qualquer mãe com um filho doente ou qualquer fazendeiro preocupado com pragas que podiam dizimar suas colheitas podia ir e falar com ***Yahweh*** sobre esses assuntos. O fato de não poderem ir até o templo por morarem distantes não fazia nenhuma diferença. Eles ainda podiam orar *na direção* do local no qual Deus estava presente.

Ainda, não eram somente israelitas que podiam orar a *Yahweh* no templo. Estrangeiros podiam fazer isso também. Salomão até imagina pessoas peregrinando a Israel imbuídas apenas desse propósito. Alguns adoradores estrangeiros podiam ser diplomatas ou representantes de outras nações que haviam visitado Jerusalém. Há certa ironia aqui, considerando a frequência com que Salomão importou esposas estrangeiras para Jerusalém. Seria bom imaginá-las indo orar a *Yahweh* em vez de introduzir outros objetos de adoração na cidade. Não obstante, outros estrangeiros em Jerusalém podiam ser pessoas comuns como Urias, o hitita, que migrara, talvez, por causa de dificuldades em sua terra natal. Seja qual for o motivo, eles eram livres para ir e clamar a *Yahweh* sempre que necessitassem de socorro ou proteção. Israel, portanto, deveria ser receptivo aos imigrantes e encorajá-los a crer no grande significado do seu Deus. *Yahweh* não é apenas um deus menor confinado a um pequeno povo, mas um Deus grandioso a quem todas as nações devem reconhecer.

A oração de Salomão deixa claro que o pecado não anula a liberdade de orar, do mesmo modo que pertencer a um diferente grupo étnico também não. Claro que é necessário fazer algo com suas ofensas, embora o que você deva fazer seja simples, a exemplo de quando um ser humano ofende outro. É preciso parar com o erro que está sendo cometido e pedir perdão.

Deus também está preocupado quanto a conflitos dentro da comunidade. O que você faz quando alguém acredita que um vizinho o prejudicou (por exemplo, colocou fogo em sua plantação de trigo) e o vizinho negar ter feito isso? Faça o acusado jurar diante de Deus que não fez nada e orar para que o juízo divino venha sobre ele, caso esteja mentindo. Salomão pede a Deus para responder a tais orações. O vizinho acusado teria de ser muito presunçoso para orar pedindo pelo juízo divino, sabendo que estava, de fato, mentindo.

De algumas formas, as linhas finais dessa oração, conforme registrada em Crônicas, são de grande importância. Como grande parte de Crônicas, a oração é descrita quase da mesma forma que em 1Reis, mas ao final há um desvio. Nenhuma das versões pretende representar o que Salomão realmente disse, um milênio antes. Elas estão formulando a espécie de oração apropriada naquele contexto, para expressar a relevância do momento às futuras gerações de ouvintes e leitores dessa história. Em 1Reis 8, as linhas finais fazem referência a Moisés e ao êxodo; aqui, em Crônicas, elas mencionam Davi, o **baú da aliança** e os sacerdotes ungidos. Isso está de acordo com o início do livro de Crônicas, que principia com Davi e o templo em vez de com Moisés e o êxodo. A ideia dos sacerdotes vestindo-se de **libertação** recebe um pouco de luz pelo retrato do povo **comprometido** de *Yahweh* celebrando as boas coisas: isto é, a oração pede que os sacerdotes e o povo, como um todo (como pessoas comprometidas com *Yahweh*) possam desfrutar dessa experiência da bondade e da libertação de Deus e apareçam para adorar trajadas de modo adequado à celebração.

Pode haver uma espécie de significado político na diferença da oração entre Crônicas e Reis. Após a divisão de **Judá** e **Efraim**, o último ainda podia se ver como parte do povo de Moisés, parte do povo do êxodo, mas havia se desligado de Davi e do templo. A menção de Crônicas ao último em lugar do primeiro afirma a posição distinta de Judá. Seria, igualmente, relevante sob a perspectiva da moral de Judá, pois lembra os judaítas da privilegiada posição que ocupam por serem capazes de orar ao Deus que habita no templo e orar com base no compromisso feito a Davi por *Yahweh* e/ou no comprometimento com *Yahweh* demonstrado por Davi.

2CRÔNICAS **7:1-22**
"SE O MEU POVO"

[1]Quando Salomão terminou a súplica, fogo desceu dos céus e consumiu a oferta queimada e os sacrifícios, e o esplendor de *Yahweh* encheu a casa, [2]os sacerdotes não foram capazes de entrar na casa de *Yahweh* porque o esplendor de *Yahweh* enchera a casa de *Yahweh*. [3]Quando todos os israelitas viram o fogo e o esplendor de *Yahweh* descendo sobre a casa, eles caíram com o rosto em terra, sobre o pavimento. Eles se prostraram, testificando a *Yahweh*, "porque ele é bom, porque o seu compromisso dura para sempre". [4]Quando o rei e todo o povo ofereceram um sacrifício diante de *Yahweh*, [5]o rei Salomão sacrificou vinte e dois mil bois e cento e vinte mil ovelhas, e o rei e todo o povo dedicaram a casa de Deus, [6]enquanto os sacerdotes tomavam as suas posições, bem como os levitas com instrumentos para cantar a *Yahweh*, os quais o rei Salomão fizera para testificar a *Yahweh*, "porque ele é bom, porque o seu compromisso dura para sempre" [...]. [11]Assim, Salomão completou a casa de *Yahweh* e a casa do rei, e tudo o que havia vindo à mente de Salomão para fazer na casa de *Yahweh* e em sua própria casa ele teve êxito em fazer.

[12]*Yahweh* apareceu a Salomão de noite e lhe disse: "Ouvi a sua súplica e escolhi este lugar para mim mesmo como uma casa de sacrifício. [13]Se eu fechar os céus e não houver chuva, ou se ordenar que o gafanhoto consuma a terra ou envie uma epidemia contra o meu povo, [14]e o meu povo, que é chamado pelo meu nome, cair, suplicar, buscar a minha face e se afastar de seus caminhos errados, eu mesmo ouvirei dos céus e perdoarei as suas ofensas, e curarei a sua terra. [15]Meus olhos estarão,

agora, abertos e meus ouvidos atentos à súplica que for feita neste lugar. [16]Assim, agora, escolhi e consagrei esta casa para o meu nome estar ali para sempre. Meus olhos e minha mente estarão lá para sempre. [17]Você mesmo, se andar diante de mim como Davi, seu pai, andou, e agir de acordo com tudo o que lhe ordenei, e guardar as minhas leis e decretos, [18]estabelecerei o seu trono real como selei [uma aliança] com Davi, seu pai, dizendo: 'Não faltará a você alguém sentado [no trono] em Israel.' [19]Mas, se vocês [todos] se afastarem e abandonarem as minhas leis e mandamentos que estabeleci diante de vocês, e irem e servirem outros deuses e se prostrarem diante deles, [20]eu os desarraigarei de minha terra que lhes dei, e esta casa que consagrei para o meu nome lançarei fora de diante de minha face e farei disso um ditado, um lema, entre todos os povos. [21]Esta casa, que era imponente — todos os que passam por ela ficarão chocados e dirão: 'Por que *Yahweh* agiu daquela maneira contra este país e esta casa?' [22]E o povo dirá: 'Porque eles abandonaram *Yahweh*, o Deus de seus ancestrais, que os tirou do Egito, e se apegaram a outros deuses e se prostraram a eles e os serviram. Portanto, ele trouxe sobre eles toda essa aflição.'"

Ouvi dizer que os musicais de Carol e Jimmy Owens revolucionaram a música de louvor nos Estados Unidos e na Grã-Bretanha, no século XX, e me lembro do impacto sobre o nosso seminário da primeira música deles, *Come Together*, ainda que, agora, considere o *country rock* deles suave demais. O segundo musical deles tomou emprestado o título de 2Crônicas 7:14, "Se o meu povo"; esta sentença e as palavras seguintes se tornaram temas frequentes nas orações nacionais matinais nos Estados Unidos. A prática de recorrer a essa promessa de ***Yahweh*** suscita a questão se é legítimo aos Estados Unidos, à Grã-Bretanha ou a qualquer outra nação tomar posse das promessas dirigidas a Israel como "meu povo". No passado, os dois países foram encorajados à arrogância e autoindulgência de reivindicarem ser o povo especial de Deus.

Um ponto de partida na reflexão sobre essa questão seria a declaração ao fim de Isaías 19, quanto ao propósito supremo de abençoar o Egito e a **Assíria**, do mesmo modo que Israel, dizendo: "Bendito seja o Egito, meu povo, a Assíria, obra de minhas mãos, e Israel, minha herança" – em particular, a Israel, mas aplicar a bênção a outras nações está de acordo com o modo pelo qual Gênesis liga a bênção original de Deus a Abraão com o desejo divino de abençoar todas as nações. O chamado de Abraão, por Deus, visava a ser um meio de incluir outras nações, não de excluí-las. Em Isaías, a aplicação dessas três expressões nominais à Assíria e ao Egito é uma forma duplamente radical de trabalhar as implicações daquele ponto. Do mesmo modo que cita aquelas palavras que podem soar exclusivas, o texto as aplica a dois dos opressores arquétipos de Israel. Se a Assíria e o Egito podem ser chamados de povo de Deus, qualquer outro país pode ser assim chamado, mesmo os Estados Unidos e a Grã-Bretanha.

Caso os povos queiram reivindicar a promessa em 2Crônicas 7, tudo o que eles têm de fazer é cumprir as mesmas condições de Israel. Primeiro, devem se ajoelhar, adotar a mesma atitude de um escravo ou de um suplicante diante de um rei, dispostos a se humilharem e se curvarem diante do seu soberano. Então, devem "suplicar". O soberano está na posição de um juiz, e os suplicantes buscam levar o juiz a agir em favor deles. Aqui, há certa dose de ilógica, Normalmente, as pessoas pleiteiam ao juiz com base no fato de serem inocentes. Nesse contexto, as pessoas que suplicam são culpadas e estão reconhecendo esse fato. Estão em apuros por causa do erro que cometeram, não pelo mal que lhes foi feito. Eles não pedem por justiça, mas por perdão, a classe de perdão que somente um rei pode assegurar, o perdão que ignora o merecimento deles à execução pelo que fizeram.

Eles podem fazer tal apelo apenas se reconhecerem a sua transgressão e virarem as costas para ela. A palavra para "virar" é, em geral, traduzida por "arrepender". Em outras palavras, o arrependimento não é, normalmente, uma questão de sentir tristeza, mas de mudar o que se fez. Talvez a expectativa de as pessoas buscarem a face de *Yahweh* esteja vinculada a esse fato. Uma vez mais, a tradução regular para "buscar a minha face" talvez não deixe o ponto suficientemente claro. A ideia é de buscar em *Yahweh* coisas que somente ele pode dar – por exemplo, uma boa colheita ou discernimento quanto ao futuro. Quando a face de *Yahweh* sorri, essas coisas procedem da face. Deus logo observará o corolário, de que as pessoas não devem buscar a face de outros deuses. Na realidade, Salomão irá encorajá-las a fazer isso. Ele também é propenso a considerar a presunção ocidental, de que buscamos tais coisas por assumir a responsabilidade pelo nosso próprio destino. Se qualquer país que cumprir as condições estabelecidas por *Yahweh* pode ter o cumprimento da promessa de *Yahweh*, isso sugere uma agenda para que a igreja cumpra essas obrigações por si mesma e ore para que a nação esteja aberta a também agir assim.

O relato sobre as ofertas de Salomão deixa claro, uma vez mais, que não devemos considerar a história de Crônicas de modo tão literal. Calculou-se que, se os sacerdotes fizessem sacrifícios nessa escala, eles precisariam oferecer vinte animais por minuto, durante os doze dias do festival. As quantidades são um modo hiperbólico de transmitir a grandiosidade e a importância dessa ocasião festiva. A descrição do fogo de Deus descendo do céu também será uma forma simbólica de expressar esse mesmo ponto e de transmitir a realidade da aprovação de Deus do templo como um local no qual a adoração pode ser oferecida e no qual Deus estará presente.

O registro do evento traz perfeitamente à tona a realidade da grandeza e do amor de Deus. Por um lado, *Yahweh* é alguém tão dinâmico e cheio de energia que manter certa distância é um ato sábio. Do outro, "ele é bom, e seu **compromisso** dura para sempre". A bondade de Deus sugere gentileza e generosidade, e seu compromisso denota uma fidelidade que irá além do que alguém possa esperar. Deus não é somente amoroso, mas também poderoso, de modo que não podemos expressar uma falsa familiaridade. Deus não é apenas poderoso, mas também amoroso, de modo que podemos relaxar e ter confiança. Essa declaração sobre a bondade e o compromisso de Deus é recorrente em Crônicas e em Salmos. Trata-se de uma consciência básica sobre Deus que alimenta a relação de Israel com Deus.

Essa declaração sobre Deus é expressa pelas descrições concretas e pessoais do envolvimento de Deus com o povo. É como se Deus tivesse uma face que está no templo, cujo sorriso é visível e evoca uma dádiva generosa; como se Deus tivesse olhos que estão sempre abertos ao povo, ouvidos sempre atentos para ouvir. Na verdade, é como se aqueles olhos estivessem realmente presentes no templo, como se a mente dele estivesse lá, observando o que está acontecendo. De forma mais literal, Deus tem um **nome**, que é conhecido por Israel, e pronunciá-lo traz a realidade de sua presença.

2CRÔNICAS **8:1–9:31**
NUNCA HOUVE NADA ASSIM

[1]Ao término dos vinte anos durante os quais Salomão construiu a casa de *Yahweh* e a sua própria casa [2](e as cidades que Hirão deu a Salomão – Salomão as construiu e levou os israelitas

para morarem lá), [3]Salomão foi a Hamate-Zobá e a subjugou. [4]Ele construiu Tadmor, no deserto, e todas as cidades-armazéns que construiu em Hamate. [5]Construiu Bete-Horom Alta e Bete-Horom Baixa como cidades fortificadas [com] muros, portões e uma barra, [6]e Baalate e as cidades-armazéns que pertenciam a Salomão, e todas as cidades para carruagens e corcéis, todos os desejos que Salomão teve para construir em Jerusalém, no Líbano e em todos os países que governou. [7]Todo o povo que permaneceu dos hititas, dos amorreus, dos ferezeus, dos heveus e dos jebuseus (eles não eram israelitas de nascimento), [8]de seus descendentes que permaneceram depois deles no país, aos quais os israelitas não haviam eliminado — Salomão os designou como trabalho conscrito até este dia. [9]Dos israelitas, aos quais Salomão não fez servos para o seu trabalho, porque eles eram soldados, oficiais comandantes e oficiais sobre suas carruagens e corcéis, [10]estes foram os oficiais sobre os representantes do rei Salomão, duzentos e cinquenta [deles] que governavam sobre o povo. [11]Salomão levou a filha do faraó da cidade de Davi para a casa que construiu para ela, porque (ele disse): “Minha esposa não viverá na casa de Davi, rei de Israel, porque aqueles [lugares] nos quais o baú de *Yahweh* esteve são santos.”

[Os versículos 12-18 descrevem os procedimentos da adoração estabelecidos por Salomão à luz das prescrições de Moisés e de Davi e sua expedição a Ofir em busca de ouro.]

CAPÍTULO 9

[1]A rainha de Sabá ouviu um relatório sobre Salomão e foi a Jerusalém para testar Salomão com questões, acompanhada de um séquito muito grande, com camelos carregando especiarias, ouro em grande quantidade e pedras preciosas. Ela foi a Salomão e falou com ele sobre tudo o que estava em sua mente. [2]Salomão lhe falou sobre todas as coisas que ela disse. Nada era obscuro a Salomão, que ele não dissesse a ela. [...] [5]Ela disse ao rei: “É verdade o que ouvi em meu país quanto às tuas ações e

ao teu discernimento. [6]Não acreditei nas palavras deles até vir e meus olhos verem, e eis que nem a metade da extensão de teu discernimento me foi contada. Tu ultrapassas o relatório que ouvi. [7]A boa sorte de teus homens, a boa sorte de teus assistentes, que permanecem continuamente diante de ti e ouvem o teu discernimento! [8]Que *Yahweh*, o teu Deus, seja adorado, aquele que favoreceu a ti ao colocar-te em seu trono como rei para *Yahweh*, o teu Deus. Do amor de teu Deus por Israel e de estabelecê-los para sempre, ele te fez rei sobre eles para exercer autoridade da maneira correta." [...] [22]O rei Salomão excedeu todos os reis da terra em riqueza e discernimento. [23]Todos os reis da terra buscavam audiência com Salomão para ouvir o seu discernimento, o qual Deus colocou em sua mente. [24]Cada um deles trazia o seu presente, objetos de ouro e de prata, roupas, armas, cavalos e mulas, a quantidade devida a cada ano. [...] [30]Salomão reinou sobre todo o Israel, em Jerusalém, quarenta anos. [31]Salomão dormiu com seus ancestrais, e eles o enterraram na cidade de Davi, seu pai. Roboão, seu filho, tornou-se rei em seu lugar.

Logo após concluir essa tradução, dirigi de Los Angeles até o condado de Orange. O contraste sempre me impacta. Cruzar o limite do condado é semelhante a atravessar a fronteira de um país a outro. Do lado de Los Angeles, as autoestradas são estreitas e mal conservadas; as casas e edifícios comerciais são pequenos e precários. No condado de Orange, ao contrário, tudo é novo, grande e impressionante, transbordando riqueza. Essa constatação suscita sentimentos mistos em mim. Odeio isso por sua extravagância e sua cínica intensificação do abismo entre ricos e pobres. Mas também aprecio passear por *shoppings* luxuosos ou comer em restaurantes espaçosos (ou ostentar o meu sotaque britânico para obter um melhor atendimento, mesmo desgostando de mim mesmo por fazer isso).

Não vejo nenhum indício de que Salomão ou o autor de Crônicas sentissem qualquer ambiguidade similar, mas há indicações de que alguns israelitas sim. Eclesiastes usa Salomão como seu modelo para uma reflexão sobre aquela ambiguidade. Primeiro Reis é explícito sobre como Salomão age erroneamente, especialmente no campo religioso, como resultado da implementação de políticas segundo o exemplo dos reis de outras nações. Crônicas, simplesmente, se gloria nas conquistas de Israel durante o reinado de Salomão. Pode-se compreender porque os seus leitores também fariam isso em seu contexto histórico após o **exílio**. É possível dizer que a pequena **Judá** está mais para as degradadas áreas dos arredores de Los Angeles que olham para o condado vizinho de Orange em busca de inspiração ou como muitos habitantes de países do Terceiro Mundo que sentem fascínio e atração pela riqueza dos Estados Unidos ou dos países europeus. No caso do Judá pós-exílico, as pessoas podem olhar para o passado, para os dias nos quais a sua nação desfrutava do tipo de riqueza e de reputação que Israel teve durante o reinado de Salomão. Era outra forma de cumprir o compromisso divino de abençoar Abraão para que o resto do mundo orasse visando receber a mesma espécie de bênção. Constituía um modo de cumprimento do propósito divino que o rei de Israel governasse todo o mundo em nome de Deus. Como a rainha de Sabá expressou, Salomão é rei "para ***Yahweh***, o teu Deus". Portanto, trata-se de uma espécie de promessa de que o propósito de Deus para Israel será cumprido. As pessoas que vivem em dias nos quais a bênção está distante e a ideia de Israel governar o mundo é totalmente insensata, podem ser encorajadas a acreditar que isso é possível. Não são possibilidades ao alcance delas (como tentar transformar Los Angeles no condado de Orange), mas plenamente ao alcance de Deus.

Considerando isso, o fato de Crônicas omitir o lado transgressor de Salomão faz todo o sentido, a exemplo de ocultar como a vida de Davi se desenrolou. Pessoalmente, aprecio que as histórias contenham certa ambiguidade; ler sobre os erros e equívocos cometidos por uma pessoa e ver como Deus ainda permanece em ação constitui uma forma paradoxal de esperança. No entanto, reconheço ser minoria no tocante a isso. Muitas pessoas preferem que as histórias enfatizem o triunfo do bem sobre o mal e sublinhem a ligação entre fidelidade e bênção, transgressão e maldição. Pode-se dizer que gostam de imaginar a concretização final do bom e justo propósito de Deus na história. Retratar os fatos dessa maneira concorre para que essas pessoas acreditem no cumprimento final daquele propósito. Crônicas alimenta a imaginação de pessoas assim.

O livro de Crônicas incorpora algumas notas laterais que reconhecem a necessidade de a integridade moral e religiosa ser parte do retrato da bênção. As notas mostram Salomão não recrutando israelitas para o serviço real. (Ele recruta membros de povos que viviam em Canaã antes da chegada de Israel, mas como a **Torá** os concebia como expulsos da terra ou mortos por causa de suas próprias transgressões, esses cananeus deviam se sentir muito satisfeitos com sua sorte.) Elas apresentam Salomão abrigando sua esposa egípcia num local muito próximo da santidade da cidade de Davi e do templo. Relatam a rainha de Sabá reconhecendo que Salomão exerce **autoridade** de forma justa, que é uma expectativa-chave para um rei. Essa expectativa é considerada mais adiante, no salmo 72, cuja autoria é do próprio Salomão.

A versão dessa história em Crônicas seria enganosa caso a retratasse no contexto dos dias de Salomão ou no contexto em que Reis foi escrito. Pode também ser enganosa quando lida na realidade de uma próspera igreja do Ocidente; mas constitui uma mensagem para a igreja nos arredores de Los Angeles, ou no Sudão ou Haiti. Ela conta o que Deus fez e, portanto, encoraja essas igrejas a crerem no que Deus pode fazer.

2CRÔNICAS **10:1-19**
COMO GANHAR A LEALDADE DO POVO

[1]Roboão foi a Siquém, porque todo o Israel havia ido a Siquém para torná-lo rei. [2]Quando Jeroboão, filho de Nebate, ouviu isso (ele estava no Egito, para onde fugira do rei Salomão), Jeroboão voltou do Egito. [3]Eles mandaram convocá-lo, e Jeroboão e todo o Israel foram e falaram a Roboão: [4]"Teu pai fez o nosso jugo pesado. Então, agora, alivia o serviço opressivo e o jugo pesado de teu pai, que ele colocou sobre nós, e te serviremos." [5]Ele lhes disse: "Em três dias mais, retornem a mim." Assim, o povo saiu, e [6]o rei Roboão tomou conselho com os anciãos que estiveram presentes [em assistência] diante de Salomão, seu pai, quando ele estava vivo: "Como me aconselham a retornar com uma resposta para esse povo?" [7]Eles lhe declararam: "Se fores bom com esse povo, agradá-los e lhes falares palavras gentis, eles serão teus servos para sempre." [8]Mas ele abandonou o conselho que os anciãos lhe deram. Ele tomou conselho com os jovens que cresceram com ele, que estavam presentes [em assistência] diante dele. [9]Ele lhes disse: "O que vocês aconselham, para que eu possa retornar com uma mensagem a esse povo que falou comigo, dizendo: 'Alivia o jugo que o teu pai colocou sobre nós'?" [10]Os jovens que haviam crescido com ele lhe falaram: "Deves dizer isso ao povo que falou contigo [...]: 'Meu dedo mínimo é mais grosso do que a cintura de meu pai. [11]Então, agora, meu pai impôs um jugo pesado sobre vocês, mas eu acrescentarei ao seu jugo. Meu pai os disciplinou com chicotes, mas eu [farei isso] com escorpiões.'" [12]Jeroboão e todo o povo foram a Roboão no terceiro dia [...] [13]e o rei lhes respondeu asperamente. Assim,

o rei Roboão abandonou o conselho dos anciãos [...]. [15]O rei não escutou o povo, porque essa virada nos acontecimentos vinha de Deus para que *Yahweh* confirmasse a palavra que havia falado por meio de Aías, o silonita, a Jeroboão, filho de Nebate. [16]Quando todo o Israel [viu] que o rei não os havia escutado, o povo retornou [com uma resposta] ao rei: "Que partilha temos com Davi? Não temos parte com o filho de Jessé. Todos às suas tendas, Israel. Agora, cuide da sua própria casa, Davi." Então, todo o Israel se foi às suas próprias tendas, [17]mas os israelitas que viviam nas cidades de Judá — Roboão reinou sobre eles [...]. [19]Israel se rebelou contra a casa de Davi até este dia.

Ontem, uma mulher jovem me contou uma adorável história sobre como ela e o seu amado se apaixonaram um pelo outro. Todavia, o mais importante para ela (aos seus olhos) é que Deus havia realizado isso. Era da vontade de Deus. Ela não quis dizer meramente que Deus os havia instruído a se apaixonarem ou que ele tenha interferido nas circunstâncias em que eles se conheceram. Ela queria expressar que Deus os havia feito se apaixonarem. Na realidade, ela foi mais inequívoca do que isso. Simplesmente, disse que Deus tinha feito isso acontecer. Um dos motivos para ela falar nesses termos é que ambos haviam sido magoados em relacionamentos anteriores e não estavam à busca de oportunidades para se apaixonar novamente, mas Deus os tinha feito se apaixonarem. Essa era a única explicação para aquele improvável acontecimento.

A estupidez de Roboão é a versão negativa de uma ocorrência impossível. Ao ler a história, o leitor sente vontade de sacudi-lo e dizer: "VOCÊ NÃO VÊ QUE OS ANCIÃOS ESTÃO CERTOS? É TÃO ÓBVIO!" Você conhece pessoas que fizeram coisas estúpidas e se pergunta: "Como elas puderam fazer isso?" Não presumimos que Deus esteja por trás daquele ato, no mesmo sentido que em todos. Claro que, em certo sentido, Deus está por trás de tudo o que acontece: Deus fez o mundo funcionar assim. Contudo, há certas coisas que resultam de um ato divino de intervenção, a exemplo do evento no mar de Juncos, em Êxodo 14, ou na ressurreição de Jesus. Existem, contudo, outros eventos que não demandam uma intervenção divina espetacular dessa natureza, mas que desempenham um papel-chave no cumprimento do propósito de Deus para implicar um envolvimento mais específico da parte de Deus do que apenas fazer o mundo funcionar do jeito que funciona. E, então, há os eventos nos quais isso não apenas é verdadeiro, como também cumprem uma intenção anunciada por Deus à frente do tempo. Esse é o caso da estupidez de Roboão.

Crônicas omite grande parte do pano de fundo desse relato por seu compromisso de dar a descrição de Salomão com base no que já abordamos em nosso comentário de 2Crônicas 8 e 9, uma descrição centrada nas formas pelas quais Salomão pode ser visto como uma personificação do propósito de Deus para Israel. Primeiro Reis fornece esse cenário, pois a sua perspectiva sobre Salomão é diferente. Jeroboão tinha uma posição destacada em Jerusalém como membro da corte de Salomão, mas se rebelara contra o rei — presumidamente ao desafiar o seu cargo real, a exemplo do que Absalão fizera a Davi. Em certo sentido, não haveria nada a se estranhar em relação a isso; não existe um padrão estabelecido pelo qual um rei deve reinar até a sua morte, e golpes periódicos são equivalentes ao sistema adotado nos Estados Unidos e na Grã-Bretanha de substituir o governo periodicamente. Na ocasião em questão, Deus havia encorajado Jeroboão ao enviar um profeta para lhe prometer que ele se tornaria rei sobre a maioria dos clãs israelitas. A intenção de Deus era dividir a soberania de Salomão por ele ter encorajado o culto a outras divindades em Jerusalém e por seus casamentos com mulheres dos povos vizinhos visando a fins diplomáticos. Jeroboão era um **efraimita**, e Aías, o profeta de Siló, também era um efraimita no sentido mais amplo. Politicamente, pode-se imaginar que os movimentos deles estivessem relacionados à crescente tensão entre **Judá** e os demais clãs. Além disso, a referência ao tratamento opressivo dado a Efraim por parte de Salomão sugere que as dinâmicas da vida política em Israel seguiam um padrão recorrente: a capital e seus arredores vivem muito bem, mas as províncias sofrem.

A palavra de Deus não se cumpriu durante a vida de Salomão; o rei era, claro, um homem de profundo discernimento, de maneira que não surpreende o fato de ele lograr derrotar a tentativa de golpe. Desse modo, Jeroboão foi obrigado a fugir para preservar a sua vida. Outro aspecto da maneira pela qual a palavra divina se cumpre é que as ações humanas podem frustrar o propósito de Deus, mas apenas durante algum tempo. A ida de Roboão a Siquém, em Efraim, para ser reconhecido ali, encorajaria os clãs do norte a se associarem com ele, mas a resposta de Roboão às demandas deles demonstra que lhe falta a sabedoria de Salomão, seu pai, e Deus pode usar essa constatação para cumprir, enfim, aquela palavra profética. Os clãs efraimitas, a grande maioria do povo, como um todo, não quer nenhuma relação com Davi. Não há sentido em tentar negociar com o sucessor de Davi e de Salomão. "Estamos indo para casa", dizem ("tendas" é uma expressão arcaica para "lares"). Pode-se ter simpatia por eles. Os efraimitas estão se desligando da promessa de Deus feita a Davi, mas quem pode condená-los?

2CRÔNICAS 11:1-23

SOBRE FALHAR EM APRENDER A LIÇÃO

[1]Roboão chegou a Jerusalém e reuniu a casa de Judá e de Benjamim, cento e oitenta mil homens de combate escolhidos, para lutar com Israel e restaurar a soberania a Roboão, [2]mas a palavra de *Yahweh* veio a Semaías, o homem de Deus: [3]"Diga a Roboão, filho de Salomão, rei de Judá, e a todo o Israel em Judá e em Benjamim: [4]'*Yahweh* disse isto: "Não subam e lutem contra os seus parentes. Retornem às suas casas, cada um de vocês, porque essa coisa veio por meio de mim."'" Eles ouviram as palavras de *Yahweh* e voltaram da marcha contra Jeroboão.

[5]Roboão viveu em Jerusalém, mas construiu cidades como fortalezas em Judá. [6]Ele construiu Belém, Etã, Tecoa, [7]Bete-Zur, Socó, Adulão, [8]Gate, Maressa, Zife, [9]Adoraim, Láquis, Azeca, [10]Zorá, Aijalom e Hebrom, que estão em Judá, como cidades fortificadas. [11]Ele reforçou as fortalezas e colocou governantes nelas, e armazéns para comida, azeite e vinho, [12]e, em cada uma, cidade por cidade, escudos e lanças. Ele as fortaleceu grandemente. Portanto, Judá e Benjamim foram suas. [13]Os sacerdotes e os levitas em todo o Israel tomaram posição com ele, de todo o seu território, [14]porque os levitas abandonaram as suas pastagens e suas posses e foram a Judá e a Jerusalém, porque Jeroboão e seus filhos os rejeitaram para servirem como sacerdotes a *Yahweh*. [15]Ele indicou sacerdotes para si mesmo, para os lugares altos, para os bodes e bezerros que fez. [16]Seguindo a eles, de todos os clãs de Israel, as pessoas dispostas em sua mente a buscar *Yahweh*, o Deus de Israel, foram a Jerusalém para sacrificar a *Yahweh*, o Deus de seus ancestrais. [17]Eles fortaleceram o reinado de Judá e apoiaram Roboão por três anos, porque andaram no caminho de Davi e Salomão por três anos.

[18]Roboão casou-se com Maalate, filha de Jeremote, filho de Davi, e de Abiail, filha de Eliabe, filho de Jessé. [19]Ela lhe gerou filhos, Jeús, Semarias e Zaão. [20]Depois dela, ele tomou Maaca, filha de Absalão. Ela lhe gerou Abias, Atai, Ziza e Selomite.

[21]Roboão amou Maaca, filha de Absalão, mais do que a todas as suas outras esposas e esposas secundárias (porque ele teve dezoito esposas e sessenta esposas secundárias, e gerou vinte e oito filhos e sessenta filhas). [22]Como chefe, Roboão nomeou Abias, filho de Maaca, governante entre seus irmãos, para torná-lo rei. [23]Ele agiu com sabedoria e dispersou todos os seus filhos por todas as áreas de Judá e de Benjamim, por todas as cidades fortificadas, e lhes deu provisões em abundância. Ele procurou muitas esposas.

Seja como cidadão britânico, seja como residente permanente nos Estados Unidos, sou considerado um mau cidadão, no sentido de que sempre vivi de acordo com a minha renda. Fazer isso sempre foi algo natural em mim. Talvez estivesse seguindo a cartilha de meus pais, que jamais tiveram muito dinheiro e evitavam contrair dívidas. Na estranha atmosfera econômica do início do século XX, as nações precisavam entrar em dívidas e incentivar os seus cidadãos a fazer o mesmo. Contudo, afetadas pelo colapso financeiro ocorrido ao término da primeira década desse século, as pessoas se tornaram mais hesitantes no tocante a dividas. Elas aprenderam a lição de entrarem em apuros por gastarem mais do que ganhavam. É fácil não querer aprender a lição ou se esquecer do aprendizado.

Roboão se recusou a aprender a lição. Poder-se-ia imaginar que ele cairia em si pela calamitosa fragmentação da nação, que significou o quase desaparecimento do reino sobre o qual ele pessoalmente governava, além da saída da maioria dos clãs de Israel do relacionamento com a cidade e com a linhagem real, escolhidas por Deus, e a promessa associada a isso. Entretanto, não há nenhum indício de que isso o tenha levado a cair em si. Primeiro, ele planeja tentar reaver o controle sobre os clãs do norte. Parece mais uma operação suicida.

Considere o cenário: **Judá** compreende dois clãs, enquanto **Efraim** é constituído por dez. Embora Roboão possua muitas tropas, Efraim teria muito mais. (Os **números**, uma vez mais, envolvem hipérbole; os números literais seriam um décimo ou menos do que os valores citados.)

Em outras ocasiões, Judá irá vencer, a despeito das reduzidas chances, por causa, claro, da intervenção de Deus. Todavia, a palavra de ***Yahweh*** a Roboão revelou que "essa coisa veio por meio de mim". Deus está por trás da separação dos clãs do norte. Isso não torna impossível resistir ao desígnio divino; vimos, com frequência, que é possível evadir-se dos planos de Deus. No entanto, naquela ocasião, Judá realmente precisaria do apoio especial de Deus para vencer, e esse suporte era improvável. Reconhecidamente, não se pode adivinhar a ação de Deus. Algumas vezes, Deus vira os olhos, suspira e nos dá apoio, mesmo quando estamos agindo contra a vontade divina. Todavia, nem mesmo Roboão é estúpido o bastante para agir na presunção de que é assim que as coisas devem ser.

Deus também indica um segundo motivo pelo qual Roboão não deveria agir contra Jeroboão: "Não subam e lutem contra os seus parentes." Em outros contextos, o termo para "parentes" significa, mais precisamente, "irmãos". Espera-se que os israelitas considerem uns aos outros membros de uma mesma família. Irmãos não lutam entre si. Bem, claro que sim, a começar por Caim e Abel, mas há algo especialmente apavorante quanto a familiares se matando mutuamente. Desse modo, o fato de serem membros da mesma família é um motivo para Judá não atacar Efraim. Não se trata de um princípio absoluto; em eventos futuros, Deus estará envolvido quando os dois subgrupos da família lutarem entre si. Contudo, é um princípio a ser observado pela igreja, na qual pertencer a uma família raramente impediu cristãos de nacionalidades distintas de se matarem mutuamente.

Em vez de refletir sobre o que precisa ser aprendido com a ocorrência, dar um passo atrás e encarar a estupidez da ação que o levou àquela situação problemática, Roboão, simplesmente, busca lidar com as suas novas e reduzidas circunstâncias e evitar que a confusão piore. Uma forma de isso ocorrer é Jeroboão ser capaz de assumir o controle sobre os dois clãs mantidos sob o domínio de Roboão. Assim, o rei de Judá realiza uma fortificação de suas cidades para que possa sobreviver. Outro modo de a situação piorar é o Egito, seu vizinho ao sul, aumentar o interesse por Judá, como irá acontecer no próximo capítulo. Nesse episódio, ficará patente a inutilidade de todo o trabalho de fortificação empreendido por Roboão.

Enquanto isso, Jeroboão também fracassa em aprender a lição do que ocorreu ou se esquece dela. Sabemos, de 1Reis e de pistas em Crônicas, que Salomão estava em falta com Deus por facilitar formas de adoração em Jerusalém rejeitadas por Deus. Assim, o que leva Jeroboão a promover formas de culto igualmente rejeitadas por Deus? Os bezerros constituem os objetos de adoração que Israel fizera no Sinai (Êxodo 32). Jeroboão, provavelmente, não pensava neles como alternativas a *Yahweh*, e sim como representações dele, mas a distinção seria sutil demais para a percepção da maioria dos efraimitas. Os bodes podiam ser imagens adicionais para serem compreendidas como auxiliares ao culto de *Yahweh*, ou podiam indicar a adoração de bodes demoníacos.

Os únicos que aprenderam algo daquela situação foram as pessoas que acompanharam os sacerdotes e levitas e mudaram de Efraim para Judá. Crônicas considera que os próprios sacerdotes e levitas tiveram pouca opção. O estabelecimento, por parte de Jeroboão, de sua própria organização de culto, os alijou do mercado de trabalho. A mudança dos levitas a Judá pode ser parte do pano de fundo para a ênfase da **Torá** sobre mostrar hospitalidade e generosidade em relação aos levitas;

ao se mudarem para o sul, eles deixaram o lar e seu meio de subsistência regular. A situação deles era totalmente distinta de qualquer pessoa leiga que os acompanhou. Esta simplesmente sabia que não podia viver naquela nação apóstata, pelo menos não como membros plenos. Para adorar, tinha de ir a Jerusalém. Para os leitores de Crônicas, esse elemento da história enfatiza que as pessoas na província do norte ainda precisam expressar aquele compromisso. A exemplo dos levitas, a mudança de efraimitas comuns para o sul significaria abandonar suas propriedades em Efraim, o que, por seu turno, também pode ser parte da ênfase da Torá sobre a hospitalidade e generosidade quanto aos estrangeiros residentes — em outras palavras, não era apenas o estrangeiro que podia residir em Judá sem a sua própria terra e, assim, incapaz de assegurar a própria subsistência.

O acúmulo de esposas e filhos é outra maneira de Roboão se comportar como se nada tivesse acontecido e, assim, imitar a prática de reis em sociedades tradicionais; esse é um meio de ostentar a sua importância. Por outro lado, ele age com astúcia ao fazer bom uso de seus muitos filhos e por assegurar que a questão quanto ao seu sucessor fosse claramente definida durante o decurso de sua vida.

2CRÔNICAS **12:1-16**

VOCÊS ME ABANDONAM; EU ABANDONO VOCÊS

[1]Quando Roboão havia estabelecido a sua autoridade real e estava forte, ele abandonou o ensino de *Yahweh*, ele e todo o Israel com ele. [2]No quinto ano do rei Roboão, Sisaque, rei do Egito, subiu a Jerusalém, porque eles transgrediram contra *Yahweh*, [3]com mil e duzentas carruagens e uma cavalaria de sessenta mil; não havia como contar a companhia que veio com ele do Egito (líbios, suquitas e sudaneses). [4]Ele capturou as cidades fortificadas pertencentes a Judá e chegou até

Jerusalém. [5]O profeta Semaías foi a Roboão e aos oficiais de Judá, que haviam se reunido em Jerusalém por causa de Sisaque, e lhes disse: "*Yahweh* disse isto: 'Vocês mesmos me abandonaram, então eu mesmo os abandonei nas mãos de Sisaque.'" [6]Os oficiais israelitas e o rei se curvaram e disseram: "*Yahweh* está certo." [7]Quando *Yahweh* viu que eles haviam se curvado, a palavra de *Yahweh* veio a Semaías: "Eles se curvaram. Não os destruirei, mas lhes darei uma breve sobrevivência. Minha ira não se derramará sobre Jerusalém por meio de Sisaque. [8]Mas serão servos dele e reconhecerão [a diferença entre] o meu serviço e o serviço dos reinos da terra." [9]Sisaque, rei do Egito, subiu contra Jerusalém e tomou os tesouros da casa de *Yahweh* e os tesouros da casa do rei. Ele tomou tudo. Assim, tomou os escudos de ouro que Salomão havia feito, e [10]o rei Roboão fez escudos de bronze em lugar deles e os colocou a cargo dos oficiais sobre os batedores que guardavam o portão da casa do rei. [11]Cada vez que o rei ia à casa de *Yahweh*, os batedores vinham e os carregavam, e, em seguida, os levavam de volta para a câmara dos batedores.

[12]Assim, quando ele se curvou, a ira de *Yahweh* se afastou dele e não o destruiu completamente, e em Judá também houve coisas boas. [13]O rei Roboão afirmou a sua força em Jerusalém e reinou, desde que tinha quarenta e um anos, quando se tornou rei, e reinou dezessete anos em Jerusalém, a cidade que *Yahweh* escolheu para ali colocar o seu nome dentre todos os clãs de Israel. O nome de sua mãe era Naamá, a amonita. [14]Ele fez o que era errado, porque não colocou a sua mente para olhar para *Yahweh*. [15]Os atos de Roboão, iniciais e tardios, estão certamente escritos nos anais de Semaías e de Ido, o vidente, para o registro de genealogias. Houve batalhas constantes entre Roboão e Jeroboão. [16]Roboão dormiu com seus ancestrais e foi enterrado na cidade de Davi, e Abias, seu filho, reinou em seu lugar.

No último sábado, estávamos tentando descobrir como dar uma partida assistida no carro do meu amigo; ele estava estudando os manuais de seu carro e do meu, a fim de tentar fazer isso sem nos explodir (fomos bem-sucedidos na tentativa). "Por que descrevem isso como se fosse simples?", ele protestou, considerando suas instruções e diagramas de difícil compreensão. "Porque isso os faz sentir bem", repliquei. "E usam figuras porque acham, erroneamente, que uma imagem vale por mil palavras (além disso, não exige a tradução para outros idiomas). E também porque não se colocam na posição de uma pessoa que, realmente, *não* sabe fazer isso." A primeira explicação tem, na realidade, certa reflexão teológica. Alguns de nós apreciam a nossa teologia por ela reconhecer que muitas coisas sobre Deus e os seres humanos são misteriosas e muito complexas e por descobrirem que essa teologia os alimenta por ser realista. Outros apreciam a nossa teologia por ela ser clara e cristalina, preto no branco, e por descobrirem que essa classe de teologia é que os alimenta e "os faz sentir bem".

A versão da história de Israel em Reis ministra mais a pessoas do primeiro grupo; a versão em Crônicas ministra mais a pessoas do segundo grupo. Ao passo que o livro de Reis está disposto a deixar inexplicados alguns aspectos da atividade de Deus em relação a Israel, Crônicas gosta de assegurar aos seus leitores que as coisas funcionam de forma justa. O capítulo anterior nos relata que o povo de Roboão trilhou o caminho correto durante três anos. Então (o texto esclarece), eles falharam em seguir nessa trilha, e o início do presente capítulo explicita esse fato. Assim, não é por mera coincidência que Roboão, no quinto ano de seu reinado, testemunha uma calamidade adicional. Observamos que a fortificação de suas cidades, provavelmente, considerou os inimigos ao sul (Egito) do mesmo modo que os adversários ao norte **(Efraim)**.

No entanto, as fortificações não serão de grande valia caso os judaítas falhem em trilhar o caminho de ***Yahweh***.

O faraó Shoshenk I, que reinou no Egito de 945 a.C. até 924 a.C., deixou uma inscrição no templo de Karnak, no Egito, na qual ele lista cidades em **Judá**, Efraim e em outros lugares que foram dominadas por ele. Supondo que seja essa a invasão realizada pelo faraó a quem o Antigo Testamento chama de Sisaque, esse é o primeiro evento na história do Oriente Médio cuja referência tanto é encontrada no Antigo Testamento quanto fora dele, o que também nos permite atribuir datas absolutas a alguns eventos desse período citados no Antigo Testamento. A divisão entre Efraim e Judá facilitou a retomada pelo Egito do controle sobre ambas as regiões.

Assim, enquanto 1Reis 14 simplesmente justapõe um relato da infidelidade de Roboão e da invasão de Sisaque, deixando que o leitor extraia suas próprias conclusões, Crônicas explicita que a invasão acontece por causa da **transgressão** de Judá contra *Yahweh*. Falhar em olhar para *Yahweh*; a expressão que surge, mais tarde, na passagem, reafirma o ponto. Espera-se que Judá faça de *Yahweh* o seu recurso; ele é o único a quem o povo deve recorrer por suas necessidades econômicas e políticas, mas eles recorrem a outros e, portanto, falham em reconhecer o direito de *Yahweh* em ser tratado como provedor deles. "Abandonar" *Yahweh* possui implicações similares, mas usar essa palavra torna possível sublinhar a ruptura mútua de relacionamento que ocorre no tempo de Roboão. Judá abandona *Yahweh*; *Yahweh* abandona Judá.

Como de costume, *Yahweh* precisa encontrar um meio-termo entre trazer um castigo adequado sobre o povo e manter a existência de Judá, em atenção ao seu compromisso com eles e ao propósito a ser alcançado por meio deles. Fatores geográficos significam que, em mais de uma ocasião, isso funciona por meio da capacidade do invasor de subjugar a maioria das cidades judaítas, exceto Jerusalém, por sua localização elevada na cadeia montanhosa judaíta e sua posição segura em relação ao terreno que a circunda. Assim, ao que parece, Sisaque chega até Jerusalém, mas não a domina; não é isso o que ocorre nas áreas sobreviventes das cidades que ele conquistou. No caso de Jerusalém, ele se deixou comprar pela rendição de seus valores. O lado triste do evento é a perda crescente da magnificência do templo, resumido pela substituição por Roboão dos escudos cerimoniais de ouro, que foram capturados, por outros de bronze. A ira de *Yahweh* não é derramada sobre Jerusalém a ponto de a cidade ser destruída, como ocorrerá futuramente. Judá sobrevive, mas é uma "simples sobrevivência", pois estará sob o controle egípcio. Não obstante, o futuro não será de todo ruim; ainda haverá coisas boas na vida de Judá. Pode-se imaginar as pessoas ouvindo as histórias em Crônicas e apreciando o modo pelo qual elas são contadas, visando a capacitá-las a ver as analogias com sua própria posição sob o controle do Império **Persa**. Elas experimentam o preço continuamente pago por causa da infidelidade de Judá a *Yahweh*, mas isso não significa a inexistência de coisas boas na vida delas.

O abandono por parte de *Yahweh* jamais é total e nunca precisará ser permanente. Os ouvintes de Crônicas são convidados a aprender com a descrição da reação de Roboão e da liderança do país ao ouvirem as palavras de um profeta que os desafiou a prestarem atenção nas implicações do que ocorreu. Um terceiro e importante verbo é recorrente: "curvar". As traduções, em geral, trazem "humilham-se", e essa será a implicação, mas a palavra denota uma ação física. Isso indica que a auto-humilhação não deve ser apenas uma questão do que se passa (alegadamente) no coração das pessoas. Somos formados por corpo e mente, e a auto-humilhação necessita ser expressa externamente para que a personifiquemos para nós, para outras pessoas e para Deus. A ação deve vir acompanhada por palavras: "*Yahweh* está certo" ou "*Yahweh* é **fiel**". Trata-se de um princípio padrão de que pessoas culpadas devem reconhecer sua culpa. Reconhecem, em outras palavras que: "Sim, eu transgredi; sim, o castigo que cai sobre mim é merecido. Não posso reclamar." É com base nisso que a comunidade, após o **exílio**, também pode esperar por algumas "coisas boas".

2CRÔNICAS **13:1-22**
ADORANDO NO CONTEXTO DA CULTURA

[1]No décimo oitavo ano do rei Jeroboão, Abias tornou-se rei sobre Judá. [2]Ele reinou três anos em Jerusalém. O nome de sua mãe era Micaías, filha de Uriel, de Gibeá. Houve guerra entre Abias e Jeroboão, [3]e Abias comprometeu-se à guerra com uma força de guerreiros, quatrocentos mil homens escolhidos, enquanto Jeroboão se envolveu na guerra contra ele com oitocentos mil homens escolhidos, guerreiros capazes. [4]Abias pôs-se em pé no monte Zemaraim, nas montanhas de Efraim, e disse: "Ouçam-me, Jeroboão e todo o Israel. [5]Vocês realmente deveriam reconhecer que *Yahweh*, o Deus de Israel, deu para sempre o reinado sobre Israel a Davi, a ele e aos seus filhos, por uma aliança de sal. [6]Jeroboão, filho de Nebate, um servo de Salomão, filho de Davi, levantou-se e se rebelou contra o seu senhor. [7]Reuniram-se ao redor dele homens inúteis e insignificantes, e eles se opuseram a Roboão, filho de Salomão, quando Roboão ainda era jovem e verde, e ele não impôs a sua força contra eles. [8]Agora, vocês estão dizendo que irão impor a sua força contra o reinado de *Yahweh* nas mãos dos filhos de Davi. Embora vocês sejam uma grande multidão e tenham com vocês os bezerros de ouro que Jeroboão lhes fez como deuses, [9]não expulsaram os sacerdotes de *Yahweh*, os filhos de Arão e os levitas, e fizeram sacerdotes para si mesmos, como os povos de outros países — qualquer

um que vem para ser consagrado, com um touro do rebanho e sete carneiros, torna-se um sacerdote para aqueles que não são deuses? [10]Para nós, *Yahweh* é o nosso Deus. Não o abandonamos. Os sacerdotes que ministram a *Yahweh* são os descendentes de Arão, com os levitas no serviço, [11]queimando ofertas inteiras a *Yahweh* cada manhã e cada tarde, com incenso aromático e o pão da proposição sobre a mesa pura, e o candelabro de ouro e as lâmpadas queimando cada tarde, porque estamos guardando a ordem de *Yahweh*, o nosso Deus, mas vocês o abandonaram. [12]Eis que Deus está conosco, à frente [de nós], e seus sacerdotes com trombetas ressoantes para soar contra vocês. Israelitas, não lutem com *Yahweh*, o Deus de seus ancestrais, porque vocês não terão sucesso."

[13]Ora, Jeroboão havia enviado uma emboscada ao redor para vir por trás deles. Assim, [os israelitas] estavam em frente de Judá, e a emboscada [deles] estava por trás. [14]Judá se virou, e eis que para eles a batalha estava em frente e atrás. Eles clamaram a *Yahweh*, com os sacerdotes soprando as suas trombetas, [15]e os homens de Judá gritaram. Quando os homens de Judá gritaram, Deus derrubou Jeroboão e todo o Israel diante de Abias e de Judá. [16]Os israelitas fugiram diante de Judá. Deus os entregou nas mãos deles. [17]Abias e sua companhia os mataram em uma derrota severa. Ali, caíram mortos quinhentos mil de Israel, homens escolhidos. [18]Assim, os israelitas se curvaram naquela vez, mas os judaítas se mostraram fortes porque confiaram em *Yahweh*, o Deus de seus ancestrais. [19]Abias perseguiu Jeroboão e capturou algumas cidades dele, Betel e suas dependências, Jesana e suas dependências, e Efrom e suas dependências. [20]Jeroboão não ganhou poder novamente nos dias de Abias, e *Yahweh* o feriu, e ele morreu, [21]mas Abias afirmou a sua força. Ele desposou catorze esposas para si mesmo e gerou vinte e dois filhos e dezesseis filhas. [22]O resto dos atos de Abias, o que ele fez e o que disse, está escrito no comentário do profeta Ido.

Ao longo dos últimos meses, visitei inúmeras diferentes igrejas e, após essas visitas, em geral, retornei à minha igreja com um sentimento de alívio e apreciação por ela (reconheço que os visitantes de nossa igreja, igualmente, podem voltar para suas igrejas com o mesmo sentimento de alívio e apreciação por elas). Caso haja um motivo para essa reação, creio que a adoração da igreja reflete mais da cultura do que o faz do evangelho e da Escritura. Um dos sinais formais desse fato é, com frequência, a pouca quantidade de passagens bíblicas que é lida nos cultos. Por outro lado, em uma das igrejas que visitei, na qual grandes porções da Escritura eram lidas, o pastor incentivou-me a me divertir no culto e, no meio dele, me perguntou se eu estava me divertindo, o que foi uma pergunta tipicamente californiana, mas que não tem muita relação com a adoração cristã. Portanto, a leitura de grandes porções da Escritura pode não significar que o culto deixe de ser simplesmente uma reprodução do que as pessoas pensam e fazem fora da igreja. O que as pessoas pensam e fazem não é transformado pelo evangelho.

Pode-se dizer que o problema perene da adoração israelita é que ela meramente segue a cultura. Como Abias expressa, os **efraimitas** têm seguido o comportamento de outros povos. Em Efraim, qualquer um pode ser levado a participar da liderança da adoração, voluntariar-se e se tornar um sacerdote. Jeroboão confeccionou bezerros de ouro para auxiliar a adoração das pessoas. Todavia, isso ignora o fato de que Deus é aquele que decide o que conta como adoração apropriada. A tensão aqui reside na escolha de Deus pela linhagem de Arão. O ministério não é realizado com base em quem se sente vocacionado, ou que gostaria de trabalhar nesse ministério ou pensa que tem os dons necessários. Ele é fundamentado nas iniciativas de Deus.

O ponto é expresso em uma espécie de sermão, pregado por Abias ao inimigo, antes da batalha. Pode parecer um contexto implausível para um sermão; é prática comum no registro histórico tradicional o autor colocar nos lábios da pessoa a lição que precisa ser extraída do evento retratado ou o significado vinculado a ele. Portanto, o material que aparece na forma de um sermão está lá para auxiliar o ouvinte ou leitor da história a compreender as questões envolvidas. Os leitores/ouvintes são pessoas que vivem sob a contínua realidade de relações tensas entre Jeúde e Samaria, os equivalentes posteriores de **Judá** e Efraim. O sermão enfatiza quais são as questões em jogo. As pessoas em Efraim/Samaria precisam assumir a responsabilidade por terem se desviado da linhagem de Davi, a quem Deus escolheu para reinar sobre Israel. Talvez a ideia por trás da expressão "**aliança** de sal" é que o sal preserva e, portanto, sugere permanência; mas essa é apenas uma conjectura.

Roboão havia sido instruído a não ir e lutar contra outros membros da família de Israel; mas seu filho faz isso. O local da batalha, em Efraim, sugere que Abias tomou a iniciativa da batalha, pois levou o conflito ao território efraimita. Não há indícios de que ele tenha iniciado essa ação por instrução divina, mas Deus é envolvido ao lhe garantir a vitória sobre os outros membros de sua família e a morte de quinhentos mil deles. Não há dúvidas de que, como de costume, os **números** são hiperbólicos, mas pode-se retirar alguns zeros e, ainda assim, considerá-los perturbadores. Igualmente, como sempre, as duas histórias ilustram como as ações de Deus podem manifestar alguma inconsistência. É errado Jeroboão ser atacado por ser membro da família de Abias; é certo Jeroboão ser atacado porque Deus precisa puni-lo por sua transgressão. Embora os princípios sobre os quais Deus age sejam consistentes, a aplicação deles pode variar. Esse é um dos motivos pelos quais não se pode generalizar como Deus irá agir com base em sua ação em um episódio específico. Parte da genialidade de uma história é que ela descreve algo que Deus fez, mas não estabelece que seja algo que Deus sempre fará.

A batalha em si ilustra o princípio de que o resultado de um evento não é decidido pelos números ou por inteligência e planejamento. O foco de Abias em proferir o seu sermão permite ao astuto Jeroboão tempo para implementar um estratagema que possibilitará atacar o exército de Abias, já em menor número, pela frente e por trás. Mas os judaítas estão em posição de usar a clássica ação do Antigo Testamento de clamar a ***Yahweh***, a exemplo do que fizeram os israelitas no Egito. Os seus sacerdotes, prontos para soar as suas trombetas, do mesmo modo que os sacerdotes em Jericó, enquanto o restante do exército pode gritar a plenos pulmões. Sem dúvida, essas ações produzem um efeito psicológico, como o grito de guerra da equipe de rúgbi da Nova Zelândia antes da partida, mas funcionam apenas porque proclamam a chegada e o envolvimento de outro Rei, além de Jeroboão ou Abias; a ação desse Rei Guerreiro é que define que a batalha tenha um resultado distinto daquele gerado por considerações lógicas. A diferença reside no fato de Judá confiar em Deus, mas essa confiança ou fé não é algo que faz diferença independentemente do fato de Deus ser confiável e, portanto, digno de fé. Deus é quem traz a vitória, não a fé.

Crônicas possui uma forma organizada de manter juntas tanto suas histórias individuais quanto sua narrativa contínua por sua maneira de usar palavras distintas. Novamente, a história fala sobre "abandonar" Deus e, portanto, de descobrir-se abandonado. Uma vez mais, discorre sobre "curvar"; os judaítas curvaram-se diante de *Yahweh* com resultados positivos quando Sisaque os invadiu, e agora os efraimitas se curvam em derrota, sem nenhum resultado positivo. Outrora, Roboão era muito jovem para mostrar a sua força; agora, Efraim mostra-se forte, mas é superado porque Judá, em geral, e Abias, em particular, mostram-se fortes.

2CRÔNICAS **14:1-15**
DESCANSAMOS EM TI

[1]Abias dormiu com seus ancestrais, e eles o sepultaram na cidade de Davi, e Asa, seu filho, tornou-se rei em seu lugar. Em sua época, o país ficou quieto por dez anos. [2]Asa fez o que era bom e correto aos olhos de *Yahweh*, o seu Deus. [3]Livrou-se dos altares estrangeiros e dos lugares altos, quebrou as colunas e cortou as aserás. [4]Ele disse a Judá que deviam olhar para *Yahweh*, o Deus de seus ancestrais, e implementar o ensino e o mandamento. [5]De todas as cidades em Judá, ele se livrou dos lugares altos e dos altares de incenso. O reino ficou quieto com ele, e [6]construiu as cidades fortificadas em Judá porque o país estava quieto e não havia guerra feita contra ele durante aqueles anos, porque *Yahweh* lhe deu descanso. [7]Ele disse a Judá: "Construiremos essas cidades e as cercaremos com um muro e torres, portões e barras, enquanto o país está conosco, porque temos olhado para *Yahweh*, o nosso Deus. Temos olhado para [ele], e ele nos tem dado descanso de todos os lados." Assim, eles construíram com sucesso.

[8]Asa tinha uma força de trezentos mil homens de Judá, carregando escudo e lança, e de Benjamim, duzentos e oitenta mil homens, carregando o escudo pequeno e puxando o arco. Todos estes eram guerreiros capazes. [9]Zerá, o sudanês, saiu contra eles com uma força de um milhão de soldados e trezentas carruagens e chegou até Maressa. [10]Asa saiu ao encontro dele e envolveu-se na batalha no vale de Zefatá, próximo a Maressa. [11]Asa clamou a *Yahweh*, o seu Deus: "*Yahweh*, não há ninguém comparável a ti para ajudar [em um conflito] entre os

numerosos e os impotentes. Ajuda-nos, *Yahweh*, nosso Deus, porque descansamos em ti, e em teu nome viemos contra esta horda. Tu és *Yahweh*, o nosso Deus. Um mortal não deve prevalecer sobre ti." [12]*Yahweh* derrotou os sudaneses diante de Asa e de Judá, e os sudaneses fugiram. [13]Asa e a companhia com ele os perseguiram até Gerar. Muitos dos sudaneses caíram, e não houve recuperação para eles, porque foram destruídos diante de *Yahweh* e o seu exército. Eles tomaram muito espólio. [14]Destruíram todas as cidades ao redor de Gerar, pois o assombro por *Yahweh* estava sobre elas. Eles saquearam todas as cidades porque havia muitos despojos nelas. [15]Também derrubaram as tendas dos [homens] do gado e capturaram ovelhas em grande quantidade e camelos e, então, retornaram a Jerusalém.

Lembro-me, vividamente, quando ainda era um adolescente, de ter assistido a uma série de *slides* (não me perguntem o que eram *slides*, caros jovens, mas suponho que possam ser descritos como o avô do moderno PowerPoint), que contava a história de cinco jovens norte-americanos que tinham viajado ao Equador, dois ou três anos antes, para levar a mensagem de Cristo a um povo chamado Huaorani, conhecido pela violência entre os seus clãs e contra forasteiros. Antes de deixar o seu acampamento para fazer contato com os huaoranis, os cinco jovens cantaram um hino que começa com as palavras de Asa: "Descansamos em ti, nosso escudo e nosso defensor. [...] Descansamos em ti e em teu **nome** vamos." Eles, então, foram mortos pelo povo que esperavam alcançar. Em minha cabeça, ainda consigo ouvir a trilha sonora que acompanhou a exposição, que incluía esse mesmo hino e o poema sinfônico de Sibelius, *Finlandia*, cujo próprio poder reflete a sua origem como parte da afirmação da identidade da Finlândia e da determinação em relação ao pré-revolucionário Império

Russo. Quando vimos os *slides*, não creio que a história já havia chegado a uma conclusão, com alguns dos assassinos daqueles jovens aceitando a Cristo. Isso só foi contado em um filme mais recente, intitulado *End of the Spear* [O fim da lança].

Quando saímos para a ação, a exemplo de Asa ou dos cinco missionários, não sabemos como a história terminará para nós ou como a história na qual estamos envolvidos desempenhará o seu papel no enredo da história maior de Deus. A história judaico/cristã está recheada de relatos que terminam com martírios, não necessariamente seguidos pela conversão dos assassinos desses mártires. Portanto, narrativas similares a essas de Asa cumprem a importante função de reafirmar que elas refletem melhor a verdade sobre o modo pelo qual o universo, em última análise, funciona.

Há uma tensão relacionada à história. Não muito tempo depois de Crônicas ter sido escrito, Neemias reconstruiu as muralhas de Jerusalém, ainda que o profeta Zacarias tivesse declarado que Jerusalém não precisava de muros porque Deus protegeria a cidade. Aqui, de modo similar, Crônicas fala sobre Deus dar descanso ao povo, um período sem guerras, embora também relate que Asa aproveitou esse tempo de paz para fortificar as cidades **judaítas** e, assim, melhor protegê-las em caso de uma invasão. Houve realismo nessa decisão. Há um tempo de lutar e um tempo de se viver em paz (Eclesiastes 3) — tempos nos quais os conflitos ocorrem e tempos nos quais eles cessam —, e não temos nenhum controle sobre eles. Asa desfruta de um tempo de paz como uma dádiva de Deus, mas não se ilude quanto a um futuro sem guerras. Sua presunção é justificada pela invasão que vem a seguir. Uma vez mais, pode-se dizer que a capacidade de ***Yahweh*** de fazer cair assombro sobre os inimigos implicaria a conclusão lógica de que não havia necessidade de Judá manter um exército de prontidão. (Se os **números** quanto ao exército judaíta devam ser considerados de modo literal, então eles são referências ao total da população masculina; trata-se de um "exército de cidadãos", não de um contingente militar profissional.) No entanto, o texto de Crônicas não faz essa inferência. A confiança em Deus não é incompatível com o uso útil dos recursos, embora a busca por assegurar os recursos possa fazer a pessoa deixar de confiar em Deus. Em relação a isso, o salmo 127 estabelece um ponto-chave: "Se não é o Senhor que vigia a cidade, será inútil a sentinela montar guarda" (v. 1). Mas isso não quer dizer que a sentinela deve deixar o seu posto.

Em conjunto com a sua afirmação de confiança na proteção e no apoio de *Yahweh*, há o próprio compromisso de Asa em andar no caminho de *Yahweh*. Tanto Reis quanto o livro de Crônicas possuem formas padrão de expressar o que isso envolvia. Os livros, às vezes, expressam isso de formas distintas, pois eles visam a públicos distintos. Assim, o texto de Crônicas diz que Asa aboliu os **lugares altos** (Reis não) porque, em sua forma de contar a história, esse ato indica fidelidade a *Yahweh*; os lugares altos estavam associados com a religião tradicional da região ("religião cananeia") e, desse modo, a abolição deles significa tornar mais difícil para Israel buscar a bênção e o socorro de deuses estrangeiros. Isso está relacionado com se livrar de "**altares** estrangeiros", locais de sacrifícios e, portanto, de orações associadas com povos estrangeiros e sua respectiva religião. Como os postes-ídolos sugerindo a presença de uma divindade, as colunas sagradas e **aserás** teriam a mesma associação. Destruí-las significaria levar Judá a olhar somente para *Yahweh* no tocante às suas necessidades.

Crônicas considera que havia uma ligação entre o compromisso de Asa com *Yahweh* e o fato de ele desfrutar de um período de paz, embora esse vínculo não seja explícito.

Por outro lado, o livro simplesmente reporta o ataque perpetrado por Zerá sem sugerir que ele veio como um ato de punição da parte de Deus. Embora Crônicas claramente expresse que há uma relação entre fidelidade e bênção, entre infidelidade e problemas, ele mesmo reconhece que esse vínculo não é absoluto. Há problemas pelos quais Asa não pode ser acusado; eles, então, se tornam testes para a confiança do povo em *Yahweh* e fornecem uma oportunidade para a própria fidelidade e o poder de *Yahweh* serem provados.

2CRÔNICAS **15:1-19**
TOMANDO A INICIATIVA NA ALIANÇA

[1]Azarias, filho de Odede — o espírito de Deus veio sobre ele, [2]e ele saiu diante de Asa e lhe disse: "Ouçam-me, Asa e todo o povo de Judá e de Benjamim. *Yahweh* está com vocês quando vocês estão com ele. Se olharem para ele, ele estará disponível a vocês, mas, se o abandonarem, ele os abandonará. [3]Por um longo período, Israel não teve o verdadeiro Deus, nenhum sacerdote de ensino e nenhum ensino, [4]mas voltaram-se para *Yahweh*, o Deus de Israel, em sua angústia, e olharam para ele, e ele se fez disponível a eles. [5]Naqueles tempos, não havia paz para a pessoa que saía e que entrava [isto é, para o viajante], porque havia muito tumulto entre todos os habitantes dos países. [6]Nações eram esmagadas umas pelas outras, cidades umas pelas outras, porque Deus as estava perseguindo com toda espécie de aflições. [7]Mas, vocês, sejam fortes. Não deixem cair as suas mãos, porque haverá recompensa para o seu trabalho." [8]Quando Asa ouviu essas palavras, a profecia de Odede, o profeta, ele afirmou a sua força e removeu as abominações de toda a terra de Judá e de Benjamim, bem como das cidades que capturou das montanhas de Efraim. Ele restaurou o altar de *Yahweh* que estava em frente do pórtico de *Yahweh*. [9]Reuniu todo o Judá e Benjamim e as pessoas que estavam residindo como estrangeiras com eles de Efraim, de Manassés e de

Simeão, porque israelitas em grande número tinham vindo a ele quando viram que *Yahweh*, o seu Deus, estava com ele. [10]Eles se reuniram em Jerusalém no terceiro mês do décimo quinto ano do reinado de Asa. [11]Sacrificaram a *Yahweh*, naquele dia, da pilhagem que haviam trazido, setecentos bois e sete mil ovelhas [12]e entraram em uma aliança para olhar para *Yahweh*, o Deus de seus ancestrais, com toda a sua mente e com toda a sua alma. [13]Qualquer um que não olhasse para *Yahweh*, o Deus de Israel, seria morto, fosse pequeno, fosse grande, homem ou mulher. [14]Fizeram um juramento a *Yahweh* em alta voz, com um grito, com trombetas e com buzinas. [15]Todo o Judá celebrou o juramento porque eles o fizeram com toda a sua mente e olharam para ele com toda a sua vontade, e ele se fez disponível a eles. *Yahweh* lhes deu descanso de todos os lados.

[16]Ele também removeu Maaca, mãe do rei Asa, como rainha-mãe, porque ela tinha feito uma monstruosidade para Aserá. Asa cortou a sua monstruosidade, tornou-a em pó e a queimou no ribeiro do Cedrom. [17]Embora não tivessem removido os lugares altos de Israel, o espírito de Asa foi sincero durante toda a sua vida. [18]Ele levou à casa de Deus todas as coisas consagradas por seu pai e por ele — prata, ouro e acessórios. [19]Não aconteceram mais guerras até o trigésimo quinto ano do reinado de Asa.

Estou lendo um romance que conta a história de um casamento sob a perspectiva do marido, após a morte de sua esposa. Ele relata em capítulos alternados como o casal se conheceu e o relacionamento deles se desenvolveu, e como a esposa, mais tarde, sofreu e morreu vítima de um câncer. É preciso entender que a história é contada de maneira entrelaçada; caso contrário, o romance pode parecer confuso. Ao entremear o relato dos primeiros anos do relacionamento com a narrativa dos derradeiros e angustiantes anos, o autor fornece um alívio constante da tristeza da enfermidade e da morte. Todavia, considerando mais profundamente, esse artifício significa que o leitor jamais olha para a parte inicial da história fora do contexto da última parte, e vice-versa.

Igualmente, a Bíblia nem sempre conta as suas histórias em ordem cronológica. Às vezes, um autor combina diferentes versões de uma mesma história ou utiliza uma versão existente e também concebe uma nova para inserir ao lado dela. Como no caso do romance que estou lendo, o significado das histórias bíblicas pode, algumas vezes, emergir melhor se forem contadas em uma ordem que não a cronológica. A história de Asa pode ser um exemplo, pois o capítulo 15, uma vez mais, fala sobre a reforma dos santuários em **Judá**, realizada por Asa, já relatada no capítulo anterior. Não somos informados de que a corrupção cresceu desde aquela reforma; talvez a profecia de Azarias forneça o cenário para a mesma reforma.

Crônicas aprecia contar histórias sobre a intervenção do espírito de Deus na vida de seu povo. Os relatos apontam para uma outra realidade que a congregação da época do autor conheceria (Ageu e Zacarias cumpriram o seu ministério no início do período do **Segundo Templo**) e/ou é convidada a olhar. Do povo de Deus espera-se que dê ouvidos ao equivalente da Escritura (a **Torá**) e que também ouça a voz daquele que transmite a palavra divina da forma mais imediata e alinhada com a Escritura — caso contrário, dificilmente pode ser uma profecia genuína.

Azarias fala em termos que se encaixam na própria linguagem de Crônicas. O profeta fala de "olhar para ***Yahweh***" como o único que fornece proteção, e ainda lança mão do uso duplo do verbo "abandonar" por parte de Crônicas. Esses paralelos sugerem que Crônicas está formulando o conteúdo da profecia atribuída a Azarias. O profeta, contudo, possui a sua própria voz. O seu relato do passado revê a situação entre os dias de Josué e de Saul e, portanto, traça um paralelo com a descrição do livro de Juízes. Naquela época, Israel, com frequência, abandonou Deus e o ensino que remontava ao êxodo e a Moisés, e, por sua vez, Deus abandonou Israel e lhe permitiu viver sem ele. Azarias descreve o caos social que caracterizou aqueles dias. Era muito perigoso viajar. As cidades e as nações estavam em constante conflito entre si. Então, após um período, o povo voltou-se para Deus, e ele os restaurou. Uma expressão recorrente nessa história é a ideia de que Deus se faz "disponível" ao povo. O verbo, em geral, significa "descobrir"; assim, a ideia é que Deus se deixa descobrir pelas pessoas. Então, quando nos afastamos de Deus e olhamos em outras direções, visando atender as nossas necessidades, Deus fica propenso a se esconder de nós. Contudo, quando o buscamos em nossa angústia, Deus não resiste à tentação de se deixar descobrir por nós. Deus, portanto, não se esconde. Se os leitores de Crônicas pudessem enxergar a si mesmos experimentando uma aflição análoga, eles seriam convidados a buscar Deus.

O desafio de Israel é aprender a lição com base no padrão recorrente ao longo daqueles anos. O desafio de Asa é levar Israel a fazer isso. Eis como a profecia de Azarias pode ser a história subjacente às reformas de Asa, descritas pelo capítulo 14. O relato sobre as reformas, no capítulo seguinte, acrescenta que Asa capturou algumas cidades de **Efraim** – elas seriam cidades fronteiriças. Talvez sejam as cidades às quais 2Crônicas 13 se referiu. A captura delas ocorreu um pouco antes do reinado de Asa, mas Asa pode ter se envolvido no conflito descrito pelo capítulo, ou pode ser que elas tenham sido perdidas e recuperadas durante o reinado do próprio Asa.

Para os leitores de Crônicas, haveria uma relevância particular quanto ao relato de um líder judaíta exercendo autoridade religiosa sobre uma área que costumava ser efraimita e que correspondia à região da província persa de Samaria nos dias dos leitores. Isso descortina diante deles uma visão do que eles ainda poderiam esperar no futuro. A menção às pessoas do norte indo a Jerusalém, junto aos judaítas e benjamitas, é o outro lado do mesmo ponto. Esse relato convida a comunidade a ter uma visão quanto a inúmeros samaritanos vindo a reconhecer *Yahweh*, de acordo com a correta fé israelita. Embora seja necessário que os leitores tenham consciência de que Efraim/Samaria precisa passar por uma reforma religiosa, pois a sua adoração a *Yahweh* foi corrompida pela influência da religião tradicional ("cananeia") ou **assíria**, eles não devem ceder a uma atitude de rejeição ou hostilidade em relação aos samaritanos de sua época. Caso os samaritanos expressem desejo de unir-se à adoração a *Yahweh*, este se alegrará em recebê-los, e a comunidade judaíta também deve agir assim.

As pessoas expressam o seu compromisso por meio de uma **aliança**. Crônicas traz muitas narrativas sobre alianças, mas essa é a primeira na qual Israel toma a iniciativa no estabelecimento de uma. A aliança é feita entre as pessoas, umas com as outras, a exemplo da aliança em 1Crônicas 11, mas também é uma aliança de compromisso pela fidelidade a *Yahweh*. Estritamente, devemos considerá-la como uma reafirmação da relação de aliança regular entre Israel e Deus. A implicação aqui é que, caso Israel coloque em risco o seu compromisso com aquela aliança, a relação de aliança também estará em perigo. Israel precisa renovar o compromisso para que a relação de aliança permaneça firme. A declaração de que pessoas desleais a *Yahweh* devem ser mortas não é uma afirmação legal — pelo menos, não é a forma pela qual o Antigo Testamento trata esse tema. Israel não executa pessoas que falham em buscar o Deus de Israel (caso fosse verdade, não restaria quase ninguém!). Antes, essa declaração é uma afirmação sobre a seriedade das questões que são suscitadas quando pessoas recorrem a recursos outros que não *Yahweh*.

O parágrafo de encerramento sugere a profundidade dos problemas decorrentes da infidelidade judaíta a *Yahweh*. A própria mãe de Asa está envolvida, ao se aproveitar de sua posição influente como a rainha-mãe (em geral, uma posição muito importante em uma corte do Oriente Médio) para introduzir formas de adoração que são abomináveis a qualquer um comprometido com a fé israelita apropriada. O pai de Asa morreu após reinar apenas três anos e, assim, provavelmente, em sua juventude. Por seu turno, isso sugere que Asa era ainda muito jovem quando ascendeu ao trono, o que abriria a possibilidade de sua mãe permanecer no poder sobre a nação até Asa afirmar-se como rei.

2CRÔNICAS **16:1-14**

OS OLHOS DE DEUS ESTÃO PERCORRENDO A TERRA

[1]No trigésimo sexto ano do reinado de Asa, Baasa, rei de Israel, subiu contra Judá e construiu Ramá para não permitir que alguém, pertencente ao rei Asa, de Judá, saísse ou entrasse. [2]Asa trouxe a prata e o ouro dos tesouros da casa de *Yahweh* e da casa do rei, e enviou a Ben-Hadade, o rei de Aram, que vivia em Damasco, dizendo: [3]"[Que haja] uma aliança entre mim e ti, como houve entre meu pai e o teu pai. Agora, estou te enviando prata e ouro; vá e cancela a tua aliança com Baasa, rei de Israel, para que ele se retire de mim." [4]Ben-Hadade ouviu ao rei Asa e enviou os oficiais do exército que tinha contra as cidades de Israel. Ele derrotou Ijom, Dã, Abel-Maim e todas as cidades-armazéns em Naftali. [5]Quando Baasa ouviu, ele deixou a construção de Ramá e parou o trabalho nela. [6]O rei Asa, por seu turno, reuniu todo o Judá, e eles carregaram as pedras de Ramá e as toras, com as quais Baasa havia construído, e com

elas construíram Geba e Mispá. [7]Mas, naquela época, Hanani, o vidente, foi a Asa, o rei de Judá, e lhe disse: "Por você confiar no rei de Aram e não confiar em *Yahweh*, o seu Deus, por causa disso o exército do rei de Aram escapou de suas mãos. [8]Por acaso, não eram os udaneses e os líbios um exército poderoso, com carruagens e corcéis em número muito grande, e, quando você confiou em *Yahweh*, ele não os entregou em suas mãos? [9]Pois os olhos de *Yahweh* percorrem toda a terra, para afirmar a sua força em nome daqueles cujo espírito é sincero em relação a *Yahweh*. Você tem sido estúpido em relação a isso. Pois, de agora em diante, haverá guerras para você." [10]Asa ficou indignado com o vidente e o colocou no tronco porque ficou furioso com ele por essa causa, e Asa oprimiu algumas das pessoas naquela ocasião.

[11]Eis que os atos de Asa, iniciais ou tardios, estão escritos nos anais dos reis de Judá e de Israel. [12]No trigésimo nono ano de seu reinado, Asa teve uma doença em seus pés, até que a doença ficou muito séria e, além disso, em sua doença ele não consultou *Yahweh*, mas os médicos. [13]Asa dormiu com seus ancestrais. Ele morreu no quadragésimo primeiro ano de seu reinado, [14]e eles o sepultaram na tumba que ele havia cortado para si mesmo, na cidade de Davi. Eles o colocaram em seu lugar de descanso, o qual estava cheio com especiarias e perfumes feitos por meio de trabalho de mistura, e lhe fizeram um fogo muito grande.

Alguns anos atrás, também sofri com uma enfermidade em meus pés e fui consultar o meu médico. Tratava-se de uma simples dor em meu dedão, mas ele me disse que eu estava com gota, o que foi um pouco preocupante, pois pensei que a gota era uma doença associada com álcool em excesso. Então, para piorar, descobri que isso também é tradicionalmente relacionado com indulgência sexual. Mas o médico assegurou que eu não precisava me preocupar com o meu estilo de vida, prescrevendo-me algumas pílulas que logo solucionaram o problema. Quando a enfermidade voltou a dar sinais, meses depois, tomei as pílulas e, uma vez mais, os sintomas desapareceram. Eu não orei a respeito; nem questionei se havia alguma mensagem por trás da enfermidade, como, por exemplo, se tinha dado um passo errado em relação a Deus ou trilhara o caminho inadequado (talvez em relação a vinho ou sexo).

À luz da história de Asa, na próxima vez pretendo fazer isso. A Escritura, em princípio, não é hostil aos médicos, embora, ocasionalmente, expresse certo desconforto quanto a eles; com facilidade espantosa, podem custar rios de dinheiro sem que sejam capazes de fazer muita coisa por você. Nada tem mudado, então, ao longo de dois ou três milênios. A questão levantada pelo recurso aos médicos é se achamos que podemos ignorar Deus e assumirmos o controle de nossa vida, independentemente dele, além de fechar os olhos às questões religiosas que uma enfermidade pode suscitar. Tanto o Antigo quanto o Novo Testamentos deixam claro que as doenças, às vezes, abrigam questões dessa natureza. Os cristãos de Corinto experimentaram fraqueza, doença e morte, as quais eram sinais do julgamento de Deus sobre a congregação por causa da atitude deles em relação ao corpo de Cristo. Mas eles não pensaram em questionar o significado disso (veja 1Coríntios 11:29-31). Segundo Crônicas relata inúmeras maneiras pelas quais Asa agiu erroneamente nos derradeiros anos de seu longo reinado e, então, justapõe o comentário sobre a sua enfermidade nos pés (não há meios disponíveis para descobrir qual seria essa doença). Novamente, isso abre a questão sobre haver uma ligação direta entre os passos errados de Asa e a aflição surgida em seus pés; não há certeza, mas, pelo menos, a dúvida prevalece. O próprio Asa, porém, falha em fazê-lo. Ele, simplesmente, consulta um médico.

O problema é a versão individual da questão sobre política que Crônicas também suscita em relação a história de Asa. Esse aspecto político da questão vem à tona novamente aqui. Crônicas não nos diz o que Baasa estava objetivando ao isolar **Judá**, embora esse movimento seja, obviamente, parte do conflito contínuo entre os dois reinos. A história não sugere que a confrontação de Baasa seja resultado da transgressão de Asa, de modo que parece ser uma espécie de teste. Como Asa irá reagir? Nesse conflito político, a sua reação também é a de ignorar Deus e, independentemente dele, tentar controlar o destino do seu povo. Ele toma para si a responsabilidade pelo destino político dos judaítas, como rei deles. Sua ação traça um paralelo com a ação de Acaz, criticada por Isaías pelo mesmo motivo (veja Isaías 7).

Sua ação particular levanta questões. Para comprar apoio político, Asa lança mão não apenas dos recursos de seu próprio palácio, mas dos recursos do templo, que seriam ofertas dedicadas a Deus. Embora a palavra para **aliança** seja também um termo regular para expressar um tratado político, há algo sugestivo quanto ao uso dessa palavra apenas no capítulo anterior, em conexão com a relação da nação com Deus e, especialmente, em conexão com o seu compromisso de olhar para Deus. Agora, Asa está olhando para outros lugares por causa de suas necessidades políticas, do mesmo modo que fez com respeito à sua necessidade física pessoal (o verbo "olhar" também aparece no capítulo 15 nessa conexão), e está se apropriando de bens que pertencem a Deus. Além disso, a ação de Asa envolve subornar Ben-Hadade, rei de Aram, para que ele anule a aliança com **Efraim**.

As ironias são muitas. O povo de Israel como um todo (Judá e Efraim) supostamente constitui o povo da aliança do único Deus, mas um deles está em uma relação de aliança com a Síria, enquanto o outro rei israelita quer se apossar dessa posição nesse tratado. Para esse fim, o rei judaíta oferece suborno ao rei sírio para que este abandone o compromisso de aliança que solenemente selou com o rei de Efraim. Portanto, um rei israelita leva o rei sírio a atacar o outro rei israelita sem que este o provoque e, simplesmente, devaste algumas cidades israelitas. Como tática, a ação funciona. Baasa estava concentrado em seus territórios ao sul, fronteiriços a Judá. Ele, agora, é obrigado a mudar o foco para as suas regiões localizadas a nordeste, que fazem fronteira com a Síria, e, assim, retirar-se de sua ação no sul. Na verdade, isso possibilita que Asa lance ataques à fortificação efraimita em Ramá, situada ao norte de Jerusalém, e possa reciclar a matéria-prima usada por Baasa na construção de suas próprias fortificações do lado judaíta da fronteira entre Efraim e Judá.

Então, Hanani, o vidente, surge do nada. Em geral, "videntes" são pessoas presentes na folha de pagamento do rei, mas, se Hanani era um desses, ele aprendeu (como Natã e Gade) a manter certo grau de independência do rei. Uma razão-chave para a existência de profetas e de videntes (não podemos distingui-los com clareza) é dizer coisas que contrariem o que as pessoas estão pensando ou poderiam naturalmente pensar. Azarias já fizera isso com Asa, e, agora, Hanani. Asa deu ouvidos a Azarias, mas não a Hanani, talvez porque a profecia de Azarias lhe conviesse; em certas ocasiões, a reforma religiosa caminha muito bem ao lado das aspirações políticas do rei. Todavia, a resistência de Asa às palavras de Hanani está em sintonia com a forma pela qual o velho Asa dá as costas para o compromisso assumido pelo jovem Asa. Ele não é o único rei do qual isso é verdade. Embora as pessoas, às vezes, possam se tornar mais comprometidas com Deus à medida que envelhecem, outras vezes podem se apegar à posição de liderança e ao poder e prestígio que ela traz e serem levadas a atitudes e estilos de vida que traem o que elas, outrora, eram.

Hanani possui uma excelente sentença para descrever a consciência de Deus quanto ao que está acontecendo na vida das pessoas: os olhos de Deus percorrem, ou vão de um lado ao outro, por toda a terra. Essa expressão veio dos lábios de um profeta não muito tempo antes de o livro de Crônicas ser escrito (veja Zacarias 4:10). Podemos considerar isso como uma ameaça a Asa ("Cada movimento que fizer, estarei observando você"), mas o contexto deixa claro que, na realidade, se trata de uma reafirmação e de uma promessa. Deus possui amplos meios de conhecer tudo sobre as ameaças e dificuldades enfrentadas por Asa. O rei pode depositar sua confiança em Deus; o problema é que ele não o faz.

Para as pessoas e, talvez, para Deus, as falhas de Asa em seus derradeiros anos de vida não significam que as conquistas de seus anos iniciais sejam esquecidas. O povo lhe dá um sepultamento cuja descrição não encontra paralelo entre os reis.

2CRÔNICAS **17:1-19**
UMA MISSÃO DE ENSINO

[1]Josafá, seu filho, reinou em seu lugar e afirmou o seu poder sobre Israel. [2]Ele colocou uma força em todas as cidades fortificadas de Judá e pôs guarnições no território de Judá e nas cidades de Efraim que Asa, seu pai, havia capturado. [3]*Yahweh* esteve com Josafá porque ele andou nos caminhos iniciais de Davi, o seu ancestral, e não olhou para os Mestres, [4]mas olhou para o Deus de seu ancestral e andou por seus mandamentos, não de acordo com a prática de Israel. [5]*Yahweh* estabeleceu o reinado em sua mão e todo o Judá trouxe ofertas a Josafá, de maneira que teve riqueza e esplendor em grandes quantidades. [6]Sua mente se orgulhava nos caminhos de *Yahweh*, e ele,

novamente, removeu os lugares altos e as aserás de Judá. [7]No terceiro ano de seu reinado, ele enviou seus oficiais Bene-Hail, Obadias, Zacarias, Natanael e Micaías para oferecerem instrução nas cidades de Judá, [8]e com eles os levitas Semaías, Netanias, Zebadias, Asael, Semiramote, Jônatas, Adonias, Tobias e Tobe-Adonias, os levitas, e com eles Elisama e Jeorão, os sacerdotes. [9]Assim, eles ofereceram instrução em Judá, tendo com eles o rolo do ensino de *Yahweh*. Foram a todas as cidades de Judá e ofereceram instrução ao povo. [10]O temor de *Yahweh* estava sobre todos os reinos das terras ao redor de Judá, e eles não entraram em guerra com Josafá. [11]Alguns filisteus levaram ofertas a Josafá e prata como um presente; os árabes, também levaram a ele rebanhos: sete mil e setecentos carneiros e sete mil e setecentos bodes. [12]Josafá foi se tornando cada vez maior. Ele construiu fortalezas e cidades-armazéns em Judá; [13]ele tinha muito trabalho nas cidades de Judá, e soldados, guerreiros capazes, em Jerusalém. [14]A lista desses, por casa ancestral, foi: por Judá, como oficiais de milhares, Adna, o oficial, e com ele trezentos mil guerreiros capazes; [15]depois dele, Joanã, o oficial, e com ele duzentos e oitenta mil; [16]depois dele, Amasias, filho de Zicri, que se voluntariou a *Yahweh*, e com ele duzentos mil guerreiros capazes; [17]de Benjamim, Eliada, um guerreiro hábil, e com ele duzentos mil homens empunhando arco e escudo pequeno; [18]depois dele, Jeozabade, e com ele cento e oitenta mil homens armados para a guerra. [19]Essas eram as pessoas que serviam o rei, além das pessoas que o rei colocou nas cidades fortificadas em todo o Judá.

Quando vim à Califórnia pela primeira vez, as pessoas me pediam para comparar os alunos daqui com os meus alunos na Inglaterra. Como resposta padrão, eu dizia que eles não eram muito diferentes, apenas que os alunos norte-americanos escreviam melhor em inglês. Isso surpreendia as pessoas, pois contrastava com a autopercepção delas e a noção mítica que tinham da Grã-Bretanha. Mais recentemente, para minha preocupação, conscientizei-me de outra distinção. As igrejas de origem de meus alunos parecem não ler a Bíblia com frequência no culto; nem muitos membros leem a Bíblia por conta própria. A familiaridade que possuem da Escritura é de segunda mão, recebida por meio das aulas de Escola Dominical e dos sermões, cujo ensino filtra e reinterpreta a Bíblia mediante as crenças atuais de pregadores e professores. Igualmente, eu costumava dizer que um dos meus prazeres como professor era mandar os alunos lerem a Bíblia e observar a interrogação estampada no rosto deles quando voltavam, além de certa frustração por descobrirem que o que aprenderam sobre a Bíblia não era verdade. Mas, agora, tornei-me mais preocupado pelo que isso sugere sobre aquele ensino.

O aspecto singular da história de Josafá, em Crônicas, é que ele faz algo sobre a questão equivalente em **Judá**. Agir para assegurar que as pessoas sejam instruídas no ensino de ***Yahweh*** está de acordo com a visão de reinado, delineada em Deuteronômio 17. A princípio, ele, uma vez mais, remove os **lugares altos** e as **aserás** de Judá — uma nota no mínimo estranha, pois o seu pai havia feito a mesma coisa, dois capítulos atrás. Isso reflete como os padrões de adoração e de pensamento que as pessoas extraem da cultura estão profundamente enraizados. Em todo o mundo, nas sociedades tradicionais e nas ocidentais, tais presunções sobre Deus e sobre como nos relacionamos com ele estão entretecidas com as diferentes suposições expressas na história do envolvimento de Deus com Israel e com Jesus.

Josafá procura alterar essa dinâmica ao introduzir um ensino construtivo, além da ação destrutiva de demolição dos lugares altos e das aserás, objetivando desencorajar o povo a olhar para os **Mestres**. Reconhecidamente, isso irá funcionar apenas se a missão de ensino envolver pessoas genuinamente conhecedoras do "ensino de *Yahweh*", não somente da interpretação das equipes de ensino. A possibilidade de que isso tenha, de fato, ocorrido é reforçada pelo relato mais concreto sobre o ensino dos levitas, em Neemias 8. Ali, Esdras desempenha o papel de sacerdote, inicialmente lendo do próprio "rolo de ensino". Então, os levitas, aparentemente trabalhando com grupos de pessoas, como seria esperado, considerando o tamanho da multidão e a ausência de microfones, combinam a leitura do rolo com explicações sobre o significado. A história de Josafá é designada a, quando lida, encorajar as pessoas a verem o padrão por ela descrito incorporado no próprio padrão de vida delas. A palavra para ensino é *torah*; convencionalmente, ela é traduzida por *lei*, mas isso não transmite a ideia correta. O texto original de Neemias 8 menciona o rolo do "ensino" de Moisés, algo similar ao que teremos na própria **Torá**. Nos dias de Josafá, não havia nada tão complexo quanto aquele pergaminho, embora seja possível pensar que esse rolo contivesse material que, mais adiante, seria incluído no rolo final do ensino de Moisés. Ainda, seria razoável esperar que esse pergaminho de ensino transmitisse ao povo a história do envolvimento de Deus com eles, além de estabelecer as expectativas divinas em relação a eles. Na realidade, é a história que possui potencial para remover os lugares altos e as aserás da mente das pessoas e da vida delas. No entanto, ao que tudo indica, isso não acontece na realidade; no capítulo 20, descobriremos que Josafá, por fim, não logrou mais sucesso nessa empreitada que o seu pai.

Dada a importância dessa ação, designada a ensinar o conteúdo do rolo de ensino ao povo, não surpreende que a história de Josafá o apresente como um grande herói e o associe, de formas estereotipadas, a conquistas que caracterizam um grande rei. Ele afirma a sua autoridade sobre o país como um todo (*Israel* pode significar **Efraim** ou pode significar Judá como a personificação do povo de Deus), constrói cidades fortificadas, assegura a existência de um grande exército de cidadãos, angaria o reconhecimento dos povos vizinhos e descobre que eles possuem um temor de *Yahweh* que os impede de atacar o seu povo.

2CRÔNICAS 18:1-11
ÀS VEZES, REALMENTE, VOCÊ DECIDE

[1]Assim, Josafá tinha riqueza e esplendor em grandes quantidades. Ele fez uma aliança de casamento com Acabe [2]e, após alguns anos, desceu a Samaria para [ver] Acabe. Acabe sacrificou ovelhas e bois em grandes quantidades, para ele e para a companhia que estava com ele, e o persuadiu a subir contra Ramote-Gileade.

[3]Então, Acabe, rei de Israel, disse a Josafá, rei de Judá: "Subirás comigo a Ramote-Gileade?" Ele lhe disse: "Serei um contigo, minha companhia uma com a tua, unindo-se a ti na batalha." [4]Mas Josafá disse ao rei de Israel: "Inquira a palavra de *Yahweh* hoje." [5]Então, o rei de Israel reuniu os profetas, quatrocentos indivíduos, e lhes disse: "Devemos subir a Ramote-Gileade para a batalha, ou desistir?" Eles disseram: "Sobe. Deus a entregará nas mãos do rei." [6]Mas Josafá disse: "Não há outro profeta de *Yahweh* aqui ao qual possamos inquirir?" [7]O rei de Israel disse a Josafá: "Há outra pessoa para inquirir de *Yahweh*, mas eu o repudio porque ele não profetiza boas coisas para mim, mas sempre problemas. Ele é Micaías, filho de Inlá." Josafá disse: "O rei não deveria dizer isso." [8]Então, o rei de Israel chamou um oficial e disse: "Apresse Micaías, filho de Inlá, para vir [aqui]."

[9]Enquanto o rei de Israel e Josafá, o rei de Judá, estavam sentados cada um em seu trono, vestidos em seu manto, na eira, na entrada do portão de Samaria, com todos os profetas profetizando à frente deles, [10]Zedequias, filho de Quenaaná, fez para si chifres de ferro e disse: "*Yahweh* disse isto: 'Com estes, ferirás Aram até os destruir.'" [11]Todos os outros profetas estavam profetizando da mesma maneira, dizendo: "Sobe a Ramote-Gileade e triunfa! *Yahweh* a entregará nas mãos do rei."

Recordo-me de ter discutido com um colega de quarto sobre poder ou não fazer algo. Muito provavelmente, era sobre namorar uma garota quando eu já estava saindo com outra. Em determinado momento, o meu colega disse: "Encare os fatos, você já tomou uma decisão; apenas não quer assumir isso" (adivinhe em qual direção ele quis dizer que eu havia decidido). Ele não quis dizer que eu o estava enganando ao tentar discutir essa questão com ele, mas que estava enganando a mim mesmo ou, pelo menos, escondendo-me do fato de, subconscientemente, já haver tomado a minha decisão. Ele estava certo. Prosseguimos refletindo sobre quão frequentemente isso acontece. Em nosso íntimo, a decisão está tomada, mas leva um tempo para que aceitemos e enfrentemos a natureza dela.

Acabe tomou a decisão de atacar Ramote-Gileade. Gileade é parte de uma ampla área a leste do Jordão, na qual dois clãs israelitas e a metade de outro se estabeleceram. Desse modo, é uma cidade situada em uma região que Israel considera como parte de seu território. Contudo, Gileade faz fronteira com a região de **Aram**, ao norte (atualmente, o Estado ao norte é a Síria, e Gileade está no reino da Jordânia), de maneira que não é totalmente irracional que Aram visse aquela região como naturalmente pertencente ao território arameu. Ao que tudo indica, Aram havia capturado a cidade, e Acabe, então, conclui que é tempo de recuperá-la. Às vezes, Aram e **Efraim** selam um acordo de cooperação contra **Judá**; outras vezes, é Judá que faz um acordo com Aram contra Efraim. Naquele período, no entanto, Judá e Efraim cooperam mutuamente contra Aram. Pode-se imaginar que essa situação seja, teologicamente, mais adequada, embora não haja evidências de que os protagonistas estejam pensando nesses termos, nem o autor de Crônicas. No que tange a Crônicas, Efraim retirou-se, por assim dizer, da membresia de Israel como povo de Deus, embora ainda ostente o nome político de Israel. Portanto, por implicação, ao estabelecer uma aliança de casamento com Acabe, Josafá semeia problemas para si. O ponto se tornará mais explícito no capítulo 19.

Para nós, a subordinação de uma relação de matrimônio a interesses políticos é, em si, questionável. Para a Bíblia, o problema reside na sedimentação de um relacionamento com uma entidade da qual se deveria manter uma distância segura. Deuteronômio 7:3 adverte quanto a essa matéria: uma das últimas exortações de Josué a Israel a esse respeito (Josué 23:12); foi um dos primeiros prenúncios da queda de Salomão (1Reis 3:1); e, ainda mais significativo, foi uma prática pela qual Esdras criticou os judaítas em uma época próxima à dos leitores de Crônicas (Esdras 9:14). A distinção no ponto de Crônicas é que Efraim é tratado como uma dessas entidades estrangeiras e inadequadas com as quais os casamentos mistos são criticados.

A aliança estabelecida por meio do matrimônio obriga as duas partes a apoiarem-se mutuamente e, portanto, permite a Acabe insistir no apoio de Josafá na campanha de reconquista de Ramote-Gileade. De maneira esperada, os dois reis reconhecem que os israelitas devem consultar ***Yahweh*** antes de iniciar a ação militar. Todavia, não se deve generalizar o princípio. Grandes líderes como Moisés, Josué e Davi, algumas vezes, consultaram *Yahweh* antes de uma batalha, mas, em outras, não, e a consulta a *Yahweh* não é um dos princípios para uma guerra justa, estabelecidos em Deuteronômio 20. No entanto, pode-se ver como essa seria uma atitude sábia e esperada de um rei que gozasse de boa reputação, que andasse nos caminhos de *Yahweh*. E, quando alguém sugere consultar Deus antes de qualquer ação, é difícil resistir a essa sugestão sem passar a impressão de insensibilidade espiritual. O problema é que o rei Acabe já tomou a sua decisão. Sua consulta aos profetas não é realizada com uma mente aberta. E, por isso, os profetas sabem qual deve ser a resposta certa à pergunta do rei.

A exemplo de Davi e Salomão, Acabe possui em sua corte profetas para lhe dar orientação, embora a quantidade de quatrocentos, claramente excessiva para essa atividade, abra a possibilidade de eles também estarem envolvidos no ministério aos cidadãos comuns, à semelhança de Samuel. Como de costume, integrar a folha de pagamento do rei tende a significar que os profetas dizem apenas o que o seu patrão deseja ouvir, mas isso não implica transmitir profecias que eles sabem ser falsas. Eles são profetas de *Yahweh*, não do **Mestre**, e, provavelmente, são sinceros em prometer ao rei Acabe que ele pode realizar, com êxito, o seu plano de recapturar uma parte da terra de Israel que foi anexada por um poder estrangeiro.

A profecia expressa por Zedequias dá suporte a essa presunção. Os reis estão sentados em um lugar da cidade no qual é fácil promover uma reunião pública. A eira deveria ser uma área aberta, utilizada para a debulha durante o outono, mas disponível em outras oportunidades para reuniões comunitárias. Há, igualmente, algumas evidências de que cerimônias religiosas eram ali realizadas. A ação simbólica de Zedequias é um daqueles atos que um profeta como Jeremias realizaria. Ele personifica a ação "real" que ocorrerá quando Acabe sair em sua missão; portanto, isso a confirma e inicia sua implementação. Trata-se de um ato como o batismo, a ceia ou o lava-pés — não apenas uma encenação ou ilustração, mas um prenúncio efetivo do próprio evento. Pelo menos, esse é o caso quando Deus está nos bastidores da ação.

Seria totalmente plausível prometer que Israel recuperaria parte da terra que lhe foi dada por Deus, exceto pelo fato de que essa promessa ao rei Acabe ignora a dinâmica dessa relação com Deus. Crônicas omite as narrativas em Reis que especificam a transgressão de Acabe; a sua identificação com Efraim e a sua contínua rebelião contra Jerusalém e Davi é o que basta para colocar em perigo a sua posição em relação a *Yahweh*. Um profeta decente deveria saber disso e reconhecer a improbabilidade de *Yahweh* prometer a vitória a Acabe, quando uma interpretação mais plausível para a tomada do território pelos arameus é que isso constitui uma forma de castigo para a vida transgressora e rebelde de Efraim.

Além disso, o rei Acabe sabe que há um profeta que conhece tudo isso e que está pronto a sair e dizer o que for preciso. Evidentemente, Micaías já tem feito isso por um longo tempo. A palavra para "repudiar" é normalmente traduzida por "odiar", e, sem dúvida, Acabe odiava Micaías, mas, a exemplo de amor, o verbo odiar, em geral, denota tanto a atitude quanto a ação que a personifica, não meramente uma emoção (uma das palavras hebraicas para "inimigo" origina-se desse verbo). Acabe odeia, rejeita e se opõe a Micaías por causa da mensagem que esse profeta está sempre proclamando. No entanto, há algo em Micaías do qual ele não pode escapar. O rei Acabe já tomou a sua decisão, mas ele também tem uma incômoda sensação de que tomou a decisão errada.

2CRÔNICAS **18:12-27**
O ESPÍRITO DE ENGANO

[12]O ajudante que foi convocar Micaías lhe disse: "Ora, como uma só boca, as palavras dos profetas são boas para o rei. A tua palavra deveria ser como a deles. Fale algo bom." [13]Micaías disse: "Tão certo como *Yahweh* vive, o que meu Deus disser a mim, isso eu falarei." [14]Então, ele foi ao rei, e o rei lhe disse: "Miqueias, devemos ir para a batalha contra Ramote-Gileade, ou desistir? Ele disse: "Suba e triunfe! Eles serão entregues nas suas mãos." [15]O rei lhe disse: "Quantas vezes terei de fazer você jurar que não me falará nada, além da verdade em nome de *Yahweh*?" [16]Ele disse: "Vi todo o Israel espalhado nas montanhas como ovelhas que não têm pastor. *Yahweh* disse: 'Estes não têm mestres. Eles deveriam voltar para sua casa, cada um, em paz.'" [17]O rei de Israel disse a Josafá: "Não lhe disse: 'Ele não profetizará o bem para mim, somente problema'?" [18][Micaías] disse: "Portanto, ouçam a palavra de *Yahweh*. Vi *Yahweh* assentado em seu trono, com todo o exército dos céus posicionado à sua direita e à sua esquerda. [19]*Yahweh* disse: 'Quem irá atrair Acabe, rei de Israel, para que ele possa subir, mas cair em Ramote-Gileade?' Eles falaram, e um dizia isso e outro dizia aquilo, [20]e um espírito saiu e se colocou diante de *Yahweh* e disse: 'Eu o atrairei.' *Yahweh* lhe disse: 'Como?' [21]Ele disse: 'Sairei e me tornarei um espírito enganador na boca de todos os profetas.' [*Yahweh*] disse: 'Você o atrairá e também será bem-sucedido. Vá e faça isso.' [22]Então, agora, eis que *Yahweh* colocou um espírito mentiroso na boca desses profetas, quando *Yahweh* decretou problemas para você." [23]Zedequias, filho de Quenaaná, saiu e golpeou Micaías na mandíbula, e disse: "Por qual caminho o espírito de *Yahweh*

passou de mim para falar com você?" [24]Micaías disse: "Eis que você irá ver, naquele dia, quando for ao aposento mais interno para se esconder." [25]O rei de Israel disse: "Tomem Micaías e o devolvam a Amom, o governador da cidade, e a Joás, o filho do rei, [26]e digam: 'O rei disse isto: "Ponham este homem na prisão. Devem dar-lhe comida e água de escravo até que eu volte em paz."'" [27]Micaías disse: "Se você realmente voltar em paz, *Yahweh* não falou por meu intermédio." (E ele disse: "Ouçam, todos os povos.")

Na próxima quarta-feira, irei falar em uma faculdade denominacional e, estranhamente, eles me pediram para abordar um dos temas teológicos que caracterizam a própria denominação. Ocasionalmente, vou aos cultos em igrejas dessa denominação, mas o problema é que essa minha experiência me faz pensar que a denominação deixou de levar a sério as suas próprias ênfases características. E, claro, não tenho certeza se devo dizer isso. Seria muito agressivo de minha parte, um gesto inadequado a um palestrante convidado? Infelizmente, a leitura dessa história me faz refletir que o exemplo de Micaías significa que devo confrontá-los.

É bem possível que eles se sintam ofendidos, mas espero não receber o mesmo destino de Micaías. Ser um profeta é uma vocação difícil, em inúmeros sentidos. Para começar, provavelmente, ela envolve discordar do que a maioria está dizendo. Daí o motivo de Deus enviar profetas; não é preciso enviá-los para confirmar o que as pessoas já pensam. Para Micaías, as coisas são mais complicadas porque ele precisa discordar da palavra de quatrocentos outros profetas, não apenas da palavra (digamos) de alguns professores de teologia ou pastores dos quais pode-se esperar que estejam fora do contato com Deus. Micaías precisa confiar em sua convicção de que está certo e os demais estão errados.

Certas pessoas acham fácil discordar de todas as outras; outras consideram isso difícil. Não há meios de definir a qual grupo Micaías pertencia, embora na cultura tradicional possa ser, em geral, mais difícil ficar fora do grupo do que na cultura ocidental. Seja como for, esse não é o fundamento sobre o qual um verdadeiro profeta decide discordar ou não de outros profetas. O fator determinante é a posição ética e religiosa da pessoa à qual o profeta é chamado a ministrar. Qualquer um dotado de discernimento religioso e ético é capaz de olhar para Acabe e ver que não há como Deus lhe enviar profetas para transmitir uma mensagem positiva, uma mensagem sobre **paz**.

Os profetas precisam confiar em sua convicção de que Deus está falando com eles e de falar apenas o que Deus os impelir a falar. Quando há dúvidas sobre se a mensagem recebida, de fato, vem de Deus, uma questão-chave é como isso se encaixa no que os profetas conhecem sobre Deus. Todavia, a sua justificativa virá apenas quando os eventos se encaixarem ou não em suas palavras. O retorno seguro do rei Acabe da batalha provaria a inveracidade da mensagem de Micaías. A profecia não envolve a mera interpretação de um evento após a sua ocorrência, mas declará-lo antes que ocorra, de modo que possa, subsequentemente, dizer: "Você viu? Eu disse o que iria acontecer e a razão para isso; agora que vê o cumprimento, você deveria acreditar na justificativa que lhe dei."

Em adição, ser profeta é uma atividade difícil porque pode ser perigosa. Assim, Acabe envia Micaías "de volta" ao governador da cidade para ser mantido em custódia; aparentemente, ele já está em custódia, e a maneira com que é enviado de volta sugere que suas condições na prisão irão ficar ainda piores.

Apesar disso, Acabe está dividido. Ele falou como se já tivesse tomado uma decisão quanto ao que irá fazer e tem a palavra de quatrocentos profetas a seu favor. Todavia, quando Micaías transmite a mesma palavra dos quatrocentos profetas, o rei sabe que ele não quer dizer isso e deseja saber o que Micaías realmente pensa — ainda que não tenha a menor intenção de considerá-la.

Israel é semelhante a um rebanho sem pastor. "Pastor" é uma imagem padrão do Oriente Médio para um rei. O pastor tem autoridade sobre as suas ovelhas e é responsável pelo cuidado delas; o rei está em uma posição similar. A profecia pode ser lida tanto como um insulto em relação ao presente quanto como uma advertência para o futuro. Trata-se de um insulto porque implica que o pastor de **Efraim** é totalmente incapaz, de maneira que, na prática, as "ovelhas" não têm pastor. É uma advertência porque aponta para a morte do assim chamado pastor. Não há boas notícias para o rei Acabe. Ele não voltará para casa em paz, mas derrotado.

Assim, por que os quatrocentos profetas afirmam o contrário? A resposta fornece outro exemplo em que a Bíblia vira o nosso pensamento de cabeça para baixo. Não é por estarem fora do controle de Deus que os profetas usam o livre-arbítrio para elaborar a sua própria mensagem, como o moderno pensamento pode nos fazer presumir. Bem, eles *estão* usando o seu livre-arbítrio humano, mas, ao fazerem isso, atuam como agentes de Deus. Do mesmo modo que Isaías e Jesus falam sobre Deus fechar a mente das pessoas como um ato de juízo (Isaías 6; Marcos 4), igualmente Micaías fala sobre Deus incentivar Acabe a empreender essa missão tola por ser este um ato de juízo sobre ele. Para tal, Deus utiliza um membro de seu gabinete celestial para inspirar os profetas a dizerem a Acabe que ele irá triunfar, quando, na verdade, ele fracassará. A Escritura considera que, onde as pessoas não são verdadeiras, ninguém lhes deve a verdade (a mentira das parteiras egípcias ao faraó constitui um exemplo). Acabe perdeu o direito à verdade de Deus por sua mentira em seu relacionamento com ele. Isso não deixa o rei fora do gancho; Deus lhe envia Micaías com a verdade, de maneira que Acabe precisa decidir a quem vai dar ouvidos. Muito menos, retira os quatrocentos profetas da equação. Ninguém é obrigado a aceitar o engano; eles podem resistir. Chegará o tempo em que Zedequias irá ver (é seu trabalho, como vidente, mas ele não está vendo direito, no momento). Isso ocorrerá quando a calamidade cair e ele estiver desesperado para se esconder dela. Claro que advertências ao rei Acabe e a Zedequias não são finais. Nunca é tarde até que seja tarde demais. Está aberto a Acabe e a Ezequias darem meia-volta agora. A parte final do último versículo vem de Miqueias 1:2; talvez tenha relação com o fato de Acabe chamar Micaías de "Miqueias" no versículo 14. Isso sugere a consciência de que Micaías é, ao lado de Miqueias e outros, um verdadeiro profeta de ***Yahweh***.

2CRÔNICAS **18:28—19:11**
O PODER DO ACASO

[28]O rei de Israel subiu a Ramote-Gileade, com Josafá, rei de Judá. [29]O rei de Israel disse a Josafá: "[Eu] me disfarçarei e irei à batalha, mas tu usarás as tuas vestes." Assim, o rei de Israel disfarçou-se e foi à batalha. [30]Ora, o rei de Aram havia ordenado aos seus oficiais das carruagens: "Não lutem contra ninguém, pequeno ou grande, exceto apenas contra o rei de Israel." [31]Quando os oficiais das carruagens viram Josafá e disseram: "Esse é o rei de Israel", eles se viraram para batalhar contra ele, mas Josafá clamou, e *Yahweh* o socorreu. Deus os

atraiu para longe dele; [32]quando os oficiais das carruagens viram que não era o rei de Israel, eles deixaram de segui-lo. [33]Mas um homem puxou o seu arco, inocentemente, e atingiu o rei de Israel entre as articulações e a armadura. Ele disse ao condutor de sua carruagem: "Dê meia-volta; tire-me do exército, porque estou ferido." [34]A batalha cresceu naquele dia. O rei de Israel se manteve em pé na carruagem, de frente para Aram até a noite, mas morreu perto da hora do pôr do sol.

CAPÍTULO 19

[1]Josafá, rei de Judá, voltou a Jerusalém, para sua casa, em paz, [2]mas Jeú, o vidente, filho de Hanani, saiu para encontrá-lo. Ele disse ao rei Josafá: "Deve-se ajudar os infiéis; deveria você favorecer as pessoas que repudiam *Yahweh*? Por isso, há ira sobre você de *Yahweh*. [3]Contudo, boas coisas estão presentes com você, pois você eliminou as aserás da terra e dispôs a sua mente a olhar para Deus."

[4]Josafá viveu em Jerusalém, mas saiu novamente entre o povo, de Berseba às montanhas de Efraim, e os trouxe de volta a *Yahweh*, o Deus de seus ancestrais. [5]Ele estabeleceu autoridades para tomar decisões no país, em todas as cidades fortificadas em Judá, cidade por cidade. [6]Ele disse às autoridades: "Vejam bem o que estão fazendo, porque não é para seres humanos que vocês tomam decisões autoritativas, mas para *Yahweh*, que está com vocês quando anunciam uma decisão. [7]Agora, pois, o temor de *Yahweh* deve estar sobre vocês. Tomem cuidado ao agirem, porque com *Yahweh*, o nosso Deus, não há corrupção ou favoritismo ou aceitação de suborno." [8](Também em Jerusalém, Josafá estabeleceu alguns dos levitas e sacerdotes, e alguns dos cabeças ancestrais de Israel para o exercício da autoridade de *Yahweh* e para as disputas.) Eles retornaram a Jerusalém, [9]e ele lhes ordenou: "Vocês devem agir assim: com reverência por *Yahweh*, com constância e com uma mente íntegra. [10]Toda disputa que chegar até vocês

de seus parentes que vivem em suas cidades, com respeito a homicídio, uma regra, leis e decisões, vocês devem adverti-los para que não ofendam *Yahweh* e a ira venha sobre vocês e sobre seus parentes. Assim farão e não ofenderão. [11]Ora, Amarias, o sumo sacerdote, está sobre vocês em toda a matéria relativa a *Yahweh*, e Zebadias, filho de Ismael, é o governante da casa de Judá em toda a matéria relativa ao rei. Os oficiais levitas também estão diante de vocês. Sejam firmes quando agirem. *Yahweh* esteja com a boa pessoa."

Algumas semanas atrás, uma amiga teve os quatro pneus de seu carro cortados. O carro era alugado (e o seguro tinha uma franquia elevada). Então, ela entrou em uma disputa com a locadora do carro sobre quem iria pagar pelos pneus danificados. O caráter longo da disputa a levou a ficar sem carro por muitas semanas. Como resultado, ela precisou explicar a um rapaz com quem trabalhava que não poderia manter um compromisso de trabalho e, em seu *e-mail* explicativo, ocorreu de ela incluir algumas informações de ordem pessoal sobre as circunstâncias que estava vivenciando. Por sua vez, o rapaz respondeu também com uma ou duas palavras pessoais — bem, acho que sabem para onde isso está caminhando. Ambos acham que encontraram o parceiro ideal e dizem que é uma bênção monumental de Deus — e será, de fato, se tudo correr bem. Todavia, de certa forma, tudo isso resultou do furo acidental de alguns pneus.

Não consegui pensar em um exemplo de uma coincidência "ruim" que correspondesse à coincidência "ruim" que vitimou Acabe, mas o princípio é o mesmo. Você pode temer que a sua vida não está indo para lugar nenhum, ou pode se esforçar para estar no controle dela, mas algum acaso pode virar as suas expectativas e cálculos de cabeça para baixo.

Acabe permanece dividido quanto à natureza da soberania de ***Yahweh*** em sua vida. Em certo sentido, ele sabe que Micaías lhe contou a verdade sobre as intenções de *Yahweh*, embora acredite que possa frustrar essas intenções ao se disfarçar durante a batalha. Será que cinicamente o rei pensa que, para alcançar essas intenções, pode sacrificar Josafá ao fazê-lo ir à batalha em seus trajes reais enquanto ele se disfarça como um israelita comum? Se for assim, não seria Josafá muito ingênuo ao concordar com isso? Ou Josafá age imprudentemente por confiar que Deus o manterá a salvo, como um trapezista sem rede de proteção, pois sabe que não tem nada a temer? Ou os dois reis supõem que os **arameus** seriam capazes de distinguir as vestes de um rei **judaíta** dos trajes de um rei **efraimita**, o que, de fato, ocorre?

Independentemente da resposta, o ponto sobre esse elemento da história é que, seja qual for o plano que você adote, se Deus decidir trazer aflição, você vivenciará tempos difíceis tentando frustrá-lo (e, como a minha amiga, se Deus decidir trazer-lhe bênção, você experimentará o mesmo ao tentar frustrar os planos divinos). Alguém pode fazer algo aleatório e sem intenção, como atirar uma flecha a esmo ou danificar alguns pneus, e esse ato pode ser o meio misterioso pelo qual o propósito de Deus será colocado em ação. Uso "pode" porque parte do caráter de uma história é contar algo que *já* ocorreu e, portanto, sobre algo que pode ocorrer, sem implicar que sempre ocorre. A Bíblia deixa claro que é possível frustrar Deus no curto prazo, que nem sempre ele traz aflição sobre a pessoa que a merece, que nem sempre ele protege o inocente, mas Deus assim age com frequência suficiente para considerarmos isso como uma regra de vida vigente e não cedermos à ideia de que não há justiça ou graça fortuita a nos cativar.

Josafá logrou uma afortunada fuga durante a batalha. Para sua felicidade, os arameus reconheceram que ele não era o rei que procuravam matar, ninguém atirou uma flecha a esmo que pudesse atingi-lo e Deus não o viu como merecedor de perder a vida, apesar de ter unido forças com alguém como Acabe. O lado positivo de Josafá encontra ainda mais expressão ao introduzir certas estruturas governamentais na vida de Judá. Crônicas observou que Davi exerceu **autoridade** de uma forma **fiel** sobre Israel e como a rainha de Sabá demonstrou entusiasmo por Salomão fazer o mesmo (1Crônicas 18; 2Crônicas 9). No entanto, é muito mais fácil fazer isso na capital; o rei não pode pessoalmente garantir o exercício fiel de autoridade em todo o território. Então, Josafá adota algumas providências para garantir a governança adequada sobre toda a nação.

A exortação que faz aos seus indicados mostra que o foco de seu trabalho reside na solução de disputas e conflitos nas comunidades. Tradicionalmente, era função dos anciãos se reunirem junto ao portão da cidade para resolver questões conflituosas entre indivíduos ou famílias. Não está claro por que Josafá considera que esse sistema precisa de mudanças, embora seja possível pensar em alguns motivos. A imposição de alguma autoridade que não seja localmente estabelecida pode contribuir para a objetividade e reduzir a possibilidade de as decisões serem tomadas com base na maior influência de certas famílias sobre outras. O desenvolvimento urbano da nação pode significar que o antigo sistema, que operava bem em pequenas vilas, não era tão eficiente em cidades maiores. A esfera de trabalho das autoridades não incluía apenas questões cotidianas da vida (tais como roubos e homicídios, citados explicitamente na passagem), mas também questões da vida religiosa (pode-se imaginar que isso cobriu outras questões suscitadas pela **Torá**, como a atividade dos profetas ou a prática de adivinhação), diferenciadas por Crônicas como matérias concernentes a *Yahweh* e matérias concernentes ao rei.

2CRÔNICAS 20:1-13
COMO ORAR EM UMA CRISE POLÍTICA

[1]No devido tempo, os moabitas e os amonitas, e com eles alguns meunitas, vieram à batalha contra Josafá. [2]Pessoas vieram e contaram a Josafá: "Uma grande horda está vindo contra ti do outro lado do mar [Morto], de Edom. Eis que estão em Hazazom-Tamar (isto é, En-Gedi)." [3]Josafá teve medo e entregou-se a olhar para *Yahweh*, e proclamou um jejum para todo o Judá. [4]Judá reuniu-se para buscar o socorro de *Yahweh*; de todas as cidades em Judá vieram pessoas para buscar o socorro de *Yahweh*. [5]Josafá levantou-se na congregação de Judá e de Jerusalém, na casa de *Yahweh*, em frente do pátio novo. [6]Ele disse: "*Yahweh*, Deus de nossos ancestrais: tu és, de fato, o Deus nos céus e dominas entre todos os reinos das nações. Em tuas mãos estão o poder e a força. Não há ninguém que resista a ti. [7]Foste tu, de fato, quem desapropriou os habitantes desta terra diante de Israel, o teu povo, e a deu à descendência de Abraão, o teu amigo, para sempre. [8]Eles viveram nela e construíram um santuário nela para o teu nome, dizendo: [9]'Se algum problema vier sobre nós (a espada de julgamento, epidemia ou fome), nos apresentaremos diante desta casa e clamaremos a ti em nossa aflição, e tu ouvirás e nos livrarás. [10]Mas, agora, há o povo de Amom, Moabe e do monte Seir, aos quais não deixaste que os israelitas invadissem quando eles vieram do Egito (antes [os israelitas] se afastaram deles e não os eliminaram), [11]eis que eles estão nos retribuindo vindo para nos expulsar da posse que nos deste. [12]Nosso Deus, com certeza agirás decisivamente contra eles, porque não há poder em nós diante dessa grande horda que está vindo contra nós.'" [13]Todo o Judá estava em pé, diante de *Yahweh*, também os seus jovens, suas esposas e seus filhos.

Dois amigos meus estão prestes a voar para um país no qual um grupo étnico minoritário está vivendo sob a pressão governamental. Eles viajam, de tempos em tempos, para manter contato com o povo e obter informações sobre a situação deles e transmiti-las por meio de gravações em filme e áudio a órgãos como o Departamento de Defesa dos Estados Unidos, cuja política é procurar pressionar o governo desse país na adoção de políticas mais igualitárias. Eles também objetivam tornar a difícil condição desse grupo mais conhecida e estabelecer laços entre eles e grupos em escolas e igrejas no Ocidente. A ação desses meus amigos é extremamente perigosa; certa ocasião, eles se viram em meio a um golpe e não sabiam, ao certo, se sairiam de lá com vida. Cada vez que deixam os Estados Unidos, eles sabem que há certa possibilidade de nunca mais retornarem.

Josafá tem bons motivos para sentir medo. Os moabitas e os amonitas, dois povos que vivem no outro lado do mar Morto, constituem uma formidável combinação, mesmo sem contar os meunitas. O último é um povo da mesma área e pouco se conhece sobre eles, mas o capítulo, mais tarde, dá a entender que eles vivem na região do monte Seir, o que, por sua vez, implica uma ligação com os edomitas. Não sabemos porque todos esses povos decidiram invadir Judá naquela oportunidade; talvez desejassem somente expandir seus territórios. Eles partiram da extremidade inferior do mar Morto e, agora, estão no meio do caminho, subindo a oeste do mar Morto, no lado **judaíta**. Estão no oásis de En-Gedi, preparando-se para um ataque real sobre Josafá. Como o rei de Judá deve lidar com o seu justificado medo? Diz uma conhecida canção: “Sempre que sinto medo, me ponho em pé e assobio uma melodia alegre para ninguém perceber que estou com medo.” Pode ser algo importante que as pessoas do povo não percebam que seus líderes estão em estado de pânico, mas, igualmente, os líderes precisam lidar, de forma objetiva, com os motivos daquele medo.

Pode ser que Josafá realmente evite revelar o seu temor ao povo e o guarde para si mesmo. Ele pode agir assim porque sabe o que fazer com o sentimento. Ele "olha" para ***Yahweh***. A exemplo de outras passagens, o verbo é normalmente traduzido por "buscar *Yahweh*", mas isso pode não transmitir a impressão correta. O ponto é que Josafá sabe quem pode lidar com a crise que gera um medo racional nele. Além disso, ele envolve as pessoas com sua confiança em relação à crise, embora o faça com o fim de levar o povo a olhar para *Yahweh* com ele. Todo o povo jejua. Você deixa de comer quando algo o impede de se alimentar ou quando tem algo mais importante para fazer do que comer — isso demonstra a sua seriedade quanto a um compromisso. Josafá leva todo o Judá a expressar quão sérios eles estão com respeito a buscar a intervenção de Deus naquela crise.

Em adição, Josafá os lidera em oração. Embora o Antigo Testamento faça distinção entre os líderes do povo, tais como reis, sacerdotes e profetas, e reconheça a importância de dividir os poderes para que todo o poder não fique concentrado em uma só pessoa, ele não libera (por exemplo) os reis da responsabilidade de liderar o povo em sua relação com Deus.

Um aspecto-chave por meio do qual a oração de Josafá exemplifica a maneira de o Antigo Testamento encorajar as pessoas a orarem em meio a uma crise reside em seu foco sobre quem Deus é, ou seja, como aquele que detém todo o poder na esfera da política internacional e que mantém uma longa relação com o povo que está orando. Pode haver três significados com respeito a essas declarações sobre Deus. Uma é que elas são registradas para o benefício de pessoas como nós, leitores de Crônicas — mais diretamente, aos que viviam no período do **Segundo Templo**, que não conseguiam ver evidências do poder ou do compromisso de Deus e que necessitavam de reforço em sua fé. Outro significado é que as declarações constituem uma expressão de fé pelas pessoas que estão orando; ambos indicam o compromisso delas e o reforçam. De modo objetivo, elas se dirigem a Deus; lembram quem ele é. Como aquele que é todo-poderoso e que mantém um longo relacionamento com Israel, Deus deve ouvir a oração do povo e lhes responder.

A oração prossegue descrevendo a necessidade do povo para relacioná-la àquelas declarações sobre Deus e sobre a relação dele com Israel. O toque irônico da situação é que os invasores são parentes de Israel, outros membros da família de Abraão. Por isso, Israel evitou entrar em conflito com eles, quando estavam a caminho de Canaã, mas, agora, esses mesmos povos estão invadindo Israel. Novamente, há um significado para os primeiros leitores de Crônicas, porque esses povos foram aqueles que cercavam e ameaçavam a pequena nação de Judá, naquele contexto posterior. À luz de sua necessidade e relativa fraqueza, a única coisa que o povo de Judá, nos dias de Josafá, pode fazer é se lançar a Deus e ao seu poder.

2CRÔNICAS **20:14-23**
OS DOIS ESTÁGIOS PELOS QUAIS VEMOS RESPOSTAS À ORAÇÃO

[14]Então, Jaaziel, filho de Zacarias, filho de Benaia, filho de Jeiel, filho de Matanias, o levita, um dos descendentes de Asafe — o espírito de *Yahweh* veio sobre ele no meio da congregação, [15]e ele disse: "Prestem atenção, todo o Judá e os habitantes de Jerusalém e o rei Josafá. *Yahweh* disse isto a vocês: 'Não

tenham medo, não fiquem ansiosos diante dessa grande horda, porque a batalha não é de vocês, mas de Deus. [16]Amanhã, desçam contra eles. Eis que estarão vindo pela subida de Ziz, de maneira que os encontrarão ao fim do vale, defronte do deserto de Jeruel. [17]Vocês não devem batalhar nessa ocasião. Assumam a sua posição, permaneçam firmes e vejam a libertação de *Yahweh* a vocês, Judá e Jerusalém. Não tenham medo; não fiquem ansiosos. Amanhã, saiam para enfrentá-los. *Yahweh* estará com vocês.'" [18]Josafá se curvou, com o rosto em terra, e todo o Judá e os habitantes de Jerusalém caíram diante de *Yahweh*, para prostrarem-se diante de *Yahweh*. [19]Então, levitas dos coatitas e dos coreítas se levantaram para louvar *Yahweh*, o Deus de Israel, com grande voz.

[20]Eles se levantaram bem cedo, de manhã, e saíram para o deserto de Tecoa. Quando saíram, Josafá se levantou e disse: "Ouçam-me, Judá e habitantes de Jerusalém. Fiquem firmes na fé em *Yahweh*, o seu Deus, e vocês ficarão firmes. Fiquem firmes na fé em seus profetas, e vocês terão sucesso." [21]Ele tomou conselho com o povo e colocou pessoas cantando para *Yahweh* e louvando a santa majestade, enquanto saíam à frente da companhia armada, dizendo: "Confessem *Yahweh*, porque o seu compromisso é para sempre." [22]Na hora em que eles começaram a ressoar e a louvar, *Yahweh* colocou emboscadas contra os homens de Amom, de Moabe e do monte Seir que estavam vindo a Judá, e eles colapsaram. [23]Os homens de Amom e de Moabe se levantaram contra os habitantes do monte Seir para devotá-los e aniquilá-los, e, quando eles exterminaram os habitantes de Seir, cada um ajudou a destruir o seu companheiro.

Uma mulher que conheço, certa feita, sofreu uma grande convulsão, em associação com algumas outras questões médicas. Seu marido acordou de madrugada e percebeu que a esposa estava convulsionando incontrolavelmente. Ele chamou o serviço de emergência; os médicos lhe deram uma injeção que a acalmaram e a transportaram ao hospital. Lá, ela foi examinada por um neurologista que disse ao marido para ele não se preocupar: em poucas semanas, ela estaria de volta ao normal. Nos dias seguintes, ela permaneceu deitada no leito hospitalar, calma, porém incapaz de controlar os membros. O marido achou difícil crer que a previsão do médico se cumpriria, mas isso, de fato, ocorreu. No devido tempo, o casal retornou ao hospital para uma consulta de acompanhamento, e o marido revelou ao médico que não acreditara na previsão positiva dele. O neurologista comentou que até ele achou difícil acreditar nisso, mas era o que os livros de medicina diziam e ele precisava crer neles.

Houve dois estágios na experiência daquele homem durante a convalescença da esposa: as palavras ditas pelo médico (das quais ele mesmo não tinha total certeza) e, então, a recuperação da esposa testemunhada pelo marido. No Antigo Testamento, as respostas às orações operam de modo análogo, isto é, em dois estágios. Primeiro, há uma resposta em palavras; então, uma resposta em ação. No estágio inicial dessa história, uma vez mais, o espírito de ***Yahweh*** vem sobre alguém. O conhecimento sobre a reação de Deus a uma oração não é algo que surge naturalmente; é necessário haver o envolvimento do próprio Deus. Às vezes, a imagem do Antigo Testamento para esse envolvimento é a de que Deus admite uma pessoa ao gabinete celestial, no qual decisões são tomadas sobre eventos futuros; em espírito, alguém ouve os debates no gabinete celestial e, portanto, está em posição de revelar essas decisões às pessoas. Em outras ocasiões, a imagem do Antigo Testamento é a de Deus enviar alguém do gabinete com a informação. Aqui, o próprio espírito de *Yahweh* é que vem sobre alguém, um levita; não há regras quanto à pessoa por meio da qual Deus fala.

Em parte, a sua mensagem simplesmente devolve a Josafá o conteúdo do que ele mesmo dissera a Deus. Josafá sabe que não pode derrotar aquela força invasora, mas sabe que Deus pode fazer isso; a questão é se Deus intervirá. Deveria Josafá presumir que Deus agiria em favor deles? A vida nem sempre funciona da maneira esperada por nós, e a mensagem de Jaaziel não parece ser uma admoestação, dando a entender que Josafá deveria ter certeza da intervenção divina. Ao contrário, ele implica que aquela, de fato, é uma ocasião na qual Deus intervirá e, por isso mesmo, o medo pode dar lugar à confiança. Quando o Antigo Testamento fala sobre paz, raramente ele se refere à paz de mente, se é que o faz; paz é algo que faz diferença na vida real das pessoas, não apenas aos seus sentimentos internos. A sua maneira de estabelecer o ponto sobre as emoções íntimas é dizer: "Não tenha medo; não fique ansioso." É a espécie de imperativo que é mais uma promessa do que uma ordem: "Você não precisará ter medo ou ficar ansioso."

Considerando que Deus pretende lidar com o exército invasor, teria sido possível apenas mandar os **judaítas** de volta às suas casas com a garantia: "Esqueçam-se deles; eu estou nisso." Em vez disso, Deus os instrui a se posicionarem como se fossem lutar, mesmo deixando claro que eles não fariam isso. A coalizão estará em sua subida, do mar Morto às montanhas de Judá. Os judaítas devem tomar posição diante dos invasores como se preparados para a batalha e, então, apenas olhar.

Ainda é apenas o primeiro estágio da resposta, mas, decerto, já merece uma reação de louvor. O louvor não espera até a ocorrência do segundo estágio, quando Judá desfruta da resposta de Deus. Judá já sabe que Deus respondeu, pois ele falou, e isso define tudo. O povo permanece em pé diante de Deus em oração; agora, eles se prostram em auto-humilhação diante da maravilhosa resposta divina.

O próprio Josafá já percorreu um longo caminho. No início do capítulo, ele estava com muito medo, e com razão. Agora, quando o povo parte para confrontar as forças de coalizão, o rei pode falar com a confiança que Jaaziel revelou ser possível. Por três vezes, Josafá usa a expressão "permaneçam firmes", usando duas conjugações distintas do verbo para enfatizar o seu ponto. Se as pessoas permanecerem firmes em sua fé em Deus, elas serão capazes de se manterem firmes e com a cabeça erguida em relação aos seus agressores. Ao elaborar as palavras de Josafá, Crônicas utiliza as palavras de uma exortação similar, proferida ao rei Acaz, em Isaías 7:9, sob circunstâncias análogas. Há um contraste edificante com aquela história. Quando Isaías expressou a exortação, o rei Acaz não pôde aceitá-la; aqui, quando Jaaziel exorta Josafá, o rei não somente a aceita, mas transmite a mensagem profética ao seu povo. A repetição das palavras de Isaías também implica a presunção de que as palavras do profeta não eram apenas válidas para aquela ocasião, mas expressavam um princípio no qual o povo de Deus pode regularmente confiar. Na realidade, o ponto é estabelecido pela exortação de Josafá sobre permanecer firme na fé nos *profetas* de *Yahweh* – não apenas em Jaaziel, mas profetas como Isaías, cujas palavras do passado (também sob a perspectiva de Crônicas) são designadas a ser um recurso para a comunidade que vivia séculos depois dos próprios profetas. Mesmo quando as promessas proféticas não se cumprem, isso não é motivo para abandoná-las, mas para se apegar ainda mais a elas, na convicção de que, de alguma forma, no longo prazo, elas ainda provarão que são verdadeiras. Repetindo, isso será um importante desafio e encorajamento para os ouvintes de Crônicas, pessoas cuja experiência não corresponde à experiência dos personagens dessa história.

A narrativa prossegue de uma forma que parece fora do comum. As pessoas adoram *Yahweh* no santuário, enquanto perguntam como lidar com a crise; então, ao marcharem para confrontar os seus invasores, elas são lideradas por um coro entoando canções, louvando e testificando o **compromisso** permanente de *Yahweh*, uma nota recorrente em Crônicas. Uma vez mais, a comunidade que ouve a leitura de Crônicas, em voz alta, pode ser tentada a questionar se aquele compromisso ainda permanece. A história os desafia a crer que sim. Enquanto expressam a sua implausível confissão é que *Yahweh* lida com os seus adversários.

Aparentemente, de alguma forma, Deus lida diretamente com o exército de Amom, de Moabe e de Seir. Isso contrasta com a maneira que, em outras ocasiões, Deus envolve os israelitas na batalha. Há certa ironia ou adequação quanto ao modo divino de lidar com esse povo em particular, pelo fato já antecipado por Josafá em suas palavras iniciais. Israel havia evitado lutar contra esses membros da família abraâmica durante a sua peregrinação a Canaã, mesmo quando assumiram uma posição hostil em relação a Israel. Novamente, há uma possível implicação adicional para os ouvintes/leitores da história em Crônicas. Esses povos ocupam um lugar de destaque entre aqueles que seguem sendo uma ameaça a Judá. Em algumas de suas narrativas, o livro de Crônicas descreve Israel lutando suas próprias batalhas; assim, não podemos simplesmente inferir que Crônicas espere que Judá assuma uma posição pacifista. Mas, de modo implícito, a história também proíbe Judá de meramente assumir que deva ser responsável por sua sobrevivência. Igualmente, suscita a questão sobre se deveria estar lutando contra membros da família e a possibilidade de que Deus pode cuidar de seu destino.

2CRÔNICAS **20:24-37**

ALÍVIO E AÇÃO DE GRAÇAS

[24]Quando Judá chegou ao local apropriado no deserto e olhou na direção da horda – eis que havia cadáveres caídos ao chão. Ninguém escapara. [25]Josafá foi com sua companhia coletar os despojos, e encontraram entre eles, em grandes quantidades, tanto bens quanto cadáveres, e utensílios valiosos. Eles pegaram espólios para si mesmos até não poderem carregar mais. Coletaram despojos por três dias porque havia muito. [26]No quarto dia, eles se reuniram no vale de Bênção, porque ali adoraram *Yahweh* – eis por que o lugar é chamado vale de Bênção até este dia. [27]Todos de Judá e de Jerusalém retornaram com Josafá à frente deles, voltando para Jerusalém com celebração, porque *Yahweh* lhes tinha possibilitado celebrar sobre os seus inimigos. [28]Chegaram a Jerusalém com alaúdes, harpas e trombetas, à casa de *Yahweh*. [29]O temor de Deus veio sobre todos os reinos nas terras quando ouviram que *Yahweh* batalhara com os inimigos de Israel, [30]enquanto o reino de Josafá ficou quieto; seu Deus lhe deu descanso por todos os lados.

[31]Josafá reinou sobre Judá como um homem de trinta e cinco anos quando se tornou rei. Ele reinou vinte e cinco anos em Jerusalém. O nome de sua mãe era Azuba, filha de Sili. [32]Ele andou no caminho de Asa, seu pai, e não se desviou dele, fazendo o que era certo aos olhos de *Yahweh*. [33]Todavia, os lugares altos não cessaram. O povo não firmou a sua mente no Deus de seus ancestrais. [34]O restante dos atos de Josafá, iniciais e tardios, está escrito nos anais de Jeú, filho de Hanani, que foram incluídos no livro dos reis de Israel. [35]Mas, depois de algum tempo, Josafá, rei de Judá, aliou-se a Acazias, rei de Israel; ele era infiel no que fazia. [36]Aliou-se a ele na construção de navios para ir a Társis; eles fizeram os navios em Eziom-Geber. [37]Eliezer, filho de Dodava, de Maressa, profetizou contra Josafá: "Por haver se aliado a Acazias, *Yahweh* está esmagando o seu trabalho." E os navios se quebraram e ficaram incapazes de ir a Társis.

Ontem, como de costume, durante o culto em nossa igreja, o nosso reitor perguntou aos membros da congregação se alguém tinha algum agradecimento a Deus. Em geral, há uma pessoa que se levanta e declara a sua gratidão pelo fato de ter acordado naquela manhã, e todos concordamos com ela. Durante a semana, um membro da igreja havia removido e limpado todas as lâmpadas da igreja, que estava muito mais iluminada que na semana anterior, e demos graças pela renovada beleza do local de culto. Outra pessoa estivera ausente por duas semanas em razão de uma queda, e ela deu entusiásticas graças por sua recuperação e pelo fato de a sua queda não ter tido consequências mais graves. Ela havia perdido o anúncio de um noivado na congregação, de maneira que também estava cheia de louvor pelo que Deus fizera a esse casal. Todavia, alguns cultos de outras igrejas, dos quais participo, apenas incluem o louvor geral e o sermão. Embora haja outros serviços que envolvam oração pela igreja, pelo mundo e as pessoas em necessidade, além do louvor, é comum as ações de graças não serem incluídas.

A história de Josafá ilustra características-chave de adoração. As partes precedentes do capítulo mostram como a adoração envolve o louvor pelo que Deus é. Ainda, abrange a oração para Deus intervir nas situações das quais estamos cientes da necessidade; inclui ouvir a resposta de Deus à nossa oração. Então, envolve dar graças pelo que Deus faz ao implementar compromissos estabelecidos por ele. Lucas 17 nos conta a história de dez homens com uma doença de pele que são purificados por Jesus, mas apenas um deles retorna para dar graças a Deus pela cura. Josafá e seu povo não cometem o mesmo erro dos outros nove. Na realidade, eles ilustram como é apropriado louvar duas vezes (ou três, se incluirmos o louvor do primeiro estágio, que oferecem quando Jaaziel lhes diz que Deus ouvira a oração deles). A primeira vez é quando você experimenta o ato de **libertação** de Deus — eles experimentam Deus agindo no mundo e, de imediato, dão graças, no lugar que, consequentemente, se torna conhecido como vale de Bênção (ou o lugar cujo nome ganha uma nova relevância naquele dia). A segunda vez é quando você retorna ao seu lugar de adoração regular e age como os membros de nossa congregação ontem. A história de Josafá, igualmente, ilustra como a relação com Deus não envolve apenas indivíduos. Deus se relaciona e lida com congregações, comunidades, cidades, denominações e nações, do mesmo modo que pecado, oração, respostas e ações de graças são temas para congregações, comunidades, cidades, denominações e nações.

Josafá e seu povo têm muitos motivos de gratidão a Deus. Pode ser difícil a uma nação do Ocidente imaginar como é vivenciar a libertação experimentada por **Judá**. Podemos pensar em um país como as Filipinas ou a Índia livres do controle dos Estados Unidos ou da Grã-Bretanha. Ou podemos imaginar como seria para o povo de Darfur escapar da opressão em seu próprio país. É possível, então, imaginar a sensação de assombro dos judaítas ao serem libertos da ameaça oferecida pela união dos três povos vizinhos e pelos bens desses povos que, de repente, passaram às mãos dos judaítas sem eles participarem na batalha. Pode-se, novamente, imaginar o encorajamento que esse relato significaria para as pessoas de Judá que viviam cerca de cinco séculos mais tarde, ameaçadas pelos descendentes desses mesmos povos.

A libertação de Judá não é o único ponto da história. O objetivo da ação de graças é dar glória a Deus, mas também encorajar outras pessoas a confiar em ***Yahweh*** e honrá-lo, e esse motivo também aparece nessa narrativa. As nações, em geral, são tomadas de temor pelo que *Yahweh* fez. O Antigo

Testamento, regularmente, expressa esse temor em termos de as nações reconhecerem *Yahweh*. Crônicas não segue essa fórmula e, na realidade, cita a reação como ela é. A segurança do povo de Deus e o reconhecimento de Deus por outros povos caminham juntos.

Seria desejável que esse fosse o fim da história, mas o livro de Crônicas, com extrema frequência, reconhece que a vida real é um pouco mais complexa. Ficamos até com a impressão de que o ato de adoração, oração, confiança e ação de graças constitui uma exceção, em vez de uma regra, na vida do povo, nos dias de Josafá. Crônicas também faz um relato ambíguo do próprio Josafá. No início, ele fez uma aliança de casamento com o rei Acabe; agora, ele sela uma aliança com o filho dele. Se a frota foi construída em Eziom-Geber, no mar Vermelho (próximo à moderna Elate), presumidamente os navios seriam do *tipo* que poderiam navegar a Társis (isto é, navios oceânicos), em vez daqueles realmente destinados a ir para lá, uma vez que as locações plausíveis do lugar outrora chamado Társis estejam no Mediterrâneo. Não está claro se o adjetivo "infiel" é referente a Josafá ou a Acazias, mas Crônicas o veria como apropriado a ambos. A aliança inicial quase custou a vida de Josafá; essa segunda aliança lhe custou a frota. Uma vez mais, há uma lição implícita aos leitores de Crônicas. Judá não possui acordos comerciais com o povo de Samaria, pois os samaritanos são tratados como equivalentes a **Efraim**, nos dias de Josafá.

2CRÔNICAS **21:1—22:9**

COMO SER REALMENTE IMPOPULAR

[1]Josafá dormiu com os seus ancestrais e foi sepultado com seus ancestrais na cidade de Davi, e Jeorão, o seu filho, reinou em seu lugar. [2]Ele teve irmãos, filhos de Josafá: Azarias, Jeiel,

Zacarias, Micael e Sefatias. Todos esses foram filhos de Josafá, rei de Israel. [3]Seu pai lhes deu muitos presentes de prata e de ouro e coisas finas, além de cidades fortificadas em Judá, mas o reinado o deu a Jeorão, porque ele era o primogênito. [4]Quando Jeorão subiu ao poder sobre o reino de seu pai, ele afirmou a sua força e assassinou todos os seus irmãos com a espada e também alguns oficiais de Israel. [5]Jeorão tinha trinta e dois anos quando se tornou rei e reinou oito anos em Jerusalém. [6]Ele andou no caminho dos reis de Israel, como a casa de Acabe havia agido, porque tinha a filha de Acabe como sua esposa. Ele fez o que era errado aos olhos de *Yahweh*, [7]mas *Yahweh* não estava disposto a destruir a casa de Davi, pelo bem da aliança que selara com Davi, e por haver dito que daria a ele e aos seus descendentes uma hegemonia para sempre. [8]Durante o seu tempo, Edom se rebelou contra o controle de Judá e fez alguém rei sobre eles. [9]Jeorão partiu com os seus oficiais e todas as suas carruagens com ele. Levantou-se à noite e atacou os edomitas, que o cercavam, e os oficiais das carruagens [10](mas Edom tem se rebelado contra o controle de Judá até este dia). Então, Libna rebelou-se contra o seu controle, naquele tempo, porque ele havia abandonado *Yahweh*, o Deus de seus ancestrais. [11]Também fez lugares altos nas montanhas de Judá e desviou os habitantes de Judá e de Jerusalém.

[12]Uma carta do profeta Elias chegou ao rei, dizendo: "*Yahweh*, o Deus de Davi, o seu ancestral, disse isto: 'Uma vez que você não tem andado nos caminhos de Josafá, o seu pai, e nos caminhos de Asa, rei de Judá, [13]mas no caminho dos reis de Israel, e desviado Judá e os habitantes de Jerusalém, como a casa de Acabe os desviou, e também assassinado os seus irmãos, a casa de seu pai, homens que eram melhores do que você, [14]eis que *Yahweh* irá infligir um grande golpe sobre o seu povo, os seus filhos, as suas esposas e todas as suas propriedades, [15]e a você mesmo, com uma grande enfermidade, uma enfermidade das entranhas, até que as suas entranhas saiam por causa da enfermidade, após algum tempo.'"

[16]*Yahweh* despertou o espírito dos filisteus e dos árabes, que estavam perto dos sudaneses, contra Jeorão. [17]Eles subiram contra Judá, o invadiram e capturaram todas as propriedades que puderam ser encontradas na casa do rei, e todos os seus filhos e suas esposas. Nenhum filho lhe foi deixado, exceto Jeoacaz, o mais novo de seus filhos. [18]Depois de tudo isso, *Yahweh* o infligiu em suas entranhas com uma enfermidade sem cura. [19]Após algum tempo, ao fim de dois anos, suas entranhas saíram para fora por causa de sua enfermidade, e ele morreu por causa da desagradável enfermidade. Seu povo não fez uma fogueira para ele como a fogueira de seus ancestrais. [20]Ele tinha trinta e dois anos quando se tornou rei e reinou oito anos em Jerusalém, mas viveu sem que o povo tivesse prazer [nele]. Ele foi sepultado na cidade de Davi, mas não na tumba dos reis.

CAPÍTULO 22

[1]Os habitantes de Jerusalém fizeram Acazias, o seu filho mais novo, rei no lugar dele.

[Os versículos 2-9 relatam como Acazias – uma variante de Jeoacaz – prossegue com as políticas de seu pai e é morto por Jeú, durante um golpe em Efraim.]

Estamos no dia seguinte às eleições de meio de mandato e na semana em que os meus alunos têm de entregar os seus papéis de meio período. Em meu comentário sobre um capítulo anterior em Crônicas, fiz menção aos meus alunos me perguntarem como eles diferiam dos meus alunos do seminário na Inglaterra. Uma diferença adicional que me ocorre é que os alunos nos Estados Unidos se preocupam com a liderança e com o que a Bíblia ensina sobre esse tema. De minha parte, tento persuadi-los de que a Bíblia não está tão interessada nesse assunto como eles. Uma forma melhor de expressar isso seria dizer que a Bíblia está interessada no tema de um modo diferente. Os alunos desejam obter dicas de como podem ser bons líderes; a Bíblia está mais interessada em nos levar a ver quão frequentemente os líderes são corruptos e levam os seus liderados ao desvio. Isso era parte do cenário das eleições de meio de mandato (um ex-líder majoritário no Congresso passou o dia em um tribunal em virtude de uma acusação sobre lavagem de dinheiro), mas isso afeta a igreja do mesmo modo que o restante da sociedade. A reação apropriada não é apenas buscar dicas sobre como liderar melhor, mas levar a sério o fato de que não iremos lograr isso e, assim, (por exemplo) ter salvaguardas e procedimentos para nos protegermos contra essa inevitabilidade.

Jeorão ilustra esse ponto. Primeiro, ele é cruel. Pode-se imaginar o seu raciocínio; a nação necessita de uma liderança clara; seu pai agiu com generosidade em relação aos seus irmãos. Embora o compromisso de Deus com Davi coloque limites sobre quem pode ser rei, ele não especifica, por exemplo, que o filho mais velho deve suceder o pai. Josafá pode ter desejado que isso ocorresse, mas quem pode dizer o que irá ocorrer caso um dos irmãos de Jeorão fique um pouco mais ambicioso? Pelo bem da estabilidade política, é no interesse de todos que eles são eliminados, a exemplo daqueles que não apoiam Jeorão.

Em segundo lugar, ele busca fortalecer a estabilidade externa de **Judá** por meio de outra aliança de casamento com **Efraim**, sob o reinado de Acabe, este mesmo casado com Jezabel em termos similares. (O capítulo é um exemplo clássico da utilização confusa do termo “Israel”. Josafá é descrito como rei de Israel no sentido de rei do genuíno povo de Deus: Judá como oposto a Efraim. Mas, quando Acabe é descrito como rei de Israel, o sentido é de líder do povo que ostenta esse nome como sua identidade política: Efraim como oposto a Judá.) Mesmo se a esposa de Jeorão não fosse a filha de Jezabel, a sua origem seria de uma casa que se tornou influenciada pela religião tradicional de Canaã, a qual o rei Acabe encorajou por meio de seu matrimônio com Jezabel. Essa influência, agora, se estende a Judá.

Uma das consequências do foco de Crônicas sobre Judá é que profetas como Elias e Eliseu, que operavam em Efraim, não aparecem nessa versão da história. Todavia, aqui, Elias desempenha um papel de protagonista. Seu envolvimento em Judá é equivalente a um profeta judaíta, como Amós, ir a Efraim confrontar o regime efraimita. Elias possui uma forma distinta de estabelecer o ponto de Jeorão desviar Judá. O verbo que o profeta usa sugere promiscuidade sexual. Judá deve a ***Yahweh*** o tipo de fidelidade que uma esposa deve ao seu marido, mas, em vez de encorajar essa fidelidade, Jeorão incentivou a infidelidade. Considerando que Jeorão é homem e marido, a exemplo, decerto, da maioria da liderança judaíta, essa é uma metáfora poderosa. Esses maridos ficariam enfurecidos com a simples ideia de que alguém estivesse tentando seduzir a sua esposa. Elias acusa Jeorão de fazer exatamente isso em relação a Deus. O comentário adicional do profeta quanto aos irmãos assassinados por Jeorão serem homens melhores do que ele próprio pode não expressar muita coisa, mas, talvez, implique que eles não levariam o povo judaíta a se desviar de Deus. A expressão levemente enigmática sobre o povo não ter prazer nele talvez denote que ele nunca angariou o amor de seu povo.

Felizmente, Judá tem a seu favor a graça e o compromisso de Deus em manter as suas promessas. Na versão do compromisso de Deus, que aparece em 2Samuel 7, Deus havia assumido o compromisso de assegurar que a casa de Davi governaria permanentemente em Jerusalém (a versão em 1Crônicas 17 é menos específica, mas a história de Jeorão pressupõe essa promessa). Aquele compromisso não falava de nenhum castigo em caso de erro por parte do rei davídico. Repetindo, o compromisso se referia diretamente ao próprio filho de Davi, mas seria racional assumir que essa possibilidade se aplicava também aos seus sucessores, ao longo do compromisso. Desse modo, a despeito de uma libertação, Jeorão experimenta rebeliões contínuas da parte de Edom (experiência essa que contrasta com a de seu pai), revolta por parte de Libna (tecnicamente, parte de Judá, mas situada na fronteira com a Filístia e, aparentemente, na prática, uma cidade filisteia) e ataques dos filisteus e dos árabes, no extremo sul. O próprio Jeorão perde a sua vida de forma desagradável.

2CRÔNICAS **22:10—23:21**
DUAS MULHERES FORTES E DUAS ALIANÇAS

[10]Quando Atalia, mãe de Acazias, viu que seu filho estava morto, ela determinou a destruição de toda a descendência real da casa de Judá. [11]Mas Jeosabeate, a filha do rei, pegou Joás, filho de Acazias, dentre os filhos do rei que estavam sendo mortos, e pôs, ele e sua ama, em um quarto. Assim, Jeosabeate, filha do rei Jeorão, esposa do sacerdote Joiada, o escondeu (porque ela era irmã de Acazias) de Atalia, e ele não foi morto. [12]Ele ficou com eles na casa de Deus, escondido, por seis anos; Atalia ficou reinando sobre o país.

CAPÍTULO 23

[1]No sétimo ano, Joiada afirmou a sua força e levou os oficiais de centenas, Azarias, filho de Jeroão, Ismael, filho de Joanã, Azarias, filho de Obede, Maaseias, filho de Adaías, e Elisafate, filho de Zicri, a uma aliança com ele. [2]Eles foram a todo o Judá e reuniram os levitas de todas as cidades de Judá e os cabeças

ancestrais de Israel. Eles foram a Jerusalém, [3]e toda a assembleia selou uma aliança na casa de Deus com o rei. [Joiada] lhes disse: "Ora, o filho do rei deve ser o rei, como *Yahweh* falou acerca dos descendentes de Davi. [4]Isso é o que vocês devem fazer. Um terço de vocês, sacerdotes e levitas que virão no sábado, serão os guardas dos portões na vigília, [5]um terço estará na casa do rei, e um terço no Porão do Alicerce. Todo o povo estará nos pátios da casa de *Yahweh*. [6]Ninguém deverá entrar na casa de *Yahweh*, exceto os sacerdotes e os levitas de serviço. Eles podem entrar porque estarão santificados, mas todo o povo deve cumprir o preceito de *Yahweh*. [7]Os levitas devem rodear o rei por todos os lados, cada um com suas armas em mãos. Qualquer um que entrar na casa deve ser morto. Devem estar com o rei quando ele entrar e sair [...]." [11]Então, trouxeram para fora o filho do rei, colocaram sobre ele a coroa e a declaração e o fizeram rei. Joiada e seus filhos o ungiram e disseram: "Vida longa ao rei!"

[12]Atalia ouviu o som do povo correndo e aclamando o rei e foi ao povo na casa de *Yahweh*. [13]Ela olhou, e eis que o rei estava em pé, junto à coluna, na entrada, e os oficiais com suas trombetas ao lado do rei, e todo o povo do país celebrando e tocando as trombetas, e os cantores com instrumentos musicais, que os ensinavam a dar louvor. Atalia rasgou suas roupas e disse: "Conspiração, conspiração!" [14]Joiada, o sacerdote, chamou os oficiais de centenas que foram designados sobre o exército e lhes disse: "Levem-na para fora do recinto. Qualquer um que for atrás dela deve ser morto à espada" (porque o sacerdote disse: "Não a matem na casa de *Yahweh*"). [15]Eles puseram as mãos nela e a levaram para a entrada da porta dos Cavalos, para a casa do rei, e a mataram ali.

[16]Joiada selou uma aliança entre ele, todo o povo e o rei para que eles fossem o povo de *Yahweh*. [17]Todo o povo foi à casa do Mestre e a derrubaram. Seus altares e imagens, eles quebraram, e a Matã, o sacerdote do Mestre, eles mataram em frente

dos altares. [18]Joiada colocou a supervisão da casa de *Yahweh* nas mãos dos sacerdotes levitas, a quem Davi havia designado sobre a casa de *Yahweh* para apresentar ofertas queimadas a *Yahweh*, de acordo com o que está escrito no ensino de Moisés, com celebração e cânticos, pela ordem de Davi. [19]Ele colocou guardas nos portões da casa de *Yahweh*, para que ninguém que, de alguma forma, fosse tabu pudesse entrar. [...] [21]Todo o povo do país celebrou, e a cidade ficou quieta, quando eles colocaram Atalia à espada.

Em minha igreja, no mês de novembro, estabelecemos o nosso compromisso de ofertas para o ano seguinte; na Grã-Bretanha, nos referimos a esse empenho como uma **aliança**. Um dia desses, certa amiga estava me contando sobre o compromisso de aliança que eles realizavam em sua igreja, a cada mês de novembro. Além de envolver as ofertas, a ocasião propicia uma revisão abrangente da vida e do envolvimento de cada um na igreja, o que pode ser algo realmente caro. Como exemplo, ela mencionou a forma pela qual os homens se comprometem a estudar a Bíblia na segunda-feira à noite, quando qualquer outro homem está tradicionalmente comprometido a assistir aos eventos esportivos. Em termos financeiros, essa decisão não é cara, mas, em certo sentido, extremamente onerosa. Essa amiga está prestes a assumir um dos compromissos de aliança mais valiosos; em breve, ela irá se casar. Essencial para a ideia de aliança é que uma das partes não pode ser levada a um tribunal por falhar em manter uma aliança, do mesmo modo que ocorre quando um contrato é rompido. Reconhecidamente, essa distinção é mais clara em outras línguas do que no hebraico, que usa a mesma palavra para aliança, contrato e tratado. A utilização da palavra "aliança" implica que é a espécie de compromisso no qual nos colocamos por inteiro.

Quando eu descumpro uma aliança, não estou meramente sendo infiel a alguém, mas decepciono a mim mesmo.

A maioria das alianças na Bíblia envolve Deus e a sua iniciativa. Na presente narrativa, Joiada toma a inciativa em conexão com três alianças. As primeiras duas envolvem certa dose de coragem. Sempre que iniciar um golpe ou uma revolução, estará pondo a sua vida em jogo. O desenrolar da história deixa claro que Joiada pode contar com algum apoio, mas também que o resultado não é uma barbada; a comunidade está dividida. Há os que apoiam a linhagem assumida por Jeorão, Acazias e Atalia, isto é, pessoas que apoiam a ideia de haver um templo para o **Mestre** em Jerusalém, do mesmo modo que um templo de ***Yahweh***, enquanto há outros que não se importam em matar a família real para assegurar a estabilidade e a ordem das coisas na cidade e no país. Por fim, há os que sofrem com a infidelidade da comunidade, mas quantos eles são? Pode Joiada ter certeza de que há suficiente número de pessoas que sofrem para seu plano dar certo? O relato sugere que ele fez a lição de casa e está certo de que há apoio suficiente. Todavia, ele não saberá realmente até que tome a iniciativa e arrisque a própria vida.

Joiada o faz, e seus cálculos se mostram corretos. Então, ele precisa assumir a liderança em relação a uma terceira aliança, uma que explicitamente envolve Deus. Pode-se dizer que é uma resposta ao compromisso de aliança que Deus estabeleceu com Israel, muito tempo atrás, uma reafirmação da resposta de Israel no Sinai, mas em circunstâncias que seria necessário reconhecer a incerteza quanto à validade do compromisso de Deus, considerando a rebelião do povo. Os israelitas teriam que reafirmar essa aliança na esperança de que Deus a aceitasse. Joiada lidera o povo a fazer isso, o que envolve uma coragem menos óbvia — na verdade, duas formas de bravura adicionais. Há certa dose de coragem e algum risco presentes na atitude de alcançar Deus, do mesmo modo que existe alguma bravura envolvida no ato de encorajar **Judá** a assumir esse compromisso de aliança. Joiada não poderia ser acusado caso sentisse o mesmo que Josué quando este disse aos israelitas que eles não podiam servir a Deus. Eles não entendiam a seriedade desse compromisso. Todavia, Joiada assume o risco adicional de levá-los a estabelecer o seu compromisso de aliança. A palavra "declaração" é outro termo relativo à aliança; a declaração será um documento que declara os termos da aliança entre Deus, o rei e o povo, o qual deixará patente, por exemplo, as políticas religiosas com as quais o rei está comprometido. Essas políticas envolverão um compromisso com *Yahweh* e o governo à luz do ensino de Moisés e dos procedimentos de Davi para o templo, não a política seguida pelos predecessores de Joás. Claro que serão necessários alguns anos para que esse rei de apenas sete anos de idade esteja, realmente, em posição de implementar uma política de governo, seja ela qual for.

Joiada não teria necessidade de mostrar a sua diversificada bravura a não ser pelos atos de uma mulher, do mesmo modo que não teria oportunidade de fazê-lo a não ser pela iniciativa de outra mulher. Atalia é uma daquelas rainhas-mãe dotadas de grande poder político e ela aproveita a sua posição para introduzir as práticas religiosas com as quais está comprometida. Ironicamente, a chave para a frustração de seus esforços é o compromisso de outra mulher – na verdade, de duas outras mulheres. Além de ser a esposa de Joiada, Jeosabeate é, aparentemente, a filha de Jeorão, não com Atalia, mas com uma de suas demais esposas. Não seria surpresa caso houvesse tensão entre a rainha-mãe e a princesa, e tanto os fatores familiares quanto os religiosos teriam influenciado na disposição de Jeosabeate de resgatar o seu sobrinho do extermínio promovido por Atalia. Ela também estaria arriscando a sua vida ao fazer isso, do mesmo modo que a ama que cuidou dele.

2CRÔNICAS 24:1–27
MENINO REI, JOVEM INSISTENTE, ADULTO APÓSTATA

[1]Joás tinha sete anos de idade e ele reinou quarenta anos em Jerusalém. O nome de sua mãe era Zíbia, de Berseba. [2]Joás fez o que era certo aos olhos de *Yahweh* todos os anos do sacerdote Joiada. [...] [4]No devido tempo, veio à mente de Joás renovar a casa de *Yahweh*. [5]Ele reuniu os sacerdotes e levitas e lhes disse: "Saiam às cidades de Judá e coletem prata de todo o Israel para reparar a casa de Deus, ano após ano. Vocês devem agir rapidamente nessa matéria." Mas os levitas não agiram rapidamente. [6]Por isso, o rei convocou Joiada, o cabeça, e lhe disse: "Por que você não exigiu dos levitas que trouxessem de Judá e de Jerusalém o imposto de Moisés, servo de *Yahweh*, e da congregação de Israel, para a tenda da declaração?" [...] [8]Então, o rei disse que eles deveriam fazer um baú e colocá-lo à entrada da casa de *Yahweh*, do lado de fora, [9]e eles fizeram proclamação em Judá e Jerusalém para trazer a *Yahweh* o imposto que Moisés, servo de *Yahweh*, impôs a todo o Israel no deserto. [10]Todos os oficiais e todo o povo ficaram contentes em trazê-lo, e eles o jogaram no baú até enchê-lo. [...] [12]O rei e Joiada o entregavam às pessoas que faziam o trabalho, o serviço da casa de *Yahweh*. Contrataram pedreiros e artífices para renovar a casa de *Yahweh* e também artífices em ferro e em bronze para reparar a casa de *Yahweh*. [13]As pessoas que faziam o trabalho eram diligentes, e o trabalho de restauração progrediu em suas mãos. Eles estabeleceram a casa de Deus de acordo com o seu desenho e a reforçaram. [...] [14b]Apresentaram ofertas queimadas na casa de *Yahweh* regularmente, todos os

dias de Joiada. [15]Joiada ficou velho e pleno de anos, e morreu, um homem de cento e trinta anos quando morreu. [16]Eles o sepultaram na cidade de Davi, com os reis, porque ele havia feito o que era bom em Israel, para Deus e para a casa de Deus.

[17]Mas, depois da morte de Joiada, os oficiais de Judá vieram e se curvaram diante do rei. Então, o rei os ouviu, [18]e eles abandonaram a casa de *Yahweh*, o Deus dos seus ancestrais, e serviram às aserás e aos ídolos, e a ira veio sobre Judá e Jerusalém por causa dessa ofensa deles. [19]*Yahweh* enviou profetas entre eles para fazê-los voltar a *Yahweh*. [Os profetas] testificaram contra eles, mas eles não deram atenção. [20]O espírito de Deus revestiu Zacarias, o filho de Joiada, o sacerdote, e ele se levantou acima do povo e lhes disse: "Deus disse isto: 'Por que vocês estão transgredindo os mandamentos de *Yahweh*? Vocês não prosperarão. Porque abandonaram *Yahweh*, ele os abandonou.'" [21]Conspiraram contra ele e atiraram pedras nele, por ordem do rei, no pátio da casa de *Yahweh*. [22]Assim, o rei Joás não se lembrou do compromisso que Joiada, o pai [de Zacarias], lhe havia mostrado e matou o seu filho. Enquanto morria, ele disse: "Que *Yahweh* veja e retribua."

[23]Na virada do ano, o exército arameu subiu contra ele. Eles foram a Judá e Jerusalém e eliminaram todos os oficiais do povo. Enviaram todos os despojos ao rei de Damasco, [24]porque o exército arameu havia ido com poucos homens, mas *Yahweh* entregou em suas mãos um exército muito grande porque haviam abandonado *Yahweh*, o Deus dos seus ancestrais. Assim, eles tomaram ação decisiva contra Joás, [25]e, quando eles o deixaram (porque o abandonaram com muitas feridas), seus oficiais conspiraram contra ele por causa do sangue derramado dos filhos de Joiada, o sacerdote, e o mataram em seu leito. Assim, ele morreu, e eles o sepultaram na cidade de Davi, mas não nos túmulos dos reis. [...] [27b]Amazias, seu filho, reinou em seu lugar.

Na aula de ontem à noite, discutimos o salmo 139, que termina com um apelo para Deus matar os assassinos e declara um compromisso de odiar quem odeia Deus. Alguns alunos ficaram incomodados com a ideia de pedir a Deus para agir contra os nossos inimigos; eles não perceberam que o salmo não fala de Deus tratar nossos inimigos como seus; antes, estabelece o compromisso de tratar os inimigos de Deus como nossos. Em outras palavras, nos dissociamos deles no sentido de que repudiamos totalmente os seus caminhos. Como expressou Agostinho, embora sejamos chamados a amar os nossos inimigos, não somos chamados a amar os inimigos de Deus.

As derradeiras palavras de Zacarias suscitam questões similares. Mais literalmente, ele pede: "Que ***Yahweh*** veja e busque" ou "veja e exija". Suas palavras contrastam com aquelas proferidas pelo martirizado Estêvão, em Atos 7; submetido à mesma classe de morte, Estêvão pede a Deus que não impute os pecados de seu linchamento aos seus executores. Contudo, parece que Deus não vê problemas na oração de Zacarias e responde a ela por meio do exército **arameu**. Claro que eles invadiram impelidos por seus próprios motivos. No Antigo Testamento, é comum que as pessoas usadas como meios de executar o juízo divino não tenham ciência de que é isso o que estão fazendo. Em outras ocasiões, Crônicas fala de Deus levantar um inimigo contra Israel; no presente relato, ele simplesmente reporta que os arameus invadiram. Não havia nada misterioso em relação a esse fato. O ponto é estabelecido de outra forma com a menção da ira vindo sobre **Judá**. Seria possível imaginar que fosse a ira de Deus, mas, nessa ocasião, Crônicas se refere a isso apenas como ira. Forças trazendo bênção e desastre são incorporadas ao modo de a história funcionar. É como se o próprio cosmos, ou as forças da história, estivesse irado com o modo pelo qual Judá e Jerusalém traíram o seu compromisso com *Yahweh*. João Batista, Jesus e Paulo falam de modo similar sobre a ira (não apenas sobre a ira de Deus) vindo sobre as pessoas.

Não há nada misterioso com respeito à invasão dos arameus. As nações atacam umas às outras dessa forma. No entanto, houve algo misterioso em relação à escala da conquista dos arameus. O aspecto solene dado ao evento contraria o modo pelo qual as coisas deveriam funcionar. Em outras situações, o envolvimento de Deus levou Judá a obter vitórias contrariando todas as probabilidades. Nessa ocasião específica, levou Judá a experimentar uma derrota contra todos os prognósticos. A forma pela qual a narrativa utiliza o verbo "abandonar" é significativo nessa conexão. Joás e Judá abandonaram a casa de *Yahweh* e, por abandonarem *Yahweh*, este os abandona. Então, os arameus abandonam Joás com muitos ferimentos. Esse modo de falar denota os vínculos "naturais" entre os atos e os seus resultados.

Aparentemente, Jesus não vê problemas na oração de Zacarias. Em Lucas 11:45-52, ele declara "ais" sobre os teólogos e éticos de seus dias que tratam os profetas do mesmo modo que os seus ancestrais tratavam as pessoas, de Abel a Zacarias, e que seriam responsabilizadas por aquele derramamento de sangue. Parece que, para Jesus, o juízo de Deus nos dias de Joás foi insuficiente; deve haver mais juízo. Embora Jesus, mais tarde, antecipando-se à oração de Estêvão, pede que o seu próprio linchamento seja perdoado, ele também concorda com Zacarias que os inimigos de Deus devam ser punidos.

O relacionamento entre Joiada, o sacerdote e pai de Zacarias, e Joás, o rei judaíta, ao que tudo indica, tinha altos e baixos. Joás estava assentado no trono apenas porque Joiada o colocara ali; ele era um rei marionete nas mãos de Joiada.

No entanto, Joás obtém crédito por tomar a iniciativa na restauração do templo, após a negligência e o abuso da casa de *Yahweh* no período de Acazias e de Atalia, e a história implica a cumplicidade de Joiada, como sacerdote, nesse descaso. Por outro lado, sugere que Joiada foi uma força em favor de Deus durante toda a sua vida. Após a sua morte, o povo não encontrou dificuldades em persuadir Joás a reverter a sua posição anterior e encorajar o culto às **aserás** e a outras divindades. Em oposição a isso é que Zacarias apresenta-se como genuíno filho de seu pai e paga o preço por isso, como, em geral, ocorre aos profetas. Ele morre pedindo a Deus para não permitir que aquela traição a ele prevaleça. Ambos os Testamentos falam que a ira é uma das formas pelas quais a oração de Zacarias será respondida. Deus não abandona o mundo à mercê das forças de apostasia.

2CRÔNICAS 25:1-28
O QUE CONTA COMO CONSELHO EFICAZ

[1]Amazias se tornou rei como um homem de vinte e cinco anos e reinou vinte e nove anos em Jerusalém. O nome de sua mãe era Jeoadã, de Jerusalém. [2]Ele fez o que era certo aos olhos de *Yahweh*, mas não de toda a mente. [3]Quando o seu reinado estava forte, ele matou os oficiais que haviam matado o seu pai, o rei, [4]mas não matou seus filhos, porque agiu de acordo com o que estava escrito no ensino do rolo de Moisés, no qual *Yahweh* ordenou: "Os pais não devem morrer por causa dos filhos, e os filhos não devem morrer por causa dos pais, porque os indivíduos devem morrer por sua própria transgressão."

[5]Amazias reuniu Judá e os posicionou pelas casas ancestrais debaixo dos oficiais de milhares e dos oficiais de centenas, todo o Judá e Benjamim. Ele os convocou da idade de vinte anos para cima e encontrou trezentos mil homens escolhidos, capazes de sair em serviço militar, empunhando lança e

escudo. [6]De Israel, ele contratou cem mil guerreiros por cem talentos de prata. [7]Mas um homem de Deus foi até ele e lhe disse: "Ó rei, o exército de Israel não deve ir com você, porque *Yahweh* não está com Israel (todos os efraimitas). [8]Antes, vá você e faça isso, seja forte em batalha, [ou] Deus fará você cair diante do inimigo. Pois há poder em *Yahweh* para ajudar e para fazer as pessoas caírem." [...]

[14]Depois de Amazias voltar de matar os edomitas, ele trouxe os deuses dos homens de Seir, os estabeleceu como seus deuses, curvou-se diante deles e queimou incenso a eles. [15]A ira de *Yahweh* se acendeu contra Amazias, e ele lhe enviou um profeta. Ele lhe disse: "Por que você olhou para os deuses desse povo, que não conseguiram resgatar o povo deles de suas mãos?" [16]Quando ele lhe falou, [Amazias] lhe disse: "Nós o fizemos conselheiro do rei? Pare! Você será morto." O profeta parou e disse: "Reconheço que Deus me aconselhou que você seja eliminado, porque você fez isso e não ouviu o meu conselho."

[17]Amazias, rei de Judá, tomou conselho e enviou a Jeoás, filho de Jeoacaz, filho de Jeú, rei de Israel: "Venha, vamos enfrentar um ao outro." [18]Jeoás, rei de Israel, enviou a Amazias, rei de Judá [...]: [19]"Tu dizes: 'Ora, eu eliminei Edom', e tua mente o incitou a se comportar imponentemente. Fique em casa agora. Por que criar problemas? Tu mesmo cairás, e Judá contigo." [20]Mas Amazias não ouviu, porque isso era de Deus, para os entregar nas [suas] mãos, porque buscou socorro dos deuses de Edom. [21]Então, Jeoás, rei de Israel, subiu, e ele e Amazias, rei de Judá, enfrentaram-se em Bete-Semes, em Judá. [22]Judá colapsou diante de Israel, e todos eles fugiram para suas tendas. [...] [27]Desde o momento em que Amazias se desviou de seguir *Yahweh*, eles formaram uma conspiração contra ele, em Jerusalém. Ele fugiu para Láquis, mas eles o perseguiram até Láquis e o mataram ali. [28]Eles o carregaram em cavalos e o sepultaram com seus ancestrais na cidade de Judá.

Hoje estou escrevendo na casa de um amigo e da casa vizinha posso ouvir uma mãe gritando e duas crianças discutindo. A visão de meu amigo é que os pais daquelas crianças possuem uma relação passivo-agressiva, que envolve muita gritaria entre eles; um dos filhos tenta fazer as coisas certas ao ser muito complacente, enquanto o outro filho expressa uma reação mais enérgica àquela dinâmica familiar. "Às vezes, sinto vontade de sair e abraçar a todos", revelou o meu amigo. "Todos eles precisam se sentir amados." Atrás da casa deles, há outra na qual um adolescente mora com os seus pais. Certa noite, ele não aguentava mais a discussão dos pais. Então, quando eles saíram, o filho os trancou do lado de fora. Quando os pais retornaram, às duas da manhã, o filho disse que eles não iriam entrar até concordarem em fazer algo para melhorar o casamento deles. A altercação que se seguiu precisou da intervenção policial depois de algum tempo. No seminário em que ensino, metade dos alunos é oriunda de famílias com históricos disfuncionais; todavia, não concordamos com a tese de que os aspectos severos do histórico familiar forneçam às pessoas uma desculpa para a vida que elas escolhem.

O Antigo Testamento reconhece que os pecados dos pais, de fato, visitam os filhos, embora seja notável que essa história principie estabelecendo o ponto contrário. Embora a vida funcione dessa maneira porque somos unidos em famílias, isso não significa que as pessoas sejam punidas por se desviarem dos caminhos trilhados por seus pais, e a **Torá** deixa claro que a lei não deve funcionar dessa forma.

A parte principal da narrativa sobre Amazias segue explorando a questão sobre no que **Judá** deposita a sua confiança, e isso leva a duas tentações recorrentes de Judá. Uma é assumir que o fator decisivo nas relações com os demais povos é o tamanho do exército e que não importa muito de onde as tropas venham. Por um lado, Amazias necessita aprender a mesma lição que seu pai recebeu – o fator decisivo no destino do povo de Deus não é a extensão de seus recursos. Por outro, é necessário, igualmente, que ele aprenda a mesma lição que seu avô aprendeu – que Judá não deve ter negócios com ou se utilizar dos recursos de **Efraim**. Uma vez mais, pode-se ver as implicações para as pessoas que ouvem esses relatos em Crônicas. A diminuta e sitiada comunidade judaíta não deve assumir qualquer aliança com o equivalente de Efraim, isto é, o povo de Samaria em seus dias, para que sobrevivam e prosperem. Judá precisa apenas confiar em Deus. Trata-se de uma mensagem irremediavelmente impraticável, embora o livro de Crônicas reconheça a sua importância-chave.

A outra tentação é confiar em recursos religiosos estrangeiros. Com efeito, Crônicas se diverte com Amazias. Francamente, ter consciência de derrotar Edom com o auxílio de ***Yahweh*** e, então, passar a buscar o socorro dos deuses de Edom! Compreensivelmente, *Yahweh* está descontente, mas, como de costume, envia um profeta para confrontar o rei e explicitar esse ponto óbvio e ver se é possível mudar a posição de Amazias. De novo, as implicações são expressas por meio de uma palavra-chave: dessa vez, *conselho*. Embora os líderes sejam propensos a pensar que os profetas são bons apenas se apoiarem a posição deles, eles não se importam com os profetas que os criticam. Eles presumem que o povo de Deus deve ter uma liderança coerente e que não pode haver vozes desonestas questionando aspectos-chave de política. Contudo, ninguém nomeou aquele profeta como *conselheiro* integrante da equipe de liderança, responsável por tomar decisões em nome da comunidade. O rei não reconhece que o profeta é capaz de aconselhar por meio de seu acesso a um grupo decisório distinto, que se reúne nos gabinetes celestiais.

O rei pode ameaçar o profeta, e suas ameaças podem ser reais, mas ele deve reconhecer que o profeta possui uma relevância em relação ao destino da nação e que não pode ser ignorado. O rei pode fazer o profeta se calar, mas isso representa uma ação perigosa, pois está silenciando alguém que traz notícias do que Deus aconselhou (isto é, decidiu). Em vez de dar a devida atenção, o rei, com exacerbada estupidez, consulta seus conselheiros terrenos e desafia Efraim a uma confrontação franca. O relato sobre a batalha em Bete-Semes, situada a sudoeste de Judá, bem distante do próprio território de Efraim, pode dar dicas sobre o pano de fundo. Talvez o rei de Efraim desejasse expandir os interesses de seu povo nas rotas comerciais em direção ao Mediterrâneo e ao Egito, e o rei de Judá viu a necessidade de resistir a esse movimento. Ele está resistindo ao conselho ou à decisão de *Yahweh*, embora, paradoxalmente, também esteja cumprindo o propósito de Deus ("isso era de Deus"). Esse se tornou o meio pelo qual Amazias traz desgraça sobre a sua própria cabeça.

2CRÔNICAS 26:1—27:9
SOBRE A SEPARAÇÃO ENTRE IGREJA E ESTADO À MODA DO ANTIGO TESTAMENTO

[1]Todo o povo de Judá tomou Uzias (ele tinha dezesseis anos de idade) e o fez rei no lugar de Amazias, seu pai. [2]Ele foi aquele que construiu Elate e a restituiu a Judá, após o rei dormir com seus ancestrais. [3]Uzias, dezesseis anos quando se tornou rei, reinou cinquenta e dois anos em Jerusalém. O nome de sua mãe era Jecolias, de Jerusalém. [4]Ele fez o que era certo aos olhos de *Yahweh*, de acordo com tudo o que Amazias, seu pai, fez. [5]Buscou o socorro de Deus no tempo de Zacarias, que o instruiu na reverência a Deus. [6]Ele saiu à luta com os filisteus e derrubou a muralha de Gate, a muralha de Jabne e a muralha de Asdode e construiu cidades em Asdode. [7]Deus o ajudou

contra os filisteus, os árabes que viviam em Gur-Baal e contra os meunitas. [...] [16]Mas, quando se tornou forte, sua atitude se tornou superior, até ele agir destrutivamente e transgredir contra *Yahweh*, o seu Deus; ele foi ao palácio de *Yahweh* para queimar incenso sobre o altar do incenso. [17]O sacerdote Azarias o seguiu; com ele, seguiram oitenta sacerdotes capazes de *Yahweh*. [18]Levantaram-se contra o rei Uzias e lhe disseram: "Não cabe a você, Uzias, queimar incenso a *Yahweh*, pois os sacerdotes, os aronitas, que foram consagrados, é que devem queimar incenso. Deixe o santuário, porque você transgrediu. Não haverá honra para você de *Yahweh* Deus." [19]Uzias (com o incensário em sua mão) ficou furioso. Quando ele ficou furioso com os sacerdotes, uma condição de pele surgiu em sua testa, diante dos sacerdotes na casa de *Yahweh*, junto ao altar do incenso. [20]Azarias, o sumo sacerdote, e todos os sacerdotes olharam para ele: eis que ele tinha uma condição de pele em sua testa. Eles o apressaram a sair dali, e ele mesmo se apressou em sair, porque *Yahweh* o havia atingido. [21]O rei Uzias sofreu aquela condição de pele até o dia de sua morte. Ele permaneceu em uma casa à parte, como uma pessoa com uma condição de pele, pois fora cortado da casa de *Yahweh*; Jotão, seu filho, ficou sobre a casa do rei, exercendo autoridade sobre o povo do país. [...] [23]Uzias dormiu com seus ancestrais, mas eles o sepultaram com seus ancestrais no campo de enterro pertencente aos reis porque (eles disseram): "Ele tinha uma condição de pele." Jotão, seu filho, tornou-se rei em seu lugar. [...]

CAPÍTULO 27

[2]Ele fez o que era certo aos olhos de *Yahweh*, de acordo com tudo o que Uzias, seu pai, tinha feito, embora ele não tenha entrado no palácio de *Yahweh*. O povo, todavia, agiu destrutivamente. [...] [8]Ele tinha vinte e cinco anos de idade quando se tornou rei e reinou dezesseis anos em Jerusalém. [9]Jotão dormiu com os seus ancestrais, e eles o sepultaram na cidade de Davi, e Acaz, seu filho, tornou-se rei em seu lugar.

Desenvolvi algumas manchas em minha pele, o que fez meus amigos insistirem para eu consultar um dermatologista e descartar a possibilidade de ser um câncer. Elas parecem como distintivos de honra para alguém que foi adotado pela Califórnia, mas esses amigos não entendem essas deformidades da mesma forma. Elas são, claro, algo potencialmente sério do ponto de vista médico. Apesar de não gostar do olhar de alguns deles, nenhum irá sugerir que devo me afastar da igreja por causa dessas manchas em minha pele.

Na Israel do Antigo Testamento, a situação poderia ser diferente. Havia condições de pele que poderiam levar uma pessoa a permanecer longe do santuário. Essa condição de pele é, tradicionalmente, citada como lepra, mas o termo é enganoso, porque, em geral, denota uma doença de pele que pode consumir as mãos e os pés de uma pessoa enferma. A preocupação do Antigo Testamento com condições de pele não é, na verdade, por uma questão de saúde: O Antigo e o Novo Testamentos falam mais sobre "purificação" do que sobre "cura", em conexão com essa espécie de aflição. O problema parece residir no fato de essa condição levar à deterioração da camada externa do corpo, à semelhança do processo que ocorre quando a pessoa morre. Quando Miriã é acometida por essa doença, Arão protesta para que ela não se torne como alguém que morreu, como um natimorto ou cuja carne está parcialmente comida.

Ser afligido dessa forma, então, é parecer meio-morto. Isso suscita problemas em conexão com a adoração. Quando as pessoas vão adorar no santuário, elas vão a um lugar no qual Deus prometeu estar, especial e regularmente, presente. Pode-se ter a certeza de encontrar Deus ali. Claro que Deus está em todos os lugares; na história sobre Miriã, as pessoas não estão no santuário, mas isso não impede Moisés de orar a Deus para se aproximar e curar a sua irmã, bem como não impede Deus de responder. Nesse relato, igualmente, o fato de Uzias não poder ir ao santuário não significa que ele jamais estará na presença de Deus.

Não obstante, existe um significado especial vinculado ao santuário por este ser o lugar no qual Deus prometeu se encontrar com o povo. O problema suscitado por isso é a crucial importância de que ***Yahweh*** é um "um Deus vivo". Os deuses cananeus podiam morrer; *Yahweh* não. Existe uma contradição entre *Yahweh* e a morte. As pessoas que tivessem tido alguma espécie de contato com a morte (por exemplo, ao precisar sepultar um membro da família) não poderiam, portanto, entrar na presença de Deus. Deveria haver um tempo para a dissolução do odor da morte, ou elas deveriam fazer uma oferta para neutralizar esse odor. Caso a pessoa fosse acometida de uma enfermidade de pele que a fizesse parecer morta, então ela deveria se manter afastada do santuário; caso contrário, seria necessária a retirada de *Yahweh* do local para não comprometer a afirmativa-chave sobre o tipo de pessoa que Deus é. Essa saída significaria um desastre não apenas para a pessoa afligida, mas para toda a comunidade. Desse modo, um dos papéis dos levitas como guardas das portas era o de impedir o acesso ao santuário de pessoas inadequadas à presença de Deus.

A pessoa afligida pela condição de pele não precisava evitar qualquer contato humano, mas, quando outras pessoas estivessem prestes a ir ao santuário oferecer um sacrifício, era necessário que evitassem o contato com a pessoa enferma para não "contraírem" o seu tabu, e, por sua vez, a pessoa enferma deveria aceitar sua parcela de responsabilidade para evitar que isso ocorresse. Eis por que um grupo de homens com essa doença de pele permanece a distância quando fala com Jesus

(Lucas 17:12). Os riscos são ainda mais elevados quando a pessoa com a doença de pele é o próprio rei, especialmente porque, em diversas ocasiões especiais, ele desempenha um papel na adoração do santuário. Assim, na prática, Uzias é obrigado a abdicar. Constitucionalmente, isso não provoca uma crise, pois era prática comum entre os reis apontar o seu sucessor como corregente, em parte para assegurar que uma eventual sucessão ocorresse de maneira suave. Assim, Jotão simplesmente assume como rei muito antes do esperado, e Uzias é mantido em isolamento parcial num local, aparentemente ainda em Jerusalém, mas no qual ele não representa um risco contínuo de comprometer a relação da comunidade com Deus e o acesso a ele.

Existe certa justiça poética quanto às consequências de sua ação. Ele agiu como dando a entender que possuía uma visão exaltada de seu papel na adoração. Outros reis do Oriente Médio, com frequência, desempenhavam um papel mais significativo no culto do que os reis israelitas. Em Israel, o reinado e o sacerdócio eram separados. Não era o mesmo que uma separação entre igreja e Estado, mas envolvia um princípio relacionado. O rei era responsável pela condução dos negócios de Estado, enquanto os sacerdotes eram responsáveis pela condução do santuário. Uzias tinha liderado o país de modo triunfante, o que o levou a pensar que poderia assumir um papel-chave também no santuário, mas isso envolveu **transgressão**. Talvez o povo fosse conivente com isso, pois gosta de heróis. Todavia, os sacerdotes não agem coniventemente, talvez preocupados em salvaguardar a própria posição, mas o desenrolar da história indica que Deus também não. Uzias tem a chance de parar, mas, então, se recusa a ouvir os sacerdotes e é atingido por aquele golpe terrível.

2CRÔNICAS 28:1-27

O HOMEM ERRADO NO MOMENTO ERRADO

[1]Vinte anos de idade tinha Acaz quando se tornou rei, e reinou dezesseis anos em Jerusalém. Ele não fez o que era certo aos olhos de *Yahweh*, como Davi, o seu ancestral, [2]mas seguiu os caminhos dos reis de Israel. Ele até mesmo fez imagens fundidas para os Mestres. [3]Queimou incenso no vale de Ben-Hinom e queimou seus filhos no fogo, de acordo com as práticas abomináveis das nações que *Yahweh* havia desapropriado diante dos israelitas. [4]Ele sacrificou e queimou incenso nos lugares altos e nas colinas e sob toda árvore florescente. [5]Por isso, *Yahweh*, o seu Deus, o entregou nas mãos do rei de Aram, e eles o derrotaram, capturaram um grande grupo seu e os levaram para Damasco. Também o entregou nas mãos do rei de Israel; ele o derrubou em grande derrota. [6]Peca, o filho de Remalias, matou cento e vinte mil em Judá num único dia, todos homens capazes, porque eles haviam abandonado *Yahweh*, o Deus de seus ancestrais. [...] [8]Os israelitas tomaram cativos duzentos mil de seus parentes, mulheres, meninos e meninas, e também pegaram uma grande quantidade de despojos deles e levaram os despojos para Samaria.

[9]Havia ali um profeta de *Yahweh* chamado Obede. Ele foi à frente do exército quando este chegou a Samaria e lhes disse: "Ora, por causa da fúria de *Yahweh*, o Deus de seus ancestrais, com Judá, ele os entregou em suas mãos, e vocês os mataram com um furor que chegou aos céus. [10]Assim, agora, estão dizendo [para si mesmos] que irão subjugar pessoas de Judá e de Jerusalém como seus servos e servas, enquanto vocês mesmos — com vocês há somente ofensas contra *Yahweh*, o seu Deus. [11]Então, agora, me escutem. Devolvam os cativos que vocês tomaram de seus parentes, porque a ira ardente de *Yahweh* estará sobre vocês." [...] [14]Então, a companhia armada abandonou os cativos e os despojos diante dos oficiais e de toda a congregação. [...]

[16]Naquele tempo, o rei Acaz enviou aos reis da Assíria um pedido de ajuda [...] [19]porque *Yahweh* humilhara Judá por

causa de Acaz, rei de Israel, pois ele havia deixado Judá solto e havia transgredido contra *Yahweh*. [20]Tiglate-Pileser, o rei da Assíria, saiu contra ele e lhe trouxe problemas; ele não o apoiou, [21]porque Acaz tomou parte das propriedades da casa de *Yahweh*, da casa do rei e dos oficiais e a deu ao rei da Assíria, mas isso não lhe valeu de nada.

[22]Em seu templo de aflição, o rei Acaz cometeu mais transgressão contra *Yahweh*, [23]e sacrificou aos deuses de Damasco que o tinham derrotado; ele disse: "Porque os deuses do rei de Aram os ajudaram, sacrificarei a eles para que me ajudem." Mas eles se tornaram a causa da sua queda e de todo o Israel. [...] [27]Acaz dormiu com os seus ancestrais, e eles o sepultaram na cidade, em Jerusalém, pois não o levaram aos túmulos dos reis de Israel. Ezequias, seu filho, reinou em seu lugar.

Pobre Barack Obama, que foi eleito presidente dos Estados Unidos em parte por causa das fantasias sobre o seu potencial para ser um messias, o que é um fardo demasiado pesado. Então, a sua eleição coincidiu com uma grande recessão que não apenas tornou mais difícil cumprir as expectativas messiânicas das pessoas, mas também pôs em seu colo um problema adicional monumental que um mero presidente não poderia resolver. E isso sem citar nada sobre o Afeganistão. Ou Israel e a Palestina.

Pobre Acaz, que não foi eleito, mas precisou assumir o trono, porque seu pai era o rei, mas não estava pronto para isso. No entanto, de certo modo (como o Antigo Testamento vê isso), não foi o caso, nem aqui, nem lá. Para ser um líder eficiente, não são necessárias habilidades de liderança. Tudo que você precisa é da capacidade de seguir ***Yahweh***. Em vez da famosa placa sobre a mesa do presidente Truman, com os dizeres: "The buck stops here" [A responsabilidade para aqui], você precisa de uma placa com a sentença: "O temor do Senhor é o princípio da sabedoria", uma declaração recorrente no Antigo Testamento. Talvez haja um sentido no qual Acaz fosse dotado da capacidade de liderança; ele adota uma série de iniciativas que podem parecer sábias. Infelizmente, lhe falta aquela consciência sobre a decisiva importância do temor a *Yahweh*.

Ele teve a infelicidade de subir ao trono quando a primeira grande superpotência do Oriente Médio aumentou o seu interesse por Israel, embora seja possível argumentar que Acaz poderia ter ficado fora dos problemas caso mantivesse a sua cabeça baixa. Os **assírios** estavam interessados em **Efraim** e em **Aram** (Síria), pois lá estavam as rotas comerciais, ligando a Mesopotâmia ao Mediterrâneo e ao Egito, enquanto **Judá**, ao sul, ficava fora dessas rotas de comércio. Infelizmente para Acaz, Efraim e Aram precisaram formar uma coalizão para resistir ao avanço da Assíria, e ambos pediram a Judá para se unir a eles. Sabiamente, Acaz resistiu; imprudentemente, ao fazer isso, buscou o apoio da própria Assíria, usando recursos do templo e do palácio para tal, e, assim, deixou-se tragar por aquele tumulto político internacional que ganhava corpo. Repetindo, o nome Israel é usado de forma confusa na história, embora não seja tão difícil entender o que está ocorrendo quando se tem ciência dos diferentes significados desse nome. No versículo 2, o termo é referente à nação original, que, com o passar do tempo, dividiu-se em Efraim e Judá. Nos versículos 3-8, a menção é a Efraim, que herdou esse nome como sua designação política regular (Peca é seu rei, e Samaria, a sua capital). Nos versículos 16-27, o termo é relativo a Judá, com base no verdadeiro Israel remanescente, pois Efraim havia abandonado Jerusalém e Davi.

Em contrapartida, pode-se dizer que o problema de Acaz foi, na verdade, ter ignorado o primeiro princípio da sabedoria como aplicável a ele. Isaías 7 firma o ponto claramente, ao falar de Acaz como "da casa de Davi". Ciente de que Efraim e Aram planejam atacar Jerusalém e destronar Acaz, o rei está fora do palácio, inspecionando as defesas da cidade como se tudo dependesse dele e de suas ações. Ele se esqueceu do compromisso de *Yahweh* com a casa de Davi e com a cidade de Jerusalém.

Esse não é o seu único problema. A história não sugere que ele teria lidado melhor com a sua responsabilidade caso não tivesse que enfrentar essa pressão sem precedentes. Isso começa com seu comprometimento mais sério com a religião estimulada por Atalia, em uma escala maior do que a da própria rainha-mãe. Ele é o primeiro rei do qual é dito ter oferecido os próprios filhos em sacrifício. Talvez esse ato tenha ocorrido no contexto da crise citada aqui, pois nesses momentos é que tais sacrifícios eram feitos, quando se dava ao deus o bem mais precioso para ter a oração respondida. Oferecer sacrifícios no vale de Ben-Hinom (o lugar que, mais tarde, dará origem à palavra *Gehenna* como um termo para inferno) sugere que ele estava buscando sabedoria e conselho dos parentes já falecidos, talvez o seu pai ou o seu avô, pessoas que, exatamente por estarem mortas, poderiam ter acesso a informações e discernimento não acessíveis aos vivos. Uma vez mais, ele ignora os recursos que *Yahweh* deu a Israel. O rei acrescenta à sua lista de atos tresloucados a busca pelo auxílio dos deuses arameus — afinal, eles nem mesmo foram capazes de mostrar força para salvar o povo de Aram.

Novamente, o livro de Crônicas vê *Yahweh* utilizando outras nações como meios de punição, mas também considerando outros princípios. Efraim é usado para punir Judá. No entanto, Efraim e Judá são membros da mesma família; eles são parentes entre si (a palavra também significa "irmãos"). Como Efraim pode transformar os judaítas em servos? As traduções, em geral, utilizam "escravos", mas esse termo é equivocado, pois a condição deles não seria similar àquela dos escravos africanos. Todavia, os efraimitas não pretendem que esses "servos" tenham a chance de retomar a sua liberdade após seis anos de servidão, conforme a prescrição da **Torá** em relação aos servos. A liberdade deles terá um fim, mas *Yahweh* não permitirá que isso aconteça, ainda que Judá mereça isso.

O maior preço por uma má liderança é pago pelo povo que esse líder é responsável. O pagamento é feito de diversas maneiras: milhares de homens pagam com a sua vida; milhares de mulheres e crianças quase pagam com a sua liberdade. (Nos dois casos, os **números** apresentados em Crônicas envolvem alguma hipérbole.) Em dado momento, Crônicas comenta que Acaz havia "deixado Judá solto", isto é, ele abandonou qualquer restrição sobre os seus próprios instintos com respeito à adoração e permitiu que Judá fizesse o mesmo. A implicação é que um rei possui a responsabilidade não apenas por garantir que a reverência a *Yahweh* governe a sua própria vida, mas também que governe a vida do seu povo. Ele não pode controlar o que eles fazem na privacidade de suas casas, mas pode controlar o funcionamento da adoração pública e, talvez, então, influenciar o que ocorre no interior dos lares e dos corações. A influência de Acaz opera na direção contrária.

2CRÔNICAS **29:1-36**
O NOVO DAVI

[1]Ezequias tornou-se rei com a idade de vinte e cinco anos e reinou vinte e nove anos em Jerusalém, O nome de sua mãe era Abia, filha de Zacarias. [2]Ele fez o que era certo aos olhos de *Yahweh*, de acordo com tudo o que Davi, seu ancestral, fez. [3]No primeiro ano de seu reinado, no primeiro mês, ele abriu as portas da casa de *Yahweh* e as reparou. [4]Trouxe os sacerdotes e levitas e os reuniu na praça oriental. [5]Ele lhes disse: "Escutem-me, levitas. Santifiquem-se agora e santifiquem a casa de *Yahweh*, o Deus dos seus ancestrais. Retirem a contaminação do

lugar santo. [...] [10]Está agora em minha mente selar uma aliança com *Yahweh*, o Deus de Israel, para que o ardor de sua ira possa se desviar de nós. [11]Meus filhos, não sejam negligentes agora, pois vocês são os escolhidos de *Yahweh* para permanecer diante dele, para ministrar a ele, para serem as pessoas que ministram e queimam incenso para ele." [...] [16]Assim, os sacerdotes entraram na casa de *Yahweh* para purificá-la, retiraram toda a poluição que encontraram no palácio de *Yahweh* e a levaram ao pátio da casa de *Yahweh*. Os levitas a receberam e a levaram para fora, ao ribeiro do Cedrom. [...] [18]Então, eles foram ao rei Ezequias e disseram: "Purificamos toda a casa de *Yahweh*, o altar de oferta queimada e todos os utensílios, e a mesa da proposição [de pão] e todos os seus utensílios. [19]Todos os utensílios que o rei Acaz rejeitou quando era rei, quando ele transgrediu, nós preparamos e santificamos. Eis que eles estão em frente do altar de *Yahweh*."

[20]O rei Ezequias levantou-se bem cedo, de manhã, reuniu os oficiais da cidade e subiu à casa de *Yahweh*. [21]Trouxeram sete touros, sete carneiros, sete cordeiros e sete bodes como uma oferta de purificação pelo reino, pelo santuário e por Judá. [...] [26]Os levitas ficaram em pé com instrumentos de Davi, e os sacerdotes com trombetas, [27]e Ezequias disse para apresentarem as ofertas queimadas sobre o altar. No instante em que a oferta queimada começou, o cântico de *Yahweh* e as trombetas começaram, junto com os instrumentos de Davi, rei de Israel, [28]e toda a congregação se curvou [...]. [31]Ezequias respondeu: "Vocês, agora, se dedicaram a *Yahweh*. Aproximem-se, tragam sacrifícios e ofertas de gratidão à casa de *Yahweh*." A congregação trouxe sacrifícios e ofertas de gratidão, e todos os que estavam entusiasmados de mente [trouxeram] uma oferta queimada. [...] [34]Como os sacerdotes eram poucos e não conseguiram retirar a pele de todas as ofertas queimadas, os seus irmãos, os levitas, os reforçaram até o término do trabalho. [...] [36]Assim, Ezequias e todo o povo celebraram sobre o que Deus havia realizado pelo povo, porque a coisa veio rapidamente.

Os norte-americanos amam heróis; já os britânicos são mais cínicos. Os primeiros amam histórias sobre um grande golfista que chegou ao topo de seu esporte após emergir de um cenário muito humilde, ou relatos sobre um ciclista da classe mundial que venceu a batalha contra o câncer e instituiu uma fundação para unir, inspirar e fortalecer pessoas afetadas por essa doença. Histórias assim podem inspirar outras pessoas a crer que podem chegar ao topo e superar enormes obstáculos. As notícias sobre o golfista ter sido flagrado em um caso de adultério ou de que o ciclista foi acusado de usar drogas proibidas para aumentar o seu desempenho esportivo perturbam os telespectadores nos Estados Unidos. Na Grã-Bretanha, isso faz as pessoas dizerem: "Como era de esperar." Talvez esse seja o motivo de os norte-americanos realizarem mais do que os desencantados britânicos.

Crônicas foi escrito para atender a expectativas como as dos norte-americanos. Em comparação com a história de Samuel-Reis, o seu relato sobre Ezequias traça um paralelo com o relato que faz sobre Davi, ao mostrá-lo como um herói mais qualificado do que a história presente em Samuel-Reis. Na realidade, em sua retidão, ele é somente comparável a Davi na introdução ao seu reino. A exemplo de Davi, Ezequias é alguém focado na adoração do templo. Ele não precisa iniciar a sua construção, como o próprio Davi, ou mesmo a sua restauração, como Joás, mas precisa purificá-lo depois do reinado de seu pai, que foi retratado em cores mais escuras para intensificar o contraste com o reinado de seu filho. Observamos que a contaminação entrava no templo quando alguém tinha acesso a ele após ter estado, de algum modo, em contato com a morte. Quanto mais contaminação haveria após o templo ter sido utilizado na adoração aos **Mestres**?

Naturalmente, as ofertas de purificação são requeridas em conexão com essa limpeza para remover os efeitos posteriores da presença no templo de meios de culto aos Mestres. No entanto, a adoração não para ali, mas prossegue com as ofertas queimadas, que eram presentes puros a ***Yahweh*** (as pessoas não consumiam nada dessas ofertas), presentes que expressavam o compromisso renovado da pessoa e, implicitamente, buscavam a bênção de *Yahweh*. Esses atos eram, naturalmente, acompanhados de cânticos e músicas (pode-se imaginar que os textos viessem de Salmos) e pela prostração corporal que expressava, de outra maneira, a renovada submissão da pessoa a *Yahweh* em vez de aos Mestres. Ezequias encoraja o povo a levar "sacrifícios e ofertas de gratidão", a espécie de sacrifícios que eram compartilhadas pelo ofertante e Deus. Parte desses sacrifícios era queimada ou doada ao sacerdote, e parte era consumida pelo ofertante. Constituíam, portanto, expressões de comunhão entre Deus e o povo, ocasiões nas quais Deus e as pessoas comiam juntos. Havia inúmeros motivos pelos quais a pessoa podia apresentar um sacrifício de comunhão; para expressar gratidão por algo feito à pessoa por Deus (por exemplo, cura de alguma enfermidade ou um parto bem-sucedido). Aqui, o foco estará na gratidão pelo que Deus fez ao povo, na inspiração da purificação do templo e por se dispor a habitar ali, bem como por tudo o que foi alcançado tão rapidamente (como a última linha do capítulo expressa). Outro motivo para a oferta de um sacrifício de comunhão era apenas pela pessoa desejar assim — que era, tradicionalmente, chamada de oferta voluntária. No presente relato, igualmente, o entusiasmo do povo é sugerido pela referência à disposição das pessoas em fazer ofertas queimadas para suplementar as "oficiais".

Não muito tempo depois de o livro de Crônicas ser escrito, o templo será contaminado por Antíoco Epifânio, o governante grego, que introduzirá ritos pagãos nele. Quando o povo judeu se livrar de Epifânio, eles precisarão purificar e dedicar novamente o templo; o festival de Hanucá celebra essa rededicação (*hanukkah* significa dedicação). A purificação e a rededicação do templo, ordenada por Ezequias, antecipa o que ocorre após o domínio de Antíoco Epifânio, embora essa necessidade sublinhe um aspecto terrível da contaminação do templo. A contaminação no século II a.C. ocorrerá como resultado de uma ação pagã; já essa contaminação foi resultante da ação **judaíta**. O ato de selar uma **aliança** lança mão de outro motivo presente nas histórias anteriores sobre Asa e Joiada. Uma vez mais, a aliança caracteriza uma forma pela qual o povo de Deus pode estabelecer um compromisso com Deus, após um tempo de descumprimento desse compromisso.

Crônicas estabelece um ponto ao observar como o rei, os sacerdotes, os levitas e o povo, todos eles, desempenham os seus respectivos papéis. O rei pode tomar iniciativas e tem a responsabilidade de assegurar que o santuário opere com base na **Torá**, mas ele não pode, na prática, assumir a liderança da adoração; os sacerdotes e os levitas lideram. Ao mesmo tempo, a história mostra como o Antigo Testamento não é legalista com relação a essas questões. Aqui, por causa da necessidade, a ação que é vista como exclusiva dos sacerdotes também é realizada pelos levitas; em Levítico, a mesma ação pode ser praticada pelas mesmas pessoas que trazem os sacrifícios.

2CRÔNICAS 30:1—31:1
UMA NAÇÃO

[1]Ezequias enviou mensagem a todo o Israel e Judá e também escreveu cartas a Efraim e Manassés para irem à casa de *Yahweh*, em Jerusalém, e realizarem a Páscoa para *Yahweh*, o Deus e Israel. [2]O rei tomou conselho, ele e seus oficiais e toda a congregação em Jerusalém, sobre realizar a Páscoa

no segundo mês, [3]pois não foram capazes de fazê-lo a tempo, porque os sacerdotes não tinham se santificado suficientemente e o povo não havia se reunido em Jerusalém. [...] [5]Então, eles tomaram a decisão de emitir uma proclamação em todo o Israel, de Berseba até Dã, sobre ir para realizar a Páscoa a *Yahweh*, Deus de Israel, em Jerusalém, porque eles não haviam feito isso em grande número, como está escrito. [6]Os batedores partiram com as cartas da mão do rei e dos seus oficiais, por todo o Israel e Judá, de acordo com a ordem do rei: "Israelitas, voltem para *Yahweh*, o Deus de Abraão, Isaque e Israel, e ele voltará aos sobreviventes que são deixados a vocês das mãos dos reis assírios. [7]Não sejam como os seus pais e os seus irmãos, que transgrediram contra *Yahweh*, o Deus dos seus ancestrais, e ele os tornou em uma desolação, conforme vocês veem. [8]Não endureçam a sua cerviz como os seus ancestrais. Estendam as mãos a *Yahweh*, venham ao seu santuário que ele consagrou para sempre, sirvam a *Yahweh*, o seu Deus, para que a sua ira ardente se desvie de vocês. [9]Se vocês voltarem para *Yahweh*, os seus irmãos e os seus filhos acharão compaixão em seus captores e retornarão a este país, porque *Yahweh*, o seu Deus, é gracioso e compassivo e não desviará o seu rosto de vocês caso se voltarem para ele."

[10]Os batedores passaram de cidade em cidade no país de Efraim e Manassés, e até Zebulom, mas eles riram deles e os ridicularizaram. [11]No entanto, pessoas de Aser, de Manassés e de Zebulom submeteram-se e foram a Jerusalém. [...] [17]Porque muitos da congregação não se haviam consagrado, os levitas ficaram a cargo da matança dos animais da Páscoa por todos os que não estavam puros, para consagrá-los a *Yahweh*, [18]pois muitos do povo (muitos dentre o grupo de Efraim e Manassés, Issacar e Zebulom) não haviam se purificado, porque comeram a Páscoa em desacordo com o que está escrito, pois Ezequias havia suplicado por eles: "Que o bom *Yahweh* expie em favor de [19]todos os que colocam a sua mente a inquirir de Deus,

Yahweh, o Deus de seus ancestrais, mas não de acordo com a purificação do santuário." [20]*Yahweh* ouviu Ezequias e curou o povo. [21]Os israelitas que estavam presentes em Jerusalém fizeram o festival dos pães asmos por sete dias com grande celebração. [...] [25]Toda a congregação de Judá, os sacerdotes e os levitas, toda a congregação que veio de Israel, e os estrangeiros residentes que vieram de Israel e viviam em Judá, celebraram. [26]Assim, houve grande celebração em Jerusalém, pois desde os dias de Salomão, filho de Davi, o rei de Israel, não havia sido assim em Jerusalém. [27]Os sacerdotes levitas levantaram-se e abençoaram o povo, e a voz deles foi ouvida. A súplica deles chegou à sua santa habitação, aos céus.

CAPÍTULO 31

[1]Quando haviam completado tudo isso, todo o Israel que estava presente partiu para as cidades de Judá e quebrou as colunas, cortou as aserás e derrubou os lugares altos e os altares de todo o Judá e de Benjamim, e em Efraim e Manassés, até completarem isso. Então, todos os israelitas retornaram, cada qual para a sua propriedade, para a sua cidade.

Hoje em dia, não sei se me descrevo como anglicano ou episcopal. Sou anglicano por ter sido ordenado na Igreja da Inglaterra, integrante da Comunhão Anglicana. Todavia, ministro dentro da Igreja Episcopal, nos Estados Unidos, que, agora, possui uma relação um tanto ambígua com a Comunhão Anglicana, por causa da controvérsia envolvendo relacionamentos entre pessoas do mesmo sexo. Ainda, há algumas congregações nos Estados Unidos (algumas situadas a pouca distância de minha residência, com alguns de meus amigos ou colegas entre o rol de membros) que se retiraram da Igreja Episcopal e se consideram anglicanas *em vez de* episcopais. A Igreja Episcopal apreciaria que essas igrejas dissidentes reconhecessem o erro de seus caminhos e retornassem; por sua vez, esses anglicanos gostariam que a Igreja Episcopal fizesse o mesmo.

A história de Ezequias e sua Páscoa pressupõe alguns paralelos na situação de Israel, no sentido mais amplo desse nome. Ezequias ascendeu ao trono logo após a destruição de Samaria pelos **assírios** e a extinção de **Efraim** como nação. Embora os **judaítas**, decerto, acreditassem que o destino dos efraimitas era merecido, seria bom que eles também sofressem pela catástrofe que subjugou os seus parentes, que eram colegas israelitas. Eles experimentaram algo das consequências daquele evento, pois refugiados do norte começaram a chegar em Judá. Repetindo, não há dúvidas de que eles sentiam certa simpatia, especialmente pelos que reconheciam o erro de Efraim por ter dado as costas à linhagem de Davi e a Jerusalém e, portanto, a ***Yahweh***. Contudo, os judaítas também nutriam certo ressentimento pelo fato de eles serem obrigados a ajudá-los de alguma forma. Ao contrário, embora esses refugiados sintam gratidão por Judá lhes providenciar um lugar de refúgio e, claro, experimentarem uma estranha alegria por deixarem um país que sabiam ter abandonado os caminhos de *Yahweh*, outros sentirão mágoa pelo ar de superioridade dos judaítas e pela necessidade de buscarem a caridade deles, conscientes de que os profetas judaítas eram tão depreciativos em relação a Judá quanto o eram acerca de Efraim.

Por sua vez, há alguns paralelos com a situação em Judá e Samaria na época em que Crônicas foi escrito. Novamente, há tensão entre eles, com acusações de superioridade e aspirações de domínio. Naquele contexto, o relato da ação de Ezequias nega a Samaria o direito de reivindicar que a sua prática religiosa é tão boa quanto a de Judá. A narrativa também nega a Judá o direito de reivindicar que eles podem meramente ignorar Samaria como um povo que *Yahweh*, por fim, expulsou. Uma vez mais, o uso do nome Israel é revelador. A princípio, a história fala de "Judá e Israel"; Israel denota o povo do norte, ou seja, Efraim, nos dias de Ezequias, e Samaria, nos dias de Crônicas. (Para confundir ainda mais, Crônicas segue referindo-se a Efraim no sentido mais estreito, como apenas um dos clãs do norte, junto de Manassés e, mais tarde na história, de Zebulom, Issacar e Aser, no extremo norte, sugerindo pessoas de todo o reino do norte.)

Então, a história fala dos mensageiros de Ezequias viajando por todo o Israel, de Berseba até Dã: Israel significa Canaã como um todo, tanto Judá quanto Efraim. Aos olhos de Deus, Efraim (ou Samaria) ainda é parte de Israel. O rei davídico e seu povo têm uma responsabilidade em relação a isso. A maioria de seu povo talvez despreze a ideia de que eles deveriam voltar seu rosto na direção de Jerusalém, a exemplo do que as pessoas faziam séculos atrás. Alguns deles conhecem a história de seu povo o suficiente para caírem em si e reconhecer a correção dessa ideia.

A ocasião especial para o convite é uma celebração da Páscoa e da festa associada dos pães asmos, quando os israelitas relembram a falta de tempo para fazer o pão com fermento quando deixaram o Egito. Também são celebrações que marcam a transição do ano velho para o novo. Existe certa ambiguidade na maneira de o Antigo Testamento falar sobre a celebração da Páscoa. Por sua natureza, é uma festa a ser celebrada no lar; no entanto, a sua ligação com os pães asmos torna essa uma das três ocasiões nas quais a **Torá** fala de todo o Israel peregrinar até um santuário central. A história da Páscoa de Ezequias reflete essa ambiguidade ao observar que o rei chamou pessoas de todo o país a Jerusalém, embora também comente que era a primeira vez na vida das pessoas que teria sido celebrada dessa forma. Na verdade, é a primeira vez num período de duzentos anos. Ezequias é um segundo Salomão, do mesmo modo que também é um segundo Davi.

Com respeito às mudanças por meio das quais as observâncias de Israel funcionaram ao longo dos séculos, a história comenta a presunção de que Israel não deve ser legalista quanto ao processo pelo qual as coisas são feitas. A Torá permitia que a celebração da Páscoa fosse realizada no mês "errado", quando as circunstâncias assim exigiam, e a comunidade sabe que pode assumir uma flexibilidade similar. A permissão, em Números 9, relaciona-se às pessoas que se tornavam impuras (tabu) por participarem de algum enterro, por exemplo, e Ezequias providencia outra permissão para beneficiar as pessoas incapacitadas de obter purificação de um tabu assim. Sob tais circunstâncias, pode-se orar a Deus para expiar outra pessoa. O que importa é que as pessoas tenham a mente voltada para *Yahweh*. Normalmente, o nosso trabalho, como seres humanos, é oferecer expiação por nossas deficiências. Com ousadia metafórica, Ezequias ora para que *Yahweh* em pessoa faça a expiação.

O capítulo é encerrado com um comentário ainda mais ousado sobre oração. Os levitas abençoam o povo, o que faz parte de sua função, mas abençoar realmente significa orar para que Deus abençoe. A ousadia do comentário reside na descrição de que a oração deles alcançou a habitação santa de *Yahweh*. Ela não parou no teto do templo terreno, mas abriu caminho para o templo celestial de Deus.

2CRÔNICAS **31:2-20**
PROVISÃO PARA O MINISTÉRIO

[2]Ezequias estabeleceu as divisões dos sacerdotes e dos levitas, de acordo com as suas divisões, cada qual de acordo com o seu serviço (com respeito aos sacerdotes e aos levitas), para a oferta queimada e as ofertas de comunhão, para ministrar e dar graças e louvor nos portões dos pátios de *Yahweh*; [3]e a parcela do rei,

de sua propriedade, para as ofertas queimadas — para a oferta queimada da manhã e da tarde e as ofertas queimadas para os sábados, início dos meses e ocasiões estabelecidas, conforme está escrito no ensino de *Yahweh*. [4]Ele disse ao povo, aqueles que viviam em Jerusalém, para dar a parcela dos sacerdotes e dos levitas, para que eles pudessem se dedicar ao ensino de *Yahweh*. [5]Quando a palavra se espalhou, os israelitas trouxeram grandes quantidades das primícias dos grãos, do vinho, do azeite, do mel e de toda a produção dos campos. Eles trouxeram o dízimo de tudo em grandes quantidades. [...] [8]Ezequias e os oficiais chegaram e viram as pilhas e louvaram *Yahweh* e Israel, o seu povo. [...] [10]Azarias, o sumo sacerdote, da casa de Zadoque, lhe disse: "Desde que eles começaram a trazer a oferta à casa de *Yahweh*, temos comido e possuído em abundância e deixado grandes quantidades, pois *Yahweh* tem abençoado o seu povo, e esta pilha permanece." [11]Ezequias disse para prepararem depósitos na casa de *Yahweh*, e eles os prepararam, [12]e, fielmente, trouxeram para dentro a oferta, o dízimo e as coisas sagradas. O controlador sobre tudo era Conanias, o levita; Simei, seu irmão, era o segundo no comando.

[Os versículos 13-19 detalham as pessoas designadas a administrar os vários aspectos do compartilhamento das ofertas aos sacerdotes e aos levitas e suas respectivas famílias.]

[20]Ezequias agiu dessa maneira em todo o Judá. Ele fez o que era bom, certo e fiel diante de *Yahweh*, o seu Deus. Em todo o trabalho que ele começou no serviço da casa de Deus, na lei e nos mandamentos, ao buscar o seu Deus de toda a sua alma, ele agiu e prosperou.

Os noticiários de hoje abordam a recessão pela qual estamos passando enquanto escrevo estas páginas e como ela obriga que menos mães possam ficar em casa com seus filhos e que mais filhos sejam obrigados a viver com seus avós. Na semana passada, a notícia era que uma conhecida megaigreja, pela qual eu sempre passava de carro, possui uma dívida de 55 milhões de dólares e tem buscado uma saída contra a falência. Em nossa própria igreja, nos últimos meses, o tesoureiro nos tem advertido, por diversas vezes, sobre cumprirmos as nossas promessas financeiras em dia; é a primeira vez que ele faz isso em anos. Em meu seminário, um número crescente de alunos está descobrindo que as igrejas estão suprimindo os postos remunerados; há apenas funções não remuneradas de estágio. E os alunos, com frequência, questionam sobre como os pastores falam aos membros que eles deveriam dar todo o dízimo, não menos que isso, à igreja.

A vida para as pessoas que ouviam as histórias em Crônicas não era muito diferente. A pregação de Ageu discorre sobre como as pessoas semeiam muito, mas colhem pouco. O livro de Neemias descreve o seu modo de lidar com a crise financeira de seu povo, gerada pelos impostos imperiais. A pregação de Malaquias conclama o povo a não falhar mais quanto a trazer os dízimos e as ofertas ao templo. Uma vez mais, a narrativa de Crônicas aborda a situação desse povo, e o faz de uma forma desafiadora. É justo esperar que as pessoas tragam dízimos e ofertas quando eles mal conseguem manter corpo e alma juntos? Malaquias responderia que a lógica da fé trabalha na direção contrária. Não se deve verificar se há o suficiente para viver e, então, decidir o que é possível dar. Primeiro, deve-se comprometer a dar e, então, a pessoa verifica que tem o suficiente para viver. Como Jesus expressou, você busca primeiro o reino de Deus e, então, obtém as demais coisas, como alimento e roupas. Em Israel, isso significava que as pessoas levavam a Deus os *primeiros* frutos de sua safra. Elas traziam a Deus os primeiros frutos sem saber se a sua colheita seria abundante ou não.

Há um espaço potencial para os pastores oprimirem os seus rebanhos ao falarem sobre esse tema, numa tentativa de assegurar que as ofertas da congregação cubram o seu salário. Crônicas oferece uma ou duas salvaguardas contra esse perigo. Antes de instar o povo a trazer os dízimos e ofertas que iriam para os sacerdotes e levitas, possibilitando que eles pudessem cumprir o seu ministério e, portanto, se dedicassem ao ensino da **Torá**, Ezequias comissiona a parcela do rei. A referência à dedicação ao ensino da Torá expressa que, além das atribuições com relação à adoração no templo, eles também desempenhavam um papel de ensino.

Crônicas fala da ação de Ezequias como de acordo com o que a Torá requeria, mas isso não significa que a Torá impõe obrigações ao soberano; os reis, praticamente, não são mencionados na Torá. Ela simplesmente estabelece quais deveriam ser as ofertas e quais os papéis desempenhados pelos sacerdotes e levitas. Ezequias está reintroduzindo a ordem de ministério adequada no templo após a desordem dos dias de Acaz e, assim, agindo como um segundo Davi ou Salomão, os reis que estabeleceram a ordem original do templo. Crônicas apenas indica que o rei arca com grande parte do custo. No entanto, repetindo, Ezequias está seguindo os exemplos de Davi e de Salomão. Antes dos dias desses reis, quando Israel sugeriu que o povo deveria ter um rei, Samuel, claramente, alertou o povo de que eles pagariam um preço por isso: custos governamentais. O governo de Ezequias terá um preço, mas, pelo menos, ele está preparado para pagar a parcela que lhe cabe; algo similar é verdadeiro quanto a Neemias. Pode-se questionar se os líderes modernos na igreja e no governo estão, realmente, compartilhando a dor de seu povo.

A segunda salvaguarda é que Crônicas sugere que as pessoas, na realidade, estão indo bem. Elas estavam em condição de levar ofertas em grandes quantidades, desde a primavera até o outono. A exortação do rei demandava o autossacrifício, mas não do tipo opressor, e as pessoas responderam com entusiasmo, a exemplo do que Paulo irá pedir em 2Coríntios 8 e 9. Parece que, originariamente, Ezequias fez a proclamação ao povo em Jerusalém, mas, quando essa palavra se espalhou, pessoas de todo o país não pararam de levar as suas ofertas. Aqui, igualmente, a retórica da história reaparece em 2Coríntios 8 e 9, quando Paulo exalta a generosidade dos macedônios com o objetivo de incentivar os coríntios.

2CRÔNICAS **32:1-33**
A PERSISTENTE TENTAÇÃO DO SUPERPODER

[1]Após esses atos fiéis, Senaqueribe, rei da Assíria, veio e invadiu Judá. Ele acampou contra as cidades fortificadas e pensou em invadi-las para si. [2]Quando Ezequias viu que Senaqueribe veio e que seu rosto [estava determinado] a uma batalha contra Jerusalém, [3]ele tomou conselho com os seus oficiais e guerreiros sobre bloquear a água nas fontes fora da cidade, e eles o apoiaram. [4]Uma grande companhia foi reunida e bloqueou todas as fontes e o riacho que fluía no meio da terra, dizendo: "Os reis assírios não devem vir e encontrar água abundante." [5]Ele afirmou a sua força, construiu todo o muro que fora rompido e levantou torres sobre ele e outro muro do lado de fora dele. Ele fortaleceu o terraço da cidade de Davi e fez armamentos em grandes quantidades e escudos [6]e colocou oficiais de batalha sobre o povo. Ele os reuniu na praça, junto ao portão da cidade, e falou para encorajá-los: [7]"Sejam fortes e corajosos. Não tenham medo nem desanimem por causa do rei da Assíria e de toda a horda com ele, porque conosco está um maior do que ele. [8]Com ele está uma força feita de carne, mas conosco está *Yahweh*, o nosso Deus, para nos ajudar e lutar as nossas batalhas." O povo se inspirou nas palavras de Ezequias, rei de Judá.

[9]Subsequentemente, Senaqueribe, rei da Assíria, enviou seus oficiais a Jerusalém (ele estava em Láquis, seu comando com ele) a Ezequias, rei de Judá, e a todo o Judá que estava

em Jerusalém, dizendo: [10]"Senaqueribe, rei da Assíria, disse isto: 'No que você está confiando, para que vivam em uma trincheira em Jerusalém? [11]Ezequias não está iludindo vocês ao entregá-los à morte por fome e sede, ao dizer: "*Yahweh*, o nosso Deus, nos resgatará das mãos do rei da Assíria"? [12]Não removeu ele, Ezequias, os seus lugares altos e altares e disse a Judá e a Jerusalém: "Diante de um só altar vocês devem se curvar e queimar incenso sobre ele"? [13]Vocês não reconhecem o que eu e os meus ancestrais fizemos a todos os povos dos países? [...] [14]Quem dentre todos os deuses dessas nações que meus ancestrais devotaram foi capaz de resgatar o seu povo de minhas mãos para que o seu Deus seja capaz de resgatá-los? [15]Portanto, Ezequias não deve, agora, enganá-los ou iludi-los desse jeito. Não coloquem a fé nele [...].'" [20]O rei Ezequias e o profeta Isaías, filho de Amoz, suplicaram sobre isso e clamaram aos céus, [21]e *Yahweh* enviou um ajudante, e ele aniquilou todo guerreiro capaz, governante e oficial no exército do rei da Assíria, e este retornou envergonhado para o seu país. Ele entrou na casa de seu deus, e, ali, alguns descendentes de seu próprio corpo o mataram à espada. [...]

[24]Naqueles dias, Ezequias ficou mortalmente enfermo, mas ele suplicou a *Yahweh*, e [*Yahweh*] lhe falhou e lhe deu um sinal, [25]mas Ezequias não retribuiu de acordo com o benefício concedido a ele, porque a sua atitude se tornou superior, e a ira estava vindo sobre ele e sobre Judá e Jerusalém. [26]Mas Ezequias submeteu-se, quando a sua atitude e a dos habitantes de Jerusalém havia se tornado superior, e a ira de *Yahweh* não veio sobre eles no tempo de Ezequias. [...] [30]Ele, Ezequias, bloqueou a fonte superior de água de Giom e a direcionou para a parte oeste da cidade de Davi. [...] [33]Ezequias dormiu com os seus ancestrais, e eles o sepultaram na colina com os túmulos dos descendentes de Davi, e todo o Judá e os habitantes de Jerusalém lhe deram honra quando ele morreu. Manassés, seu filho, reinou em seu lugar.

Da rua principal no bairro de Silwan, em Jerusalém Oriental, onde a Jerusalém original se ergue acima do moderno bairro, desce uma trilha que, inesperadamente, leva a uma caverna fechada e a um túnel no qual a água flui. O túnel transporta a água de uma fonte por cerca de seiscentos metros, até o tanque de Siloé (Silwan e Siloé são variantes do mesmo nome), no qual Jesus mandou um homem se lavar como parte da cura de sua cegueira de nascença. É possível andar pelo túnel, embora seja um pouco assustador. Em certa parte do túnel havia uma inscrição em hebraico antigo, registrando algo do processo pelo qual o túnel fora construído (a inscrição, hoje em dia, está em um museu de Istambul).

O túnel parece ser a construção empreendida por Ezequias em conexão com a invasão de Senaquerib e. Os eventos registrados nesse capítulo são descritos mais extensamente em 2Reis 18—20, embora o livro de Crônicas revele um pouco mais sobre o projeto envolvendo o suprimento de água. Nos bastidores da história há um problema comum às pessoas que habitam um território como o de Israel. Para defender-se de ataques, o melhor local para construir uma cidade é no topo de uma colina. Jerusalém, segue, mais ou menos, essa regra; o local original da cidade ocupa uma elevação nas montanhas de **Judá**, fácil de defender pelo fato de três laterais de terreno serem muito íngremes e, portanto, deixando aos seus habitantes apenas um lado com o qual se preocupar. Todavia, a água não flui no topo de uma colina e, como outras cidades, ela é muito vulnerável a cercos; um exército invasor precisa apenas controlar o abastecimento de água e aguardar até que os habitantes da cidade esgotem a água que conseguiram estocar. Desse modo, as cidades, em geral, tentam ocultar e proteger o seu sistema de suprimento de água, e é exatamente isso o que Ezequias objetiva com seu túnel. Ele bloqueia a fonte e distribui a água por meio de um túnel, para que chegue dentro da cidade. Além disso, ele reforça as defesas da cidade e aumenta o seu armamento.

No entanto, a exemplo do rei Asa (2Crônicas 14), ele está ciente da verdade expressa no salmo 127. Deus espera que assumamos a responsabilidade por nossa própria situação e necessidades; contudo, se ***Yahweh*** não vigiar a cidade, em vão vigiará a sentinela, por mais diligente que seja em sua função. O encorajamento que o rei faz ao povo não é, portanto, baseado em seu poderoso sistema de defesa, mas fundamentado no fato de que *Yahweh* protegerá a cidade. O conflito entre a **Assíria** e Judá não é apenas entre dois reis, mas entre as divindades que apoiam os dois povos. Os conflitos internacionais não envolvem somente fatores econômicos e políticos, mas forças sobrenaturais. É tentador para ambos os lados assumir que os recursos materiais seja o fator decisivo na definição de quem irá ganhar e quem irá perder. Todavia, no contexto de uma crise similar, Isaías expressa o mesmo ponto que Ezequias aqui: "Os egípcios são mortais, não Deus; seus cavalos são carne, não espírito" (Isaías 31:3).

Não se pode acusar Ezequias, caso ele perca a fé nessa verdade. Senaqueribe conquistou quase todo o país. Em uma inscrição em Nínive, a sua capital, Senaqueribe registrou o próprio relato sobre a sua invasão de Judá. Ele fala sobre sitiar e conquistar quarenta e seis cidades fortificadas de Ezequias, além de tomar grandes quantidades de despojos e de trancar o próprio Ezequias em Jerusalém "como um pássaro na gaiola". Decerto, é apenas uma questão de tempo até que o pássaro abra a gaiola e deixe o gato entrar.

Nesse meio-tempo, Senaqueribe mantém o seu quartel-general na segunda maior cidade judaíta, ao pé da cadeia montanhosa, da qual envia uma mensagem a Jerusalém, cuja finalidade era dividir a comunidade e levar o povo da cidade a renegar o seu rei. Ele apresenta alguns argumentos engenhosos. Sabemos, de capítulos anteriores em Crônicas, que o povo comum de Judá não era muito disposto a confinar a sua adoração a Jerusalém ou restringir a sua fidelidade apenas a *Yahweh*, e a mensagem do rei da Assíria poderia se valer desse fato. Ezequias está em dificuldades por causa de suas reformas religiosas? Senaqueribe, então, aperta o parafuso teológico. A Assíria tem se mostrado mais poderosa do que os deuses de inúmeras cidades. Não será *Yahweh* apenas mais um deles?

O problema em ser governante de uma superpotência é achar que você é Deus. No início da história de Israel, *Yahweh* mostrou ao faraó do Egito que ele era o poder governante na história do Egito, não o faraó. O êxodo não diz respeito a um conflito entre *Yahweh* e os deuses egípcios (que raramente aparecem na narrativa), mas entre *Yahweh* e o poder político do Egito, que pensa ter um poder divino. O embate é repetido na história de Senaqueribe e Ezequias, pois o rei da Assíria pensa que é Deus. *Yahweh*, às vezes, dá de ombros diante de tal pretensão, mas, no presente caso, *Yahweh* age. De modo significativo, *Yahweh* intervém porque Ezequias e Isaías clamam para que isso ocorra.

Ezequias é um grande herói em Crônicas, comparável a Davi e a Salomão, mas, como esses reis, Ezequias não é infalível. Ele atravessa um período de crença em sua própria publicidade, durante o qual se esquece do fato de que, na verdade, *Yahweh* é que lhe permitiu escapar de Senaqueribe. Torna-se quase impossível aos líderes não começarem a agir fundamentados em uma falsa confiança em si mesmos. Todavia, é possível que vejam o erro cometido.

2CRÔNICAS 33:1-25

A POSSIBILIDADE DE ARREPENDIMENTO

[1]Manassés tinha doze anos de idade quando se tornou rei e reinou cinquenta e cinco anos em Jerusalém. [2]Ele fez o que era errado aos olhos de *Yahweh*, de acordo com as práticas abomináveis das nações que *Yahweh* havia desapropriado diante dos israelitas. [3]Ele reconstruiu os lugares altos que Ezequias, seu pai, havia derrubado, estabeleceu altares para os Mestres e fez aserás, e curvou-se a todo o exército celestial e os serviu. [4]Construiu altares na casa de *Yahweh*, da qual *Yahweh* dissera: "Em Jerusalém, o meu nome estará para sempre", [5]e construiu altares para todo o exército celestial nos dois pátios da casa de *Yahweh*. [6]Ele mesmo fez os seus filhos passarem pelo fogo, no vale de Ben-Hinom, e praticou adivinhação e o estudo de presságios e agouros. [...] [9]Manassés levou Judá e Jerusalém e os habitantes de Jerusalém ao desvio na prática do mal, mais do que as nações que *Yahweh* varrera diante dos israelitas. [10]*Yahweh* falou a Manassés e ao seu povo, mas não lhe deram atenção, [11]de maneira que *Yahweh* trouxe contra eles os oficiais do exército que pertencia ao rei da Assíria. Eles levaram Manassés cativo em ganchos, o confinaram com algemas de bronze e o levaram à Babilônia. [12]Mas, quando estava em aflição, ele rogou a *Yahweh*, o seu Deus, e submeteu-se profundamente diante do Deus de seus ancestrais. [13]Suplicou-lhe, e [Deus] permitiu ser rogado por ele, ouviu a sua oração por graça e permitiu que ele voltasse a Jerusalém e ao seu reino. Assim, Manassés reconheceu que *Yahweh* era Deus. [14]Subsequentemente, ele construiu o muro externo da cidade de Davi, a oeste de Giom, no vale, até chegar na porta do Peixe, em torno de Ofel; ele o fez muito alto. Colocou oficiais capazes em todas as cidades fortificadas em Judá. [15]Removeu os deuses estrangeiros, a imagem da casa de *Yahweh*, todos os altares que havia construído na montanha da casa de *Yahweh* e em Jerusalém e os lançou fora da cidade. [16]Construiu o altar de *Yahweh*,

sacrificou sobre ele ofertas de comunhão e de gratidão e disse a Judá para servir *Yahweh*, o Deus de Israel. [17]No entanto, o povo ainda continuou sacrificando nos lugares altos, embora a *Yahweh*, o Deus deles [...]. [20]Manassés dormiu com os seus ancestrais e foi sepultado em sua casa, e Amom, o seu filho, reinou em seu lugar.

[21]Amom tinha vinte e um anos quando se tornou rei e reinou dois anos em Jerusalém. [22]Ele fez o que era errado aos olhos de *Yahweh*, como Manassés, o seu pai, havia feito. [...] [24]Seus oficiais conspiraram contra ele e o mataram em sua casa, [25]mas o povo do país matou aqueles que haviam conspirado contra o rei Amom. O povo do país fez Josias, o seu filho, rei em seu lugar.

Certa mulher que conheço estudou diversas religiões com alguma profundidade e constatou alguns aspectos de cada uma delas que aprova e considera útil, embora tenha descoberto outros que parecem beirar a pura superstição, como beijar a tromba da cabeça de elefante do deus Ganesha. Por milhares de anos, as pessoas que beijaram a tromba provaram-se prósperas, e a minha conhecida faz o mesmo com a sua estátua de Ganesha, na esperança de que possa obter o mesmo resultado; constitui um meio de salvaguardar as suas apostas. Ela também pratica meditação taoísta com uma propensão budista, porque lhe faz bem. O resultado dessa combinação de práticas é a criação de uma religião própria, individual; o único deus ao qual ela responde é a si mesma.

A exemplo de muitos israelitas, Manassés ampliou as suas apostas, sacrificando a ***Yahweh***, adorando os **Mestres** e estabelecendo **aserás**, prostrando-se diante do exército celestial (Ganesha é, com frequência, referido como o senhor das hostes), praticando adivinhação como um meio de descobrir o que irá acontecer e, portanto, ser capaz de cumprir as suas obrigações reais. Ele cercou bem as suas apostas. Infelizmente, nada disso funciona, pois, na verdade, *Yahweh* é Deus e está acima de qualquer preocupação com o fato de Israel tratá-lo apenas como mais uma de uma série de possibilidades ou mais uma de várias formas igualmente válidas de expressar a religião.

Assim, Manassés termina na **Babilônia**. Em sua época, a Babilônia era parte do Império **Assírio**, mas há duas possíveis implicações nessa referência à Babilônia. Da perspectiva israelita, as sucessivas superpotências orientais são, mais ou menos, equivalentes, e isso pode resultar na menção de uma em lugar da outra, de modo que, aqui, Crônicas pode estar se referindo, mais textualmente, à Assíria. O ponto presente na menção a Babilônia seria, então, que o exílio de Manassés prenuncia o **exílio** babilônico literal dos **judaítas**, cerca de meio século depois dos dias de Manassés, um evento cuja culpa outras partes do Antigo Testamento tendem a lançar sobre Manassés, por ele ter estabelecido padrões religiosos em Judá que, na prática, jamais puderam ser desfeitos. Ainda assim, há boas notícias nessa analogia entre Manassés e o Judá posterior. Na Babilônia, Manassés se arrependeu, e *Yahweh* o restaurou. Talvez Judá, no exílio, também pudesse encontrar restauração caso se arrependesse.

O outro significado possível da referência à Babilônia está conectado à questão sobre como encaixamos a história do exílio, do arrependimento e da restauração de Manassés na história do Oriente Médio. Não existem referências externas a esses eventos, embora haja mais de um cenário no qual eles podem se encaixar, e um deles, particularmente plausível, envolve a Babilônia. Na metade do reinado de Manassés, o rei da Babilônia, que era irmão do rei da Assíria, se rebelou contra a autoridade de seu irmão e encorajou outras partes do império a se unirem a ele na rebelião. É plenamente plausível que Manassés tenha sido atraído a esse distúrbio, a exemplo de reis como Acaz e Ezequias, e, então, pago por isso.

O que interessa a Crônicas é que essa história possa ser explorada para apoiar uma de suas preocupações teológicas mais importantes. Deus realmente está envolvido na vida do povo de Deus e de seu líder e, assim, pode-se esperar punição pelos malfeitos e também misericórdia pelo arrependimento. Para os ouvintes da narrativa de Crônicas, era tentador acreditar que eles seriam as vítimas desse passado; os pecados dos pais estavam sendo visitados nos filhos, e eles não estariam exatamente errados nessa visão. Uma geração paga o preço pelos pecados das gerações anteriores, da mesma forma que se beneficia da sabedoria e da bondade das gerações anteriores. Todavia, isso não remove a responsabilidade da geração posterior de prestar atenção em sua própria relação com Deus, como se a sua fidelidade e arrependimento não fizessem nenhuma diferença. Cada geração apresenta-se diante de Deus plenamente capacitada a oferecer arrependimento e a buscar perdão. Se isso foi válido a Manassés, então é válido para qualquer um.

Ao que tudo indica, seja qual for o arrependimento oferecido por Manassés, sua duração foi curta. Certamente, não durou até o reinado de seu filho. O retrato de Crônicas sobre Manassés pode ser comparado com o uso que o livro faz de hipérboles em outras passagens ou com o modo pelo qual Hebreus 11 fornece um relato seletivo dos heróis da fé presentes no Antigo Testamento com o objetivo de usá-los para sustentar o ponto que se deseja enfatizar. O seu intuito não é fornecer um relato histórico equilibrado, mas uma história que impulsionará os seus ouvintes na direção certa.

2CRÔNICAS 34:1-28
REI E PROFETISA

[1]Josias tinha oito anos de idade quando se tornou rei e reinou trinta e um anos em Jerusalém. [2]Ele fez o que era certo aos olhos de *Yahweh* e andou nos caminhos de Davi, o seu ancestral, e não se desviou nem para a direita nem para a esquerda. [3]No oitavo ano de seu reinado, quando ainda era um jovem, ele começou a inquirir do Deus de Davi, o seu ancestral, e no décimo segundo ano começou a purificar Judá e Jerusalém dos lugares altos, das aserás, das esculturas e das estátuas. [...] [5]Ele queimou os ossos dos sacerdotes em seus altares. Assim, ele purificou Judá e Jerusalém, [6]e nas cidades de Manassés, Efraim e Simeão e até Naftali, e em todas as suas ruínas ao redor, [7]ele derrubou os altares e as aserás, reduziu a pó as esculturas e cortou os altares de incenso em todo o território de Israel, retornando a Jerusalém. [8]No décimo oitavo ano de seu reinado, para purificar o país e a casa, ele enviou Safã, filho de Azalias, e Maaseias, o prefeito da cidade, e Joá, filho de Joacaz, o registrador, para reparar a casa de *Yahweh*, o seu Deus. [9]Eles foram a Hilquias, o sumo sacerdote, e lhe deram a prata que havia sido trazida à casa de Deus, que os levitas, os guardas da soleira, haviam coletado de Manassés e de Efraim, de todo o remanescente de Israel e de todo o Judá, Benjamim e dos habitantes de Jerusalém. [...] [14]Quando eles estavam retirando a prata que havia sido levada à casa de *Yahweh*, Hilquias, o sacerdote, encontrou um rolo do ensino de *Yahweh* pela mão de Moisés. [...] [19]Quando o rei ouviu as palavras do rolo, ele rasgou as suas roupas. [20]O rei ordenou a Hilquias, a Aicam, filho de Safã, a Abdom, filho de Mica, a Safã, o teólogo, e a Asaías, o servo do rei: [21]"Vão, inquiram a *Yahweh* por mim e pelo remanescente em Israel e em Judá com respeito às palavras no rolo que foi encontrado, pois grande é a ira de *Yahweh* derramada sobre nós porque os nossos ancestrais não guardaram a palavra de *Yahweh*, nem agiram de acordo

com tudo o que está escrito neste rolo." [22]Hilquias e aqueles que o rei [também havia enviado] foram a Hulda, a profetisa, esposa de Salum, filho de Tocate, filho de Harás, responsável pelo guarda-roupa (ela vivia em Jerusalém, no Segundo Quarteirão) e falaram com ela dessa maneira. [23]Ela lhes disse: "*Yahweh*, o Deus de Israel, disse isto: 'Digam ao homem que os enviou a mim: [24]"*Yahweh* disse isto: 'Eis que irei trazer aflição sobre este lugar e sobre os seus habitantes, todas as maldições escritas no rolo que eles leram diante do rei de Judá, [25]porque eles me abandonaram e queimaram incenso a outros deuses, para me irritar com todas as obras de suas mãos, de modo que a minha ira será derramada sobre este lugar e não sairá.'"' [26]Mas ao rei de Judá que os enviou para inquirir a *Yahweh* vocês devem dizer: '*Yahweh*, o Deus de Israel, disse isto: "Quanto às palavras que você ouviu: [27]uma vez que a sua atitude foi flexível e você foi submisso diante de Deus quando ouviu suas palavras com respeito a este lugar e aos seus habitantes, e se submeteu diante de mim, rasgou as suas roupas e chorou diante de mim, eu mesmo, de fato, ouvi (declaração de *Yahweh*). [28]Agora, irei levar você aos seus ancestrais, e você será levado ao seu túmulo, enquanto as coisas estão bem. Os seus olhos não verão toda a aflição que irei trazer sobre este lugar e sobre os seus habitantes."'" Eles levaram a mensagem de volta ao rei.

Certo Dia das Mães, eu mal conseguia suportar o pensamento de ir à igreja à qual pertencia então, porque sabia que o foco estaria sobre essa festividade cultural, não sobre a fé cristã. Desse modo, decidi ir a uma igreja na qual imaginei que o foco seria outro. Na verdade, o culto foi até menos cristão do que o daquela igreja que estava evitando. Houve quatro testemunhos sobre a maternidade e nenhuma leitura bíblica. O abandono da Escritura no culto das igrejas que, em teoria, enfatizam a sua **autoridade** constitui um dos desenvolvimentos que significam que a igreja nos Estados Unidos se tornará tão morta quanto a igreja na Europa, em uma geração. Por causa dessa situação, com frequência sinto que os alunos consideram que a minha principal tarefa como professor é tranquilizá-los de que a Bíblia não diz nada que seja diferente do que eles já acreditam. Josias deveria se tornar o nosso santo padroeiro. A Escritura teve a oportunidade de olhá-lo no rosto, e ele soube como responder a esse olhar. Obviamente, o seu coração já estava no lugar certo, o que também é verdadeiro no caso das igrejas que acabei de citar. Seja qual for o efeito efêmero de qualquer arrependimento e reforma por parte de Manassés, não houve um impacto duradouro sobre a vida de **Judá**, e Amom, o seu filho e sucessor, prosseguiu em seus caminhos característicos. Podemos apenas supor os motivos políticos e religiosos dos assassinos de Amom e dos assassinos destes (embora não viesse a surpreender se um dos dois grupos fosse constituído de pessoas prejudicadas pelas políticas religiosas de Amom), mas o resultado final da ação deles, obviamente, não alterou a situação religiosa em Judá. Assim, Josias nasceu num contexto de infidelidade em Judá. Não obstante, a versão de sua história, apresentada por Crônicas, nos revela que Josias já estava buscando ***Yahweh*** em sua adolescência, o que, possivelmente, indica que pessoas de um daqueles grupos de assassinos, ou alguém mais em Jerusalém, havia colocado aquele garoto debaixo de suas asas e lhe ensinado a verdadeira fé de Judá. Parece que Josias podia confiar em Hilquias, o sumo sacerdote, como alguém comprometido com a correta adoração no templo. Ao completar vinte anos de idade, Josias iniciou uma reforma similar à empreendida por Ezequias, o seu bisavô. A exemplo de Ezequias, Josias não restringiu a sua atividade a Judá, mas se aventurou ao antigo reino do norte, baseado no princípio de que **Efraim** também era parte de Israel e, portanto, parte do reino pelo qual o rei que governa no trono de Davi deveria se interessar. E, como Ezequias, ele descobriu que havia pessoas no antigo reino do norte que desejavam se associar com o templo em Jerusalém e com a sua manutenção. Uma vez mais, os ouvintes e leitores de Crônicas são encorajados a ter uma visão de pessoas do reino do norte se unindo a Judá dessa forma.

É fácil presumir que o culto a *Yahweh* fosse o padrão regular em Israel e que adorar uma ampla gama de divindades seria uma aberração ocasional. A necessidade dessa reforma enfatiza como o culto de um grande número de divindades era o padrão comum em Judá e a adoração a *Yahweh* é que constituía uma aberração ocasional, o que é reforçado pelas descobertas arqueológicas.

O rolo de ensino descoberto durante a restauração do templo era, presumidamente, alguma porção do que, com o tempo, se tornou a **Torá** (o Ensino). Toda a Torá seria muita leitura para ser lida de uma só vez, e o rolo tem sido, regularmente, presumido como uma forma do que chamamos de Deuteronômio, embora o livro de Levítico também expresse o ponto, claramente, assinalado nesse rolo — que o desastre virá sobre Israel pela grande infidelidade a *Yahweh*. Talvez a versão original de um ou de outro desses livros tenha sido forçada para um lado nos dias sombrios de Manassés ou escrita pela primeira vez, então, de forma que o desafio de *Yahweh* e as expectativas sobre Judá não fossem perdidos. Seja como for, o texto, agora, vem à luz.

Portanto, mais do que 2Reis 22, a versão de Crônicas da história de Josias evidencia que não foi a descoberta do rolo que levou Josias a iniciar a sua reforma, embora tenha dado impulso e direção. Sua declaração de que a ira de Deus já havia sido derramada sobre o povo pode ser referente a diversas calamidades que atingiram Judá no século anterior, ou pode referir-se a uma calamidade que Josias reconhece pairar sobre Judá, da qual Hulda, a profetisa, continua a falar. De todo modo, Josias assume a presunção bíblica usual de que uma advertência quanto a um juízo decretado por *Yahweh* não significa que o juízo é inevitável. O arrependimento sempre abre a possibilidade de *Yahweh* ceder. Hulda expressa esse ponto de maneira explícita. O envio de representantes do rei a Hulda demonstra, sem margem de erro, a atividade de profetisas em Judá.

Seria esperado que Josias fizesse alguma referência a Jeremias, que estava em atividade em sua época. Todavia, ele não era de Jerusalém, muito menos um membro do governo, ao passo que Hulda vivia em Jerusalém e era casada com um membro do grupo de funcionários do templo. Se ainda tivéssemos dúvidas, poderíamos imaginar que Josias esperasse um contato mais fácil com Hulda do que com Jeremias; se for esse o caso, suas expetativas foram desapontadas. Hulda disse exatamente o que Jeremias teria dito.

2CRÔNICAS **34:29—35:27**
UM ERRO FATAL

29O rei convocou e reuniu todos os anciãos de Judá e de Jerusalém, **30**subiu à casa de *Yahweh*, com todos de Judá, os habitantes de Jerusalém, os sacerdotes, os levitas e todo o povo, jovens e velhos, e leu todas as palavras do rolo da aliança encontrado na casa de *Yahweh* para eles ouvirem. **31**O rei tomou o seu lugar e selou uma aliança diante de *Yahweh*, para seguir *Yahweh* e guardar os seus mandamentos, suas declarações e leis. [...] **33b**Em todos os seus dias, ele não deixou de seguir *Yahweh*, o Deus dos seus ancestrais.

CAPÍTULO 35

[1]Josias fez a Páscoa para *Yahweh* em Jerusalém; eles abateram o sacrifício da Páscoa no décimo quarto dia do primeiro mês. [2]Ele estabeleceu os sacerdotes em seus turnos e os fortaleceu para o serviço da casa de *Yahweh*. [3]Ele disse aos levitas [...]: [6]"Abatam o sacrifício da Páscoa; santifiquem-se e o preparem para os seus parentes, agindo de acordo com a palavra de *Yahweh* por meio de Moisés [...]." [16]Todo o serviço de *Yahweh* foi preparado naquele dia, na realização da Páscoa e na apresentação das ofertas queimadas sobre o altar de *Yahweh*, de acordo com a ordem do rei Josias. [17]Os israelitas que estavam presentes celebraram a Páscoa naquela vez e a festa dos pães asmos por sete dias. [18]A Páscoa não era realizada daquela maneira em Israel desde os dias do profeta Samuel. Nenhum dos reis de Israel havia realizado uma Páscoa como aquela feita por Josias, com os sacerdotes, os levitas, todo o Judá e Israel presentes, e os habitantes de Jerusalém. [19]Essa Páscoa foi realizada no décimo oitavo ano do reinado de Josias.

[20]Após tudo isso, quando Josias havia colocado a casa em ordem, Neco, rei do Egito, subiu para batalhar em Carquemis, no Eufrates. Josias saiu para se encontrar com ele, [21]mas Neco enviou ajudantes a ele, dizendo: "O que há entre você e mim, rei de Judá? Hoje, não estou contra você, mas contra a casa que está batalhando comigo. Deus me disse para me apressar. Afasta-te de Deus, que está comigo, para que ele não te destrua." [22]Mas Josias não desviou o seu rosto dele, antes disfarçou-se para batalhar com ele. Ele não ouviu as palavras de Neco, vindas da boca de Deus, mas foi à batalha na planície de Megido, [23]e os arqueiros atingiram o rei Josias. O rei disse aos seus oficiais: "Tirem-me daqui, porque estou gravemente ferido." [24]Seus oficiais o tiraram da carruagem, o colocaram na carruagem do segundo em comando e o levaram a Jerusalém, mas ele morreu. Ele foi sepultado nos túmulos dos seus ancestrais, e todo o Judá e Jerusalém prantearam por Josias.

[25]Jeremias lamentou sobre Josias, e todos os cantores (homens e mulheres) contam sobre Josias em seus lamentos até este dia. Eles os tornaram um estatuto em Israel. Eis que eles estão escritos nos lamentos. [26]O restante dos feitos de Josias e seus atos de compromisso de acordo com o que está escrito no ensino de *Yahweh*, [27]os seus feitos, iniciais e tardios, estão escritos no rolo dos reis de Israel e de Judá.

Esta tarde, enquanto dirigia na estrada, repentinamente vi surgir do outro lado um grande congestionamento, em consequência de um acidente. Um carro grande estava estacionado na parte superior de uma barreira de concreto, no canteiro da pista. Ao ver aquelas circunstâncias, o meu primeiro pensamento foi: "Que bom que não estou indo naquela direção; espero que a pista esteja limpa quando eu retornar mais tarde." Meu segundo pensamento foi: "Como isso poderia facilmente ter acontecido comigo!" Um erro de minha parte ou de outro motorista e estou morto. (Meu terceiro pensamento foi de orar pelas pessoas envolvidas, o que, no mundo ideal, deveria ter sido o primeiro.) Com frequência, o mesmo pensamento vem à minha mente enquanto vou de bicicleta ao meu trabalho; um erro meu ou de um motorista falando ao celular e estou morto.

Josias cometeu um erro, e isso lhe custou a vida. Sua morte estabelece um clamoroso contraste com a maneira pela qual ele levou **Judá** a estabelecer o **compromisso** de viver em uma fiel **aliança** com ***Yahweh***, em conformidade com o rolo encontrado no templo. Sim, Josias sabia como ouvir a Escritura; sabia que aquela era uma matéria corporativa; todo o povo de Deus precisava ouvi-la, não somente os indivíduos. O rei também sabia que era uma questão de compromisso e de obediência, não apenas de descobrir histórias de encorajamento.

A sua celebração da Páscoa conecta-se com o comentário de que o povo permaneceu fiel a *Yahweh* durante toda a sua vida. Para os ouvintes de Crônicas, a celebração desse evento em Jerusalém é mais viável agora, pois Judá está reduzido. Mas é, igualmente, aconselhável, porque um líder e sacerdotes fiéis podem acompanhar os festivais se eles ocorrerem em Jerusalém de uma forma que não seria possível caso fossem realizados em outros locais. A Páscoa patrocinada por Josias foi, ao que tudo indica, um evento ainda mais notável que a Páscoa de Ezequias, talvez porque Josias deu um papel mais proeminente aos levitas, ou porque um contingente ainda maior de **Efraim**, bem como de todo o Judá, participou da celebração.

O contexto do desastroso erro de Josias envolve os derradeiros anos do Império **Assírio**. A exemplo do relato da parte inicial de seu reinado, a versão de Crônicas sobre a sua morte acrescenta à versão de 2Reis 23 a revelação de que Josias ignora a exortação de Neco para não interferir na expedição egípcia. A compreensão tradicional dos eventos é de que Neco estava em uma jornada para apoiar os assírios, que resistiam à tentativa dos babilônios para assumir o controle sobre a Mesopotâmia, e que, por seu turno, Josias estava agindo em apoio à tentativa **babilônica**. Megido é uma importante cidade efraimita, na extremidade da planície central de Israel, acessível por uma passagem pelas montanhas que era uma rota regular entre o Egito e a Mesopotâmia (o nome Armagedom deriva do termo hebraico para monte Megido).

A exemplo da mensagem enviada por Senaqueribe a Ezequias, a mensagem de Neco contém algumas ironias. Seria totalmente plausível que ele reivindicasse estar fazendo a vontade de Deus; as nações em conflito, rotineiramente, alegam isso. Era verdade que ele não tinha nenhuma desavença com Josias. Contudo, se Neco estava marchando para apoiar a Assíria, é difícil considerar como verdadeiro que ele estivesse, de fato, do lado de Deus, uma vez que Deus estava usando a Babilônia para derrubar o Império Assírio. Quando Crônicas declara que Neco falou uma palavra da parte de Deus à qual Josias, tolamente, ignorou, talvez isso sugira que Josias não deveria ter se envolvido em apoio à Babilônia. Ele deveria ter se mantido fora daquela briga.

Ao falhar em ficar distante do conflito, ele perdeu a promessa que Hulda lhe havia feito, de que ele seria levado à sepultura em *shalom*. Isso deveria significar que Josias morreria em **paz**; mas não foi assim. Sua história, então, ilustra como as promessas de Deus a nós não passam por cima de nossas ações. No tocante a isso, elas são como as promessas de qualquer um: se alguém me promete pagar um jantar e eu falho em ir, perco a promessa. Em outro sentido, a promessa de Hulda cumpriu-se. Josias poderia, facilmente, ter vivido vinte anos mais e, portanto, teria visto o colapso da independência judaíta e a destruição de Jerusalém. Assim, ele foi poupado dessa experiência e morreu quando tudo estava bem em Jerusalém.

Os lamentos de Jeremias não foram preservados, embora o retrato de Jeremias lamentando possa ter encorajado a ideia de que ele compôs os lamentos presentes no livro de Lamentações.

2CRÔNICAS **36:1-23**

A TERRA COMPLETOU OS SEUS SÁBADOS

[1]O povo do país tomou Jeoacaz, filho de Josias, e o fez rei no lugar de seu pai, em Jerusalém. [2]Jeoacaz tinha vinte e três anos de idade quando se tornou rei e reinou três meses em Jerusalém, [3]mas o rei do Egito o removeu em Jerusalém e multou o país em cem talentos de prata e um talento de ouro. [4]O rei do

Egito tornou Eliaquim, irmão [de Jeoacaz], rei sobre Judá e Jerusalém, e mudou o seu nome para Jeoaquim, e Neco tomou Jeoacaz, seu irmão, e o levou para o Egito. [5]Jeoaquim tinha vinte e cinco anos de idade quando se tornou rei e reinou onze anos em Jerusalém. Ele fez o que era errado aos olhos de *Yahweh*, o seu Deus. [6]Nabucodonosor, rei da Babilônia, subiu contra ele e o confinou com algemas de bronze para transportá-lo à Babilônia. [...] [8b]Joaquim, seu filho, tornou-se rei em seu lugar. [9]Joaquim tinha dezoito anos de idade quando se tornou rei e reinou três meses e dez dias em Jerusalém. Ele fez o que era errado aos olhos de *Yahweh*. [10]Na virada do ano, o rei Nabucodonosor mandou trazê-lo à Babilônia com os valiosos acessórios da casa de *Yahweh*. Ele fez Zedequias, parente de [Joaquim], rei sobre Judá e Jerusalém. [11]Zedequias tinha vinte e um anos de idade quando se tornou rei e reinou onze anos em Jerusalém. [12]Ele fez o que era errado aos olhos de *Yahweh*, o seu Deus, e não se submeteu diante de Jeremias, o profeta, [que falava] da boca de *Yahweh*. [13]Além disso, ele se rebelou contra Nabucodonosor, que o fez fazer um juramento em nome de Deus. Ele enrijeceu a sua cerviz e endureceu a sua atitude para não se voltar para *Yahweh*, o Deus de Israel. [14]Ainda, todos os oficiais dos sacerdotes e o povo cometeram muitos atos de transgressão, de acordo com as práticas abomináveis das nações, e poluíram a casa de *Yahweh*, que ele havia consagrado em Jerusalém.

[15]*Yahweh*, o Deus de seus ancestrais, lhes falou por meio de seus ajudantes, enviando-os persistentemente, porque ele tinha compaixão por seu povo e pelo lugar de sua habitação. [16]Mas eles zombaram dos ajudantes de Deus, desprezaram as suas palavras e ridicularizaram os seus profetas, até que a ira de *Yahweh* se levantou contra o seu povo, e não houve remédio. [17]Assim, ele trouxe o rei dos caldeus contra eles. Eles mataram os seus jovens à espada na casa santa deles. Não teve compaixão de rapazes ou de moças, de adultos e de velhos.

Ele entregou tudo nas mãos de [Nabucodonosor]. [18]Todos os acessórios da casa de *Yahweh* e os tesouros do rei e de seus oficiais – ele levou tudo para a Babilônia. [19]Eles queimaram a casa de Deus e derrubaram os muros de Jerusalém. Queimaram todas as suas mansões com fogo e destruíram todos os seus objetos valiosos. [20]Ele exilou para a Babilônia o povo que sobreviveu à espada, e eles se tornaram servos seus e de seus filhos até a vinda do reinado persa, [21]para cumprir a palavra de *Yahweh* pela boca de Jeremias, até o país satisfazer os seus sábados. Todo o tempo de sua desolação ele descansou, para completar setenta anos. [22]Mas, no primeiro ano de Ciro, rei da Pérsia, [...] *Yahweh* levantou o espírito de Ciro, rei da Pérsia, e ele fez circular uma proclamação em todo o seu reino, e também por escrito, dizendo: [23]"*Yahweh*, o Deus dos céus, deu-me todos os reinos da terra, e ele mesmo indicou-me para lhe construir uma casa em Jerusalém, em Judá. Qualquer um de vocês, de todo o seu povo: que Y*ahweh*, o seu Deus, esteja com ele. Ele deve subir."

Algumas vezes, quando olhamos para trás, pode parecer óbvio que as coisas tivessem se desenvolvido daquela maneira, mas, enquanto elas ocorriam, não parecia tão evidente. Agora, é possível ver, cristalinamente, que a Grã-Bretanha jamais poderia manter o seu domínio imperialista e que os vários povos aos quais sujeitava iriam insistir em sua independência. Como podemos, hoje, imaginar a Índia ou o Paquistão governados pela Grã-Bretanha? Hoje em dia, torna-se evidente que os afro-americanos devem ter os seus direitos civis assegurados. Como é possível, nos dias atuais, imaginar que eles podiam apenas comer em certos restaurantes e pernoitar apenas em determinados hotéis? É evidente, hoje, que os palestinos devem ter o seu próprio Estado. Como pensar, em nossos dias, que devem permanecer como um povo que passivamente aceite o seu lugar em "territórios ocupados"?

Hoje em dia, pode-se ver que a história de **Judá** tinha de terminar com a queda de Jerusalém em 587 a.C., mas não era tão evidente assim nos dias de Josias, ou mesmo nos de Jeoacaz, Eliaquim ou Zedequias, seus filhos, ou, ainda, nos dias de Joaquim, filho de Eliaquim. Pelo menos, não teria sido tão óbvio a esses sucessivos reis. Há um sentido no qual isso era evidente a alguns dos profetas que, todavia, estavam lutando para dar à história um final diferente — a exemplo de Jeremias, citado por Crônicas. Entretanto, quando refletimos sobre o modo pelo qual a história se desenvolveu ao longo dos séculos, vemos que a reação de Judá em relação a esses profetas estava de acordo com a reação que os profetas de ***Yahweh*** receberam durante todo esse tempo.

Crônicas os chama de **ajudantes** de Deus. É a única vez que essa palavra é usada para descrever profetas; o termo, mais regularmente, denota os auxiliares de um rei humano ou os auxiliares sobrenaturais do Rei celestial. Isso chama a atenção para o assustador fato de os profetas serem mais do que meros mensageiros (e mensageiras), mas são pessoas por meio das quais as decisões de Deus são colocadas em prática. Podem ser instrumentos de bênção, mas, de modo mais frequente, são meios de as advertências de Deus tanto serem anunciadas quanto implementadas (quando não acatadas). Crônicas usa uma expressão vívida para descrever Deus enviando esses ajudantes. No lugar da expressão "enviando-os persistentemente", a versão Almeida Revista e Atualizada (ARA) da Bíblia traz "começando de madrugada". *Yahweh* é como um presidente que levanta às cinco da manhã para se reunir com a sua equipe e enviá-los com as tarefas que precisam ser realizadas. Eis como *Yahweh* está enviando mensagens a Judá para que o povo possa encontrar misericórdia e escapar do juízo. O modo pelo qual Crônicas estabelece esse ponto ilustra o padrão de o Antigo Testamento retratar Deus: pode-se dizer que Deus está desesperadamente ansioso para mostrar misericórdia ao seu povo, mas tudo é em vão. Próximo ao fim da história, três dos quatro últimos reis de Judá são depostos pelos egípcios ou pelos **babilônios**, pois estes dois poderes almejam obter o controle da área na qual Judá vive. (Caldeus, na prática, significa o mesmo que babilônios — os caldeus eram um povo que veio para governar a Babilônia.) Cada um desses reis angaria a desaprovação dos poderes imperiais ou de Deus, ou de ambos. Deus segue adiando o momento em que o machado deve cair, mas, eventualmente, precisa fazê-lo.

Crônicas utiliza duas imagens vívidas adicionais para descrever o efeito sobre o próprio país. A terra de Israel deveria ficar sem cultivo e, portanto, descansar, a cada sete anos, e Levítico 26 usa isso como uma metáfora: se a terra não tiver a chance de descansar da transgressão de Israel, Deus, no devido tempo, removerá os seus habitantes para que o descanso da terra ocorra. Crônicas combina essa imagem com a de Jeremias, que disse que o **exílio** deles duraria setenta anos, o que equivaleria a quatrocentos e noventa anos válidos para anos sabáticos. Os números não implicam um cálculo preciso, podendo significar setenta em vez de sessenta e nove, ou quatrocentos e noventa em oposição a quatrocentos e oitenta e nove. Quatrocentos e noventa anos cobre a história da presença de Israel na terra. Setenta anos é um período suficientemente longo para forçar o povo a encarar os fatos e sossegarem, não para pensarem que poderão ir para casa em um ano ou dois. (Mas é possível fazer o período de punição durar setenta anos, com certa precisão, contando, por exemplo, do exílio do rei Joaquim, em 597 a.C., até o término da reconstrução do templo, em 516 a.C.)

De fato, setenta anos é um período muito longo, mas, pelo menos, ele terá um fim. E o fim chega. Uma vez mais, considerando os últimos anos de Judá ou o início do exílio, seria impossível imaginar o término do poder babilônico sobre Judá, do mesmo modo que a maioria dos habitantes do subcontinente indiano acharia impossível conceber a queda do Império Britânico. Todavia, a Babilônia caiu diante de Ciro em 539 a.C. Em certo nível, esse evento é apenas mais um episódio na história dos impérios mundiais que imaginam durar para sempre, sem sucesso. Em outro nível, ele ocorre porque Deus está comprometido em cumprir a declaração feita por meio de Jeremias de que o exílio duraria setenta anos — um tempo sobremodo longo, mas não eterno. A ascensão de Ciro foi obra de Deus. O rei da Pérsia estava fazendo o que queria e podia fazer, como o grande líder que era, mas também estava cumprindo os propósitos de Deus sem perceber ou ter a intenção. Se ele atribuiu o seu sucesso a *Yahweh*, quando falou aos judaítas, decerto atribuiu a outros deuses, quando falou com outros povos. Com certa ironia, ao citar *Yahweh*, Ciro falou mais verdadeiramente do que podia imaginar.

Crônicas é um clássico filme de Hollywood, pois conta uma história sombria, mas o seu final capacita Judá a deixar o cinema encorajado pelo fato de Deus não ter exterminado o seu povo.

GLOSSÁRIO

Ajudante. Um agente sobrenatural por meio do qual Deus pode aparecer e operar no mundo. As traduções, em geral, referem-se a eles como "anjos", mas essa designação tende a sugerir figuras etéreas dotadas de asas, ostentando vestes brancas e translúcidas. Os ajudantes são figuras semelhantes aos humanos; por essa razão, é possível agir com hospitalidade sem perceber quem são (Hebreus 13:2). Ainda, eles não possuem asas; por isso, necessitam de uma rampa ou escadaria entre o céu e a terra (Gênesis 28). Eles surgem com a intenção de agir ou falar em nome de Deus e, assim, representá-lo plenamente, falando como se fossem Deus (Juízes 6). Eles, portanto, trazem a realidade da presença, da ação e da voz de Deus, sem trazer aquela presença real que aniquilaria os meros mortais ou danificaria a sua audição. Isso pode ser uma garantia quando Israel é rebelde, e a presença de Deus pode representar, de fato, uma ameaça (Êxodo 32—33), mas eles mesmos podem ser meios de implementar o castigo, da mesma forma que a bênção de Deus (1Crônicas 21).

Aliança. A palavra hebraica *berit* abrange alianças, tratados e contratos, mas todas essas são formas pelas quais as pessoas estabelecem um compromisso formal sobre algo, mas tenho utilizado o termo "aliança" para expressar todas as três. Onde há um sistema legal ao qual as pessoas podem apelar, os contratos pressupõem um sistema para resolver disputas e ministrar justiça que pode ser utilizado caso uma das partes não cumpra com os seus compromissos. Em contraste, um relacionamento de aliança não pressupõe uma estrutura legal executável dessa espécie, mas a aliança envolve algum procedimento formal que confirme a seriedade do compromisso solene que as partes assumem uma com a outra. Desse modo, o Antigo Testamento frequentemente fala sobre *selar* uma aliança; literalmente, *cortá-la* (o pano de fundo reside no tipo de procedimento formal descrito em Gênesis 15 e Jeremias 34:18-20, embora esse tipo de procedimento dificilmente fosse exigido toda vez que alguém assumia um compromisso de aliança). Às vezes, as pessoas selam alianças *para* outras pessoas e, às vezes, *com* outras pessoas. A primeira implica algo mais unilateral; a outra envolve algo mais mútuo.

altar. A palavra normalmente se refere a uma estrutura para oferta de sacrifício (o termo vem da palavra para sacrifício), feita de terra ou pedra. Um altar pode ser relativamente pequeno, como uma mesa, e o ofertante deve ficar diante dele. Ou pode ser mais alto e maior, como uma plataforma, e o ofertante tem de subir nele. A palavra também pode ser uma referência a um estande menor, sobre o qual queimava-se incenso em associação com o culto.

Aram, arameus. Em certos contextos, os arameus são um povo espalhado por uma área mais ampla do Oriente Médio, e o aramaico é um idioma internacional largamente usado que, com o passar do tempo, substituiu o hebraico como a língua dos **judaítas**. No entanto, num sentido mais estrito, Aram é o país situado a nordeste de Israel, que compreendia, aproximadamente, a região da moderna Síria. Como a própria Síria, era uma nação muito maior do que Israel.

Aserá, aserá. A palavra é usada para significar tanto o nome de uma divindade quanto o nome de um acessório para adoração. Na religião cananeia e em outros lugares, Aserá era uma deusa particular, mas o nome passou a ser usado no plural como um termo geral para uma deusa. Em adição, como um termo para um acessório de culto, denota algo que pode ser "erigido", "plantado" e "queimado", o que sugere uma coluna ou pilar similar a uma árvore que representava e sugeria a presença da divindade. Desse modo, transliterei a palavra como *aserá*, com a inicial minúscula.

Assíria, assírios. A primeira grande superpotência do Oriente Médio, os assírios expandiram o seu império rumo ao Ocidente, até a Síria-Palestina, no século VIII a.C., no tempo de Amós e Isaías, e anexaram **Efraim** ao seu império. Quando Efraim persistiu tentando retomar a sua independência, os assírios invadiram Efraim e, em 722 a.C., destruíram a sua capital, Samaria, levando cativo grande parte de seu povo e substituindo-os por pessoas oriundas de outras partes do seu império. Invadiram também **Judá** e devastaram uma extensa área do país, mas não tomaram Jerusalém. Profetas como Amós e Isaías descrevem o modo pelo qual Deus estava, portanto, usando a Assíria como um meio de disciplinar Israel.

Autoridade. Indivíduos como Eli, Samuel, os filhos de Samuel e os reis "exerciam autoridade" sobre Israel e para Israel. A palavra hebraica para alguém que exerce tal autoridade, *shopet*, é tradicionalmente traduzida por "juiz", mas essa liderança é mais ampla que isso. No livro chamado Juízes, esses líderes são pessoas que não possuem posição oficial como os reis posteriores, mas que se levantam e tomam a iniciativa de trazer **libertação** ao povo do problema no qual ele se meteu. É função do rei exercer autoridade de acordo com a **fidelidade** a Deus e ao povo.

Babilônia, babilônios. Um poder menor no contexto da história primitiva de Israel, ao tempo de Jeremias, os babilônios assumiram a posição de superpotência da **Assíria**, mantendo-a por quase um século, até ser conquistada pela **Pérsia**. Profetas como Jeremias descrevem como Deus estava usando os babilônios como um meio de disciplinar **Judá**. Eles tomaram Jerusalém em 587 a.C. e transportaram muitos dentre o povo. Suas histórias sobre a criação, os códigos legais e os textos mais filosóficos nos ajudam a compreender aspectos de escritos equivalentes presentes no Antigo Testamento, embora sua religião astrológica também constitua o cenário para polêmicos aspectos nos Profetas.

Baú. O baú da **aliança** é uma caixa com pouco mais de um metro de comprimento e cerca de setenta centímetros de altura e de largura. A versão Almeida Corrigida e Fiel, bem como outras versões, faz referência a uma "arca", mas a palavra significa uma caixa, embora seja apenas usada ocasionalmente para expressar baús usados para outros fins. É chamado de baú da *aliança* porque contém as tábuas de pedra inscritas com os Dez Mandamentos, expectativas-chave que Deus estabeleceu em relação à aliança do Sinai. É mantido, regularmente, no santuário, mas há um sentido no qual o baú simboliza a presença de Deus (considerando que Israel não possui imagens para representar isso). Dado esse simbolismo, os israelitas, algumas vezes, carregam o baú com eles. Às vezes, também é denominado de "baú da declaração", com o mesmo significado: as tábuas "declaram" as expectativas da aliança de Deus.

Compromisso, comprometido. O termo corresponde às palavras hebraicas *hesed* e *hasid*, que as traduções expressam de modos distintos: amor inabalável, benignidade, bondade ou fidelidade. Trata-se do equivalente, no Antigo Testamento, à palavra para amor no Novo Testamento, isto é, *agapē*. O Antigo Testamento utiliza a palavra "compromisso" em referência a um ato extraordinário por meio do qual uma pessoa se dedica a alguém, numa atitude de generosidade, lealdade ou graça, quando não há um relacionamento prévio entre as partes e, portanto, nenhum motivo para isso. Desse modo, em Josué 2, Raabe fala, apropriadamente, de sua proteção aos espias israelitas como um ato de compromisso. Pode também referir-se a um ato extraordinário similar que ocorre quando há uma relação prévia, na qual uma das partes decepciona a outra e, assim, não tem o direito de esperar qualquer fidelidade da outra parte. Caso a parte ofendida continue sendo fiel, trata-se de uma demonstração desse compromisso. Em resposta a Raabe, os espias israelitas declaram que irão se relacionar com ela dessa maneira.

Efraim, efraimitas. Inicialmente, Efraim é o nome de um dos filhos de José e, então, o nome do clã que remonta a sua origem a ele. Após o reino de Salomão, a nação de Israel se dividiu em duas. A nação do norte era a maior das duas e manteve o nome **Israel** como a sua designação política, o que é confuso porque Israel também é o nome do povo como um todo, que pertence a Deus.

Assim, o nome Israel pode ser usado nas duas conexões. Para confundir ainda mais, o livro de Crônicas é, especialmente, propenso a continuar usando o nome Israel em referência ao povo de Deus e, portanto, ao próprio Judá, para sublinhar o fato de Judá ser a real expressão do povo de Deus. O Estado do norte, contudo, pode também ser referido pelo nome de Efraim, por ser um de seus clãs principais. Assim, uso esse termo como referência ao reino do norte, na tentativa de minimizar a confusão.

Esposa secundária. As traduções usam a palavra "concubina" para descrever mulheres como algumas das esposas de Davi, mas o termo hebraico usado em relação a elas não sugere que não sejam apropriadamente casadas. Ser uma esposa secundária indica possuir uma posição diferente das outras esposas. Talvez implique que seus filhos tenham direitos limitados ou mesmo nenhum direito sobre a herança do pai. É possível a um homem rico ou poderoso ter inúmeras esposas com plenos direitos e muitas esposas secundárias, ou mesmo apenas uma de cada. Pode, ainda, ter apenas a esposa principal ou somente a esposa secundária.

Exílio. No final do século VII a.C., a **Babilônia** se tornou o maior poder no mundo de **Judá**, mas os judaítas estavam determinados a se rebelar contra a sua autoridade. Então, como parte de uma campanha vitoriosa para obter a submissão de Judá, em 597 a.C. e 587 a.C. os babilônios transportaram muitos israelitas de Jerusalém para a Babilônia, particularmente pessoas em posições de liderança, como membros da família real e da corte, sacerdotes e profetas. Essas pessoas foram, portanto, compelidas a viver na Babilônia durante os cinquenta anos seguintes ou mais. Pelo mesmo período, as pessoas deixadas em Judá também estavam sob a autoridade dos babilônios. Assim, não estavam fisicamente no exílio, mas também viveram em exílio por um período de tempo.

Fidelidade, fiel. Nas Bíblias do idioma inglês, as palavras hebraicas *sedaqah* ou *sedeq* são, usualmente, traduzidas por *righteousness*, e nas Bíblias em português, normalmente por "justiça" ou "retidão", mas isso denota uma tendência particular quanto ao que podemos exprimir com esse termo. Elas sugerem fazer a coisa certa em relação à pessoa com quem alguém está se relacionando, aos membros de uma comunidade e a Deus. Portanto, a palavra "fidelidade", ou mesmo "salvação", está mais próxima do sentido original do que "justiça" ou "retidão". No hebraico mais contemporâneo, *sedaqah* pode referir-se a dar esmolas. Isso sugere algo próximo a generosidade ou graça.

Grécia. Em 336 a.C., forças gregas, sob o comando de Alexandre, o Grande, assumiram o controle do Império Persa, porém após a morte de Alexandre, em 333 a.C., o seu império foi dividido. A maior extensão, ao norte e a leste da Palestina, foi governada por Seleuco, um de seus generais, e seus sucessores. Judá ficou sob o controle grego por grande parte dos dois séculos seguintes, embora estivesse situado na fronteira sudoeste desse império e, às vezes, caísse sob o controle do Império Ptolomaico, no Egito, governado por sucessores de outro dos generais de Alexandre.

Israel. Originariamente, Israel era o novo nome dado por Deus a Jacó, neto de Abraão. Seus doze filhos foram, então, os patriarcas dos doze clãs que formam o povo de Israel. No tempo de Saul, Davi e Salomão, esses doze clãs passaram a ser uma entidade política. Assim, Israel significava tanto o povo de Deus quanto uma nação ou Estado, como as demais nações e Estados. Após Salomão, esse Estado dividiu-se em dois Estados distintos, **Efraim** e **Judá**. Pelo fato de Efraim ser maior, manteve como referência o nome de Israel. Desse modo, se alguém estiver pensando em Israel como povo de Deus, Judá está incluído. Caso pense em Israel politicamente, Judá não faz parte. Uma vez que Efraim não existe mais, então, para todos os efeitos, Judá *é* Israel, do mesmo modo que *é* o povo de Deus.

Judá, judaítas. Um dos doze filhos de Jacó e, portanto, o clã que traça a sua ancestralidade até ele e que se tornou dominante no sul dos dois Estados, após o reinado de Salomão. Mais tarde, como província ou colônia persa, Judá ficou conhecido como Jeúde.

Libertar, libertador, libertação. Traduções modernas do Antigo Testamento, com frequência, usam as palavras "salvar", "salvador" e "salvação", mas elas transmitem uma impressão equivocada. No contexto cristão, elas normalmente se referem ao nosso relacionamento pessoal com Deus e ao deleite do céu. O Antigo Testamento, de fato, fala sobre a nossa relação com Deus, porém não utiliza esse grupo de palavras nessa conexão. Antes, elas fazem referência à intervenção prática de Deus para tirar Israel ou um indivíduo de alguma dificuldade, como, por exemplo, acusações falsas por membros da comunidade ou a invasão de inimigos.

Lugar alto. A religião tradicional nas vilas e cidades de Canaã ocorria em torno de um local de adoração no ponto mais alto da vila, possivelmente elevado por uma plataforma. Ali, membros da comunidade podiam levar as suas ofertas e orar, por exemplo, em relação ao nascimento de filhos e a colheita. Quando a população da vila ou da cidade se tornava israelita, esperava-se uma mudança na natureza de seu culto, de modo que ***Yahweh*** passasse a ser adorado ali, mas, na prática, continuava a ser usado de acordo com as tradições do passado. Quer ainda envolvesse o culto a outras divindades que não *Yahweh*, quer práticas de adoração dos cananeus, tais como o uso de imagens, quer o sacrifício de crianças, as pessoas viam a si mesmas adorando a *Yahweh*. Alguns reis, fiéis a *Yahweh*, permitiram que os lugares altos continuassem a funcionar sem danos ao seu compromisso com *Yahweh*, mas, à luz do abuso desses locais e da crescente convicção de que os lugares altos deveriam ser simplesmente abolidos, 1 e 2Reis sentem-se ambíguos quanto a eles e manifestam algum desconforto sobre o modo pelo qual alguns reis fiéis permitiram que continuassem em uso. Veja, por exemplo, 2Reis 12:1-3.

Mestre, Mestres. *Baal* é um termo hebraico comum para designar um mestre, senhor ou proprietário, mas também é utilizado para descrever um deus cananeu. É, portanto, similar ao termo para *Senhor*, usado para descrever ***Yahweh***. Na verdade, "Mestre" pode ser um nome adequado, como "Senhor", como é tratado nas traduções quando transcrevem a palavra como *Baal*. Para deixar essa distinção clara, em geral o Antigo Testamento usa *Mestre* para um deus estrangeiro e *Senhor* para o verdadeiro Deus, *Yahweh*. A exemplo de outros povos antigos, os cananeus cultuavam inúmeros deuses e, nesse sentido, o Mestre era apenas um deles, embora fosse um dos mais proeminentes. O Antigo Testamento também usa o plural, *Mestres* (*Baals*), como referência aos deuses cananeus em geral.

Nome. O nome de alguém representa a pessoa. O Antigo Testamento fala do templo como um lugar no qual o nome de Deus habita. Trata-se de uma das maneiras de lidar com o paradoxo envolvido em falar do templo como um local da habitação de Deus. Isso reconhece a ausência de sentido: como pode um edifício conter o Deus que não pode ser contido pelos céus, não importa quão amplo ele seja? Não obstante, Israel sabe que Deus, em algum sentido, habita no templo. Os israelitas sabem que podem falar com Deus ali; eles têm consciência de que podem falar com Deus em qualquer lugar, mas há uma garantia especial desse fato no templo. O povo de Israel sabe que pode apresentar ofertas lá e que Deus irá recebê-las (supondo que sejam feitas de boa-fé). Uma forma de tentar explicar o inexplicável ao abordar a presença de Deus no templo é, portanto, falar do nome de Deus como presente ali, porque o nome representa a pessoa. Proferir o nome de alguém, como você sabe, traz a realidade daquela pessoa; é quase como se ela estivesse ali. Ao dizer o nome de alguém, há um sentido no qual você a evoca. Quando as pessoas murmuram "Jesus, Jesus", em suas orações, isso traz a realidade da presença do Filho de Deus. Igualmente, quando Israel proclamava o nome de ***Yahweh***, em adoração, isso trazia a realidade da presença de Deus.

Número, números. O relato de Crônicas quanto aos números de pessoas envolvidas em batalhas sugere valores muito elevados, considerando as populações dos países nos tempos do Antigo Testamento. Há inúmeras maneiras de explicar esse fato. É possível que as palavras que indicam os números tenham sido mudadas, acidentalmente, a exemplo de algumas outras palavras no texto, que foram modificadas por acidente. Os números podem ter sido deliberadamente inflados para garantir a hipérbole; grandes números transmitem uma impressão da magnitude do evento. Ainda, possivelmente, as palavras mudaram de significado. A palavra para "milhar" pode também significar "família" e, assim, é possível que algumas passagens com referência a famílias tenham sido consideradas com referência à unidade de milhar. Diferentes explicações podem se aplicar a passagens distintas.

Paz. A palavra *shalom* pode sugerir paz após um conflito, mas, com frequência, indica uma ideia mais rica, ou seja, da plenitude de vida. A a versão Almeida Corrigida e Fiel, às vezes, a traduz por "bem-estar", e as traduções modernas usam palavras como "segurança" e "prosperidade". De qualquer modo, a palavra sugere que tudo está indo bem para você.

Pérsia, persas. A terceira superpotência do Oriente Médio. Sob a liderança de Ciro, o Grande, eles assumiram o controle do Império **Babilônico** em 539 a.C. Isaías 40—55 vê a mão de Deus levantando Ciro como um instrumento para restaurar **Judá** após o **exílio**. Judá e os povos vizinhos, como Samaria, Amom e Asdode, eram províncias ou colônias persas. Os persas permaneceram por dois séculos no poder, até serem derrotados pela **Grécia**.

Querubins. Não se trata de figuras angelicais infantis (como a palavra pode sugerir em seu uso moderno), mas a incríveis criaturas aladas que transportam ***Yahweh***, assentado em um trono acima delas. Havia estatuetas dessas criaturas no templo, mantendo guarda sobre o **baú da aliança**; portanto, eles indicam a presença de *Yahweh* ali, invisivelmente entronizado acima deles.

Segundo Templo. O primeiro templo foi construído por Salomão e, portanto o Período do Primeiro Templo corresponde ao intervalo de tempo entre os dias de seu reinado e o **exílio**. O segundo templo foi aquele reconstruído por Zorobabel e Josué, após o exílio, mas que foi sobremodo expandido por Herodes. Desse modo, o Período do Segundo Templo corresponde ao intervalo de tempo que se inicia com a sua restauração, após o exílio, e termina com a sua destruição, no ano 70 d.C.

Torá. A palavra hebraica para os cinco primeiros livros da Bíblia. Eles, em geral, são referidos como a "Lei", mas esse termo propicia uma impressão equivocada. No próprio livro de Gênesis, não há nada como "lei", bem como Êxodo e Deuteronômio não são livros "jurídicos". A palavra *torah*, em si, significa "ensino", o que fornece uma impressão mais correta da natureza da Torá. Com frequência, a Torá nos fornece mais de um relato do mesmo evento (como a comissão de Deus a Moisés). Desse modo, quando a igreja primitiva contou a história de Jesus de diferentes maneiras, em contextos distintos e de acordo com as percepções dos diferentes autores dos Evangelhos, ela estava apenas seguindo o precedente pelo qual Israel contou suas histórias mais de uma vez, em diferentes contextos. Embora Samuel-Reis e Crônicas mantenham as versões separadas, tal como ocorreria com os Evangelhos, na Torá as versões foram combinadas.

Transgressão. Um dos termos característicos de Crônicas para descrever pecado ou desobediência. Ele sugere a ideia de que, por diversas formas, as pessoas devem respeitar os direitos dos outros. Assim, os cônjuges devem fidelidade um ao outro, pois isso é um direito de cada um deles, de modo que a infidelidade envolve falhar em respeitar esse direito. A infidelidade a ***Yahweh***, pelo culto a outros deuses, possui implicações similares; esse ato significa desrespeitar o direito de *Yahweh* à obediência e à confiança. Apossar-se de despojos de guerra significa desrespeitar o direito de Deus a eles (1Crônicas 2:7). O fato de um rei agir como se fosse um sacerdote envolve uma falha similar (2Crônicas 26:16).

***Yahweh*.** Na maioria das traduções bíblicas, a palavra "Senhor" aparece em letras maiúsculas ou em versalete, como ocorre, às vezes, com a palavra "Deus". Na realidade, ambas representam o nome de Deus, *Yahweh*. Nos tempos do Antigo Testamento, os israelitas deixaram de usar o nome *Yahweh* e começaram a usar "o Senhor".

Há dois motivos possíveis. Os israelitas queriam que outros povos reconhecessem que *Yahweh* era o único e verdadeiro Deus, mas esse nome de pronúncia estranha poderia dar a impressão de que *Yahweh* fosse apenas o deus tribal de Israel. Um termo como "o Senhor" era mais facilmente reconhecível. Além disso, eles não queriam incorrer na quebra da advertência presente nos Dez Mandamentos sobre usar o nome de *Yahweh* em vão. Traduções em outros idiomas, então, seguiram o exemplo e substituíram o nome de *Yahweh* por "o Senhor". O lado negativo é que isso obscurece o fato de Deus querer ser conhecido por esse nome. Por essa razão, o texto utiliza *Yahweh*, com frequência, não algum outro nome (assim chamado) deus ou senhor. Essa prática dá a impressão de Deus ser muito mais "senhoril" e patriarcal do que ele o é na realidade. (A forma "Jeová" não é uma palavra real, mas uma mescla das consoantes de *Yahweh* e das vogais da palavra *Adonai* [Senhor, em hebraico], com o intuito de lembrar às pessoas que na leitura da Escritura elas deveriam dizer "o Senhor", não o nome real.)

Yahweh* dos Exércitos.** Esse título para Deus, em geral, no texto bíblico é traduzido por "SENHOR dos Exércitos", todavia é uma expressão mais intrigante do que ela implica. O termo para Senhor é, na realidade, o nome de Deus, ***Yahweh, e a palavra para "Exércitos" é a palavra hebraica regular para as forças militares; é a palavra que aparece na traseira de qualquer caminhão militar israelense. Assim, mais literalmente, a expressão significa "*Yahweh* [dos] Exércitos", que é apenas tão estranho em hebraico quanto "Goldingay dos Exércitos" seria. Todavia, em termos gerais, a implicação da expressão é decerto clara: ela sugere que *Yahweh* é a personificação do ou o controlador de todo o poderio de guerra, quer no céu, quer na terra.

⌈ SOBRE O AUTOR ⌋

John Goldingay é pastor, erudito e tradutor do Antigo Testamento. Ele é professor emérito David Allan Hubbard de Antigo Testamento no prestigiado Seminário Teológico Fuller em Pasadena, Califórnia. É um dos acadêmicos de Antigo Testamento mais respeitados do mundo com diversos livros e comentários bíblicos publicados. O autor possui o livro *Teologia bíblica* publicado pela Thomas Nelson Brasil.

Livros da série de comentários

O ANTIGO TESTAMENTO PARA TODOS

JÁ DISPONÍVEIS pela **Thomas Nelson Brasil**

Pentateuco para todos: Gênesis 1—16 • Parte 1

Pentateuco para todos: Gênesis 17—50 • Parte 2

Pentateuco para todos: Êxodo e Levítico

Pentateuco para todos: Números e Deuteronômio

Históricos para todos: Josué, Juízes e Rute

Históricos para todos: 1 e 2 Samuel

Históricos para todos: 1 e 2 Reis

Históricos para todos: 1 e 2 Crônicas

Históricos para todos: Esdras, Neemias e Ester

Livros da série de comentários

O NOVO TESTAMENTO PARA TODOS

JÁ DISPONÍVEIS pela **Thomas Nelson Brasil**

Mateus para todos: Mateus 1—15 • Parte 1

Mateus para todos: Mateus 16—28 • Parte 2

Marcos para todos

Lucas para todos

João para todos: João 1—10 • Parte 1

João para todos: João 11—21 • Parte 2

Atos para todos: Atos 1—12 • Parte 1

Atos para todos: Atos 13—28 • Parte 2

Paulo para todos: Romanos 1—8 • Parte 1

Paulo para todos: Romanos 9—16 • Parte 2

Paulo para todos: 1Coríntios

Paulo para todos: 2Coríntios

Paulo para todos: Gálatas e Tessalonicenses

Paulo para todos: Cartas da prisão

Paulo para todos: Cartas pastorais

Hebreus para todos

Cartas para todos: Cartas cristãs primitivas

Apocalipse para todos